ACCESO GRATIS *a la Lectura en la Nube*

Para visualizar el libro electrónico en la nube de lectura envíe junto a su nombre y apellidos una fotografía del código de barras situado en la contraportada del libro y otra del ticket de compra a la dirección:

ebooktirant@tirant.com

En un máximo de 72 horas laborales le enviaremos el código de acceso con sus instrucciones.

ALGORITMOS ABIERTOS Y QUE NO DISCRIMINEN EN EL SECTOR PÚBLICO

ALGORITMOS ABIERTOS Y QUE NO DISCRIMINEN EN EL SECTOR PÚBLICO

Lorenzo Cotino Hueso
Jorge Castellanos Claramunt

Editores

tirant lo blanch
Valencia, 2023

© VV.AA.

© TIRANT LO BLANCH
EDITA: TIRANT LO BLANCH
C/ Artes Gráficas, 14 - 46010 - Valencia
TELFS.: 96/361 00 48 - 50
FAX: 96/369 41 51
Email: tlb@tirant.com
www.tirant.com
Librería virtual: www.tirant.es
DEPÓSITO LEGAL: V-3675-2023
ISBN: 978-84-1197-678-7
MAQUETA: Innovatext

Si tiene alguna queja o sugerencia, envíenos un mail a: *atencioncliente@tirant.com*. En caso de no ser atendida su sugerencia, por favor, lea en *www.tirant.net/index.php/empresa/politicas-de-empresa* nuestro procedimiento de quejas.

Responsabilidad Social Corporativa: http://www.tirant.net/Docs/RSCTirant.pdf

Autores

PERE SIMÓN CASTELLANO

*Profesor Titular de Derecho Constitucional
Universidad Internacional de la Rioja UNIR, Socio del despacho
Font Advocats*

RAQUEL VALLE ESCOLANO

*Profesora Ayudante Doctora de Ciencia Política.
Departamento de Derecho Constitucional y de Ciencia Política y de la Administración
de la Universidad de Valencia*

MARCO EMILIO SÁNCHEZ ACEVEDO

Docente e investigador de la Universidad Católica de Colombia

RUBÉN MARTÍNEZ GUTIÉRREZ

*Profesor Titular de Derecho Administrativo, Delegado de Protección
de Datos de la Universidad de Alicante*

PAULA BOET SERRANO

Responsable de derechos digitales. Ayuntamiento de Barcelona

MICHAEL DONALDSON CARBÓN

Comisionado de Innovación Digital. Ayuntamiento de Barcelona

LORENZO COTINO HUESO.

Catedrático de Derecho Constitucional de la Universitat de València. Valgrai

ALBA SORIANO ARNANZ

Profesora Ayudante Doctora en Universitat de València

ADRIÁN PALMA ORTIGOSA

Prof. Ayudante Doctor de Derecho Administrativo Universitat de València

JORGE CASTELLANOS CLARAMUNT

Prof. Ayudante Doctor de Derecho Constitucional Universitat de València

ROSA CERNADA BADÍA

Profesora de Derecho Administrativo Universidad Católica de Valencia

JOAN GUANYABENS

Director Fundació TIC Salut i Social

Contenido general de la obra

Índice

LAS EVALUACIONES DE IMPACTO ALGORÍTMICO EN LOS DERECHOS FUNDAMENTALES: HACÍA UNA EFECTIVA MINIMIZACIÓN DE SESGOS

Pere Simón Castellano

UNA INTELIGENCIA ARTIFICIAL A MEDIDA DE LAS PERSONAS: EL CONTROL DE LA DISCRIMINACIÓN ALGORÍTMICA

Raquel Valle Escolano

BUENA ADMINISTRACIÓN ALGORÍTMICA Y DEBIDO PROCESO FRENTE A LOS SESGOS

Marco Emilio Sánchez Acevedo

DATOS ABIERTOS, INTEROPERABILIDAD Y REUTILIZACIÓN DE TECNOLOGÍA PARA LA INTELIGENCIA ARTIFICIAL DEL SECTOR PÚBLICO

Rubén Martínez Gutiérrez

DATOS, INTELIGENCIA ARTIFICIAL Y SERVICIOS PÚBLICOS: LA APUESTA DEL AYUNTAMIENTO DE BARCELONA POR LA TRANSPARENCIA ALGORÍTMICA Y LA PROTECCIÓN DE LOS DERECHOS DE LA CIUDADANÍA

Paula Boet Serrano
Michael Donaldson Carbón

CUÁNDO DEBEN CREARSE REGISTROS Y DAR TRANSPARENCIA A LOS ALGORITMOS Y SISTEMAS DE INTELIGENCIA ARTIFICIAL PÚBLICOS

Lorenzo Cotino Hueso

LA INFORMACIÓN QUE HAY QUE FACILITAR
EN LOS REGISTROS PÚBLICOS DE ALGORITMOS
Y DE INTELIGENCIA ARTIFICIAL

Lorenzo Cotino Hueso
Alba Soriano Arnanz

GOBERNANZA PÚBLICA EN MATERIA ALGORÍTMICA: UNA PROPUESTA DE FORMULACIÓN DE LOS REGISTROS PÚBLICOS

Adrián Palma Ortigosa
Jorge Castellanos Claramunt

DE LA DIGITALIZACIÓN A LA INTELIGENCIA ARTIFICIAL: EL PORVENIR DE LA JUSTICIA EN LA UNIÓN EUROPEA

Rosa Cernada Badía

"SALUT/IA" – PROGRAMA PARA LA PROMOCIÓN Y DESARROLLO DE LA INTELIGENCIA ARTIFICIAL EN EL SISTEMA DE SALUD DE CATALUÑA

Joan Guanyabens

Presentación

Tenemos el placer de presentarles un libro colectivo centrado en la importancia de los algoritmos en el ámbito público y esencialmente en su transparencia y que no impliquen sesgos, discriminación o falta de garantías. Se trata de una obra que sigue la senda marcada en esta misma editorial, Tirant lo Blanch, con la obra que coordinamos en 2022: *Transparencia y explicabilidad de la inteligencia artificial*[1]. Dicha obra ha pasado a convertirse en una obra de referencia imprescindible para los estudiosos de esta materia, por lo que de nuevo invitamos a profundizar en este caso con autores igual de ilustres y que enfatizan en la perspectiva del sector público respecto de la utilización de algoritmos para el desarrollo de políticas públicas y, en consecuencia, la perentoria necesidad de que los algoritmos no tengan sesgos y errores, no discriminen y sean abiertos a través de registros públicos de algoritmos. Asimismo se dan aproximaciones a la proyección de la IA en sectores como salud y justicia. Este compendio de conocimientos vanguardistas reúne a destacados expertos que exploran diversas áreas clave en la intersección de los derechos fundamentales, la inteligencia artificial y la transparencia.

También cabe señalar que los coordinadores de esta obra, y casi la mitad de sus autores, formamos parte de OdiseIA (Observatorio del Impacto Ético y Social de la Inteligencia Artificial), la asociación más importante en la materia en España, lo cual implica una apuesta decidida con el compromiso académico de estudiar y analizar, desde una perspectiva ética, una inteligencia artificial que se hace presente en nuestro día a día de muchas maneras, obviamente también a través de las políticas públicas.

En cuanto al contenido del libro, es reseñable que todos los autores presentan un historial académico significativo en el estudio de la inteligencia artificial y su integración en el aspecto jurídico. Siendo un ejemplo inmejorable el primero de los autores, Pere Simón Castellano, cuyo trabajo "Las evaluaciones de impacto algorítmico en los derechos fundamentales: hacia una efectiva minimización de sesgos" supone un estudio minucioso y excelente de la temática que barniza toda la obra. En un mundo cada vez

---

[1]   Acceso abierto en https://www.uv.es/cotino/publicaciones/libroabiertotp22.pdf

más digitalizado, donde la inteligencia artificial y los sistemas algorítmicos desempeñan un papel central, es esencial comprender cómo estos avances tecnológicos pueden afectar nuestros derechos más básicos. El autor nos recuerda que es mejor prevenir que curar, y nos invita a analizar de manera rigurosa las implicaciones que los algoritmos tienen sobre nuestros derechos fundamentales. Como el autor sugiere, esta perspectiva nos lleva a reflexionar sobre la necesidad de implementar evaluaciones de impacto algorítmico eficaces.

A continuación, Raquel Valle, profesora del Departamento de Derecho Constitucional y Ciencia Política de la Universitat de València, presenta un estudio titulado "Una inteligencia artificial a medida de las personas: el control de la discriminación algorítmica" en el que se expone que, a pesar de los desafíos existentes, controlar y dirigir la IA es fundamental para aprovechar su potencial en el desarrollo y el bienestar humano, promoviendo la eficiencia, el crecimiento, la igualdad y la dignidad humana. Esto requiere trabajar en múltiples frentes, incluyendo la legislación, la investigación y la colaboración internacional, para asegurar que la inteligencia humana esté al mando de la inteligencia artificial.

El siguiente trabajo lleva la firma de Marco Emilio Sánchez Acevedo, docente e investigador de la Universidad Católica de Colombia, intitulado "Buena administración algorítmica y debido proceso frente a los sesgos". En su trabajo destaca que la buena administración algorítmica, reconocida como un derecho en la relación entre ciudadanos y administraciones públicas, requiere respetar los derechos fundamentales en el diseño, desarrollo y uso de soluciones tecnológicas para fomentar la solidaridad y la inclusión. De ahí que, para minimizar los sesgos, destaque el autor que es esencial establecer un procedimiento debido que promueva normas objetivas y garantice la supervisión humana de los resultados, evitando la discriminación, lo que implica el derecho a ser escuchado, reparado y acceder a información relevante en las decisiones automatizadas. Esta argumentación le conduce a aseverar que el debido proceso algorítmico demanda procedimientos que garanticen los derechos en las decisiones adoptadas por los algoritmos, desde la identificación de necesidades hasta el monitoreo y mantenimiento de soluciones inteligentes, por lo que la integración de sistemas de control, auditorías algorítmicas, explicabilidad de los algoritmos y evaluaciones de impacto son cruciales para prevenir sesgos, de modo que utilizar herramientas como la recopilación de datos representativos, la evaluación de sesgos y mecanismos de explicabilidad ayudará a lograr una administración algorítmica transparente y responsable.

La obra continúa con la aportación "Datos abiertos, interoperabilidad y reutilización de tecnología para la inteligencia artificial del sector público", a cargo de Rubén Martínez Gutiérrez, Profesor Titular de Derecho Administrativo y Delegado de Protección de Datos de la Universidad de Alicante. Los trabajos del profesor Martínez son de excelente calidad y este es una buena muestra de modo que aborda cuestiones cruciales en materia de IA. Así, el autor expone que la interoperabilidad es un principio clave para la interconexión de sistemas y tecnologías algorítmicas, permitiendo que los datos fluyan de manera óptima y nutran el procesamiento de la IA. En esa línea sostiene que para garantizar datos de calidad y reutilizables, es necesario establecer normativas que exijan la estandarización en todas las entidades y organismos del sector público, de modo que la interrelación entre los datos, su reutilización y la interoperabilidad es fundamental para el correcto funcionamiento de la Inteligencia Artificial en el sector público. Como consecuencia de estos principios sobre los que asienta su estudio, recalca la importancia de considerar la creación, desarrollo e implementación de sistemas por parte del sector público, liderando proyectos que promuevan la interoperabilidad y la seguridad en el uso de la IA. Estos sistemas deben cumplir estándares de transparencia algorítmica y explicabilidad, especialmente cuando se aplican en el ejercicio de las potestades públicas. Como conclusión, el trabajo de investigación que conforma el citado capítulo busca destacar la importancia de estas cuestiones en la reflexión jurídica para lograr una implantación y funcionamiento adecuados de las tecnologías y sistemas de IA en el sector público.

A continuación se dan cuatro trabajos con un denominador común: la necesidad de contar con algoritmos públicos abiertos y transparentes como instrumento de garantía de nuestros derechos frente al sector público. Ello se traduce en la creación de registros de algoritmos, o cuanto menos, la difusión activa de información sobre los sistemas algorítmicos o de IA que utiliza nuestro sector público y otras fórmulas que permiten el conocimiento y control desde la ciudadanía.

El primero de estos estudios se centra en "la apuesta del Ayuntamiento de Barcelona por la transparencia algorítmica y la protección de los derechos de la ciudadanía". Y precisamente en primera persona desde dicho Ayuntamiento, Paula Boet (Responsable de derechos digitales) y Michael Donaldson (Comisionado de Innovación Digital) detallan la implementación y regulación de una de las experiencias pioneras en España y Europa en la apertura de los algoritmos públicos a fin de lograr una inteligencia artificial confiable y garante. Exponen así cómo se ha procedido a regular y poner en marcha un protocolo interno respecto del uso y contratación de estos sistemas, que incluye fórmulas de participación y de evaluación previa y la constitución de registros de algoritmos. Más allá de exponer la regulación y medidas adoptadas los autores nos brindan sus aprendizajes y recomendaciones, de especial interés al tratarse de una cuestión inédita en nuestro país.

Y precisamente el estudio sobre la experiencia en Barcelona es el preludio de los tres trabajos siguientes a cargo de Adrián Palma, Alba Soriano y quienes suscriben esta presentación. Se trata del fruto de un equipo de investigación que desde hace un año colabora en la implantación de la primera regulación en España y de las primeras en Europa de transparencia algorítmica pública: el artículo 16 de la Ley 1/2022, de 13 de abril, de la Generalitat, de Transparencia y Buen Gobierno de la Comunitat Valenciana. Hemos tenido la ocasión de colaborar con la Administración que debe implantar esta legislación y proponer las recomendaciones que consideramos oportunas, dirigidas tanto a los responsables de transparencia, como en especial, a los responsables de TIC de la Generalitat Valenciana. La interlocución con los mismos ha permitido tener en cuenta el contexto y problemas reales que se dan para la generación de estos registros y el cumplimiento de obligaciones de publicidad activa. No podemos más que agradecer a estos responsables su disposición. Ahora bien, queda un largo camino que recorrer para cumplir con esta ley y su apuesta pionera que debe dar ejemplo en España. Los cambios políticos no deben afectar a este cumplimiento y, de hecho, si hay nuevos responsables deben afrontar la creación de registros de algoritmos públicos como la oportunidad de ser un escaparate en nuestro país y en Europa del que aprender.

Pues bien, los tres estudios no se centran en el caso valenciano más que en su caso como ejemplo. Se formulan propuestas constructivas para otras Administraciones que, como la de Barcelona, se lanzan a explorar en la materia. En primer término, Lorenzo Cotino Hueso, uno de los editores de esta obra, aborda la cuestión de "Cuándo deben crearse registros y dar transparencia a los algoritmos y sistemas de inteligencia artificial públicos". Llegado este capítulo, tomo la palabra en singular como coeditor del profesor Cotino para exponer al lector, de manera sucinta, el contenido de esta parte del trabajo. Se viene a ofrecer una guía a los servidores públicos que pretendan, con decisión, llevar a cabo una implementación de políticas públicas en las que el desarrollo de los algoritmos presente todas las garantías para los ciudadanos. Se pone énfasis en los presupuestos de tales registros y publicidad activa. Como punto de partida se apuesta por dar información respecto de cualquier sistema automatizado que incluya algoritmos, pues ya generan importantes riesgos. Y obviamente también respecto de sistemas de inteligencia artificial sean o no de alto riesgo. Asimismo se insiste en que hay que dar transparencia no sólo al uso de estos sistemas en procedimientos administrativos, sino en general en la prestación de los servicios públicos. La esencia del estudio es, precisamente, que la transparencia pública ha de ser más intensa en función del impacto, riesgo y relevancia jurídica de los sistemas algorítmicos públicos. En consecuencia, se exponen los criterios a tener en cuenta para valorar estos riesgos: el concreto ámbito de actuación pública, los sistemas inteligencia artificial públicos de "alto riesgo" del futuro Reglamento de la UE, parámetros para determinar el impacto o relevancia y los efectos del sistema utilizado, si se trata de decisiones individualizadas respecto de personas, decisiones internas administrativas o para la elaboración de políticas y su impacto colectivo. La escala también es esencial, así como la mayor o menor automatización de la actuación administrativa. Se concluye con una escala de usos públicos de inteligencia artificial más o menos impactantes a los que dar transparencia.

El siguiente de los trabajos, "La información que hay que facilitar en los registros públicos de algoritmos y de inteligencia artificial", también firmado por Cotino, en este caso junto a Alba Soriano, profesora de Derecho administrativo de la Universitat de València y que en su ya significativa trayectoria la ha convertido en una académica de referencia en materia de discriminación algorítmica. De nuevo, pensando en la futura generalización de registros públicos de algoritmos se expone el nivel de profundidad y comprensibilidad de la información que se ofrece bajo el ejemplo de la información por capas ya habitual en la protección de datos. A partir de ahí se detalla qué información debe incluirse: sobre la existencia, finalidad, incidencia en las decisiones públicas, la lógica y motivación comprensible; sobre los datos de entrenamiento, de entrada y los inferidos por el sistema y sus especificaciones técnicas; sobre evaluaciones de impacto, medidas y mitigaciones de riesgos, supervisión humana y auditorías e información sobre responsables, proveedores y usuarios, contratación del sistema y un punto de contacto. Se concluye con una referencia a los límites que puede haber a la hora de brindar esta información y un útil resumen comparado de la información proporcionada en los registros algorítmicos ya establecidos o propuestos.

Dentro de este bloque correspondiente a análisis y estudios de implementación de registros públicos de algoritmos implementados por la Administración pública, el siguiente capítulo es el que firman Adrián Palma y Jorge Castellanos, ambos profesores de la Universitat de València, cuyo título es "Gobernanza pública en materia algorítmica: una propuesta de formulación de los registros públicos". En este trabajo se asientan propuestas relativas al modo de aplicar un sistema de gobernanza a los algoritmos públicos que se emplean en las políticas de la Administración, tratando de establecer un orden y un criterio objetivo que permita facilitar el trabajo al sector público. Y es que la gobernanza gubernamental en relación a los algoritmos es esencial para garantizar que sean transparentes, equitativos y responsables, por lo que establecer registros públicos sólidos es una medida crucial para promover la transparencia, la rendición de cuentas y la confianza en los procesos automatizados de toma de decisiones. De este modo, al proporcionar acceso público a información detallada sobre los algoritmos utilizados, los registros públicos permiten la supervisión ciudadana, la detección de sesgos y la mejora continua de los algoritmos, promoviendo el debate informado y la participación en el uso de la tecnología algorítmica en la administración pública. El modelo propuesto en este trabajo incluye la creación de registros de algoritmos públicos, aplicables a cualquier entidad gubernamental que desee implementar esta herramienta, independientemente de si existe o no un deber legal de publicidad activa. Así, para una implementación adecuada, es necesario distinguir entre los algoritmos ya utilizados y los que se pretenden utilizar en el futuro por parte de las administraciones públicas ya que el registro de algoritmos públicos implica tener control sobre los algoritmos en uso o futuros, evaluar y asignar riesgos para los derechos y libertades de los ciudadanos, y establecer medidas de transparencia algorítmica en función del riesgo asignado. Por último, los autores sostienen que para desplegar este modelo de manera efectiva, se requiere la creación de unidades administrativas, una gobernanza adecuada y la implementación de herramientas y medidas de seguimiento.

Tras este conjunto de estudios centrados en los registros y transparencia públicas, "De la digitalización a la Inteligencia artificial: el porvenir de la Justicia en la Unión Europea", es el título del capítulo que suscribe Rosa Cernada Badía, profesora de Derecho Administrativo Universidad Católica de Valencia. En el mencionado trabajo, la autora sostiene que la implantación de sistemas de IA en la Unión Europea es una necesidad para mantener la competitividad, pero debe hacerse respetando los valores y principios fundamentales. En este sentido subraya la necesidad de regular la IA para delimitar los usos compatibles con los valores de la Unión y garantizar los derechos fundamentales y, en el ámbito de la Justicia, afirma que se deben establecer límites éticos y asegurar que la capacidad de decisión final recaiga en seres humanos. Así, los sistemas de IA pueden ser útiles en actividades administrativas auxiliares y mejorar la eficacia de la Justicia, descongestionando los juzgados y reduciendo los tiempos de resolución de casos, por lo que considera que la valoración de la IA debe centrarse en la incorporación de la dimensión ética en su implementación, y el enfoque basado en el riesgo debe guiar los desarrollos actuales y futuros.

Finalmente, nos sumergiremos en el programa SALUT/IA, una iniciativa destacada para la promoción y desarrollo de la inteligencia artificial en el sistema de salud de Cataluña. Con el capítulo "SALUT/IA" – Programa para la promoción y desarrollo de la inteligencia artificial en el Sistema de Salud de Cataluña, que presenta, Joan Guanyabens, Director Fundació TIC Salut i Social, descubriremos cómo esta innovadora propuesta está transformando el panorama de la salud, a través de la aplicación de la inteligencia artificial.

Como el lector podrá comprobar con su lectura, este libro colectivo, *Algoritmos abiertos y que no discriminen en el sector público,* representa una referencia ineludible para aquellos interesados en comprender las implicaciones de la discriminación algorítmica, la transparencia en el uso de datos e inteligencia artificial, la gobernanza pública y la justicia en la era digital.

Nosotros, como coordinadores, deseamos expresar nuestro agradecimiento especial a Joaquín Martín Cubas por su liderazgo y apoyo constante como director de la Cátedra PAGODA (Cátedra de Gobierno Abierto, Participación y Open Data) en la Facultad de Derecho, con el respaldo continuo de la ya extinta Consellería de Participación, Transparencia, Cooperación y Calidad Democrática y ahora de la Presidencia de la Generalitat Valenciana. Sin duda hay que destacar que la Generalitat Valenciana ha estado profundamente comprometida con la transparencia algorítmica, cuya muestra más significativa es la regulación innovadora del año 2022 a la que se ha hecho referencia. Joaquín Martín, Andrés Boix y los firmantes hemos logrado formar un equipo excepcional que ha llevado a cabo numerosas actividades, seminarios y publicaciones. Y en esa línea indicada estamos orgullosos de presentar esta obra, que se convertirá en una referencia imprescindible en nuestro país gracias a la calidad de sus autores y sus estudios.

Por último, cabe mencionar los proyectos en el marco de los cuales esta obra ha llegado a cristalizar. Así, cabe referirse a los proyectos del Ministerio de Ciencia e Innovación, "Derechos y garantías públicas frente a las decisiones automatizadas y el sesgo y discriminación algorítmicas" (PID2022-136439OB-I00); antes Retos "Derechos y garantías frente a las decisiones automatizadas... (RTI2018-097172-B-C21); el proyecto de investigación de grupos emergentes CIGE/2021/123 "Garantías, límites constitucionales y perspectiva ética ante la transformación digital: Big data, inteligencia artificial y robótica", de la Conselleria de Innovación, Universidad, Ciencia y Sociedad Digital de la Generalitat Valenciana; grupo de investigación de excelencia Generalitat Valenciana "Algoritmic law" (Prometeo/2021/009, 2021-24). En el ámbito del MICINN, prueba de concepto "Registro público de algoritmos" (Ref: PDC2022-133890-I00) 2022-2023 "Algorithmic Decisions and the Law: Opening the Black Box" (TED2021-131472A-I00) y "Transición digital de las Administraciones públicas e inteligencia artificial" (TED2021-132191B-I00) del Plan de Recuperación, Transformación y Resiliencia.

Lorenzo Cotino Hueso
y Jorge Castellanos Claramunt
Valencia. Julio de 2023

Las evaluaciones de impacto algorítmico en los derechos fundamentales: hacía una efectiva minimización de sesgos

Pere Simón Castellano[1]
Profesor Titular de Derecho Constitucional
Universidad Internacional de la Rioja UNIR, Socio del despacho Font Advocats

I. A MODO DE INTRODUCCIÓN: MÁS VALE PREVENIR QUE CURAR

El presente trabajo se enmarca en un contexto de creciente interés y preocupación por el impacto de los algoritmos en los derechos fundamentales. En la era digital, donde la inteligencia artificial y los sistemas algorítmicos desempeñan un papel cada vez más relevante en nuestra sociedad, resulta imperativo analizar de manera rigurosa las implicaciones que estos avances tecnológicos tienen sobre los derechos fundamentales[2].

---

[1] El presente estudio es resultado de investigación del proyecto "Derechos y garantías públicas frente a las decisiones automatizadas y el sesgo y discriminación algorítmicas" (PID2022-136439OB-I00).

[2] Véanse al respecto los trabajos de M. A. Presno Linera, *Derechos fundamentales e Inteligencia Artificial*, Madrid, Marcial Pons, Fundación Manuel Giménez Abad, 2022; M. A. Presno Linera, "Una aproximación a la inteligencia artificial y su incidencia en los derechos fundamentales", en IDP: Observatorio de Derecho Público, disponible en Internet: https://idpbarcelona.net/una-aproximacion-a-la-inteligencia-artificial-y-su-incidencia-en-los-derechos-fundamentales/ (última consulta el 4 de agosto de 2022); L. Cotino Hueso, "Nuevo paradigma en las garantías de los derechos fundamentales y una nueva protección de datos frente al impacto social y colectivo de la inteligencia artificial", en M. Bauzá Reilly (Coord.) y L. Cotino Hueso (Dir.), *Derechos y garantías ante la inteligencia artificial y las decisiones automatizadas*, Cizur Menor, Aranzadi, 2022, págs. 69-105; L. Cotino Hueso, "Quién, cómo y qué regular (o no regular) frente a la desinformación", en *Teoría y Realidad Constitucional*, 49, 199-238; L. Cotino Hueso, "Transparencia y explicabilidad de la inteligencia artificial y "compañía" (comunicación, interpretabilidad, inteligibilidad, auditabilidad, testabilidad, comprobabilidad, simulabilidad…). Para qué, para quién y cuánta", en L. Cotino Hueso, L. y J. Castellanos Claramunt (Eds.), *Transparencia y explicabilidad de la inteligencia artificial*, Valencia, Tirant lo Blanch,

1. Justificación del tema y oportunidad

En los últimos años, hemos sido testigos de un rápido desarrollo y adopción de algoritmos en diversos ámbitos, como la toma de decisiones automatizada, la selección de contenido personalizado y la detección de patrones en grandes conjuntos de datos. Estos algoritmos, aunque prometedores en términos de eficiencia y productividad, también han suscitado inquietudes en relación con su potencial para generar sesgos y discriminación, así como para socavar principios fundamentales como la privacidad, la igualdad y la libertad de expresión[3].

En este contexto, resulta esencial abordar el papel que juegan las evaluaciones de impacto algorítmico (en adelante, nos referiremos a ellas como EIA) en derechos fundamentales, que más bien constituyen un elemento nuclear en el marco de un sistema o modelo de cumplimiento basado en la prevención y en la actuación *ex ante*.

Se trata de (auto)evaluaciones de impacto que llevan a cabo los principales actores vinculados con la iniciativa, diseño, desarrollo, comercialización y/o implementación de los sistemas de inteligencia artificial. Constituye una de las principales derivadas del modelo de cumplimiento normativo preventivo previsto por la Unión Europea (véase la Propuesta de Reglamento del Parlamento Europeo y del Consejo, de fecha 21 de abril de 2021, en adelante, LIA, como acrónimo de Ley de Inteligencia Artificial) que, por otro lado, ya se ha empezado a imponer también en España (véase el art. 23 de la Ley 15/2022, de 12 de julio, integral para la igualdad de trato y la no discriminación, que incorpora una obligación de hacer o mandato cuando indica que "se promoverá la realización de evaluaciones de impacto que determinen el posible sesgo discriminatorio").

2022, págs. 25-70; F. Miró Llinares, "Predictive policing: Utopia or dystopia? On attitudes towards the use of big data algorithms for law enforcement", en *Revista de Internet, Derecho y Política (IDP)*, 30; A. Mantelero, *Beyond Data. Human Rights, Ethical and Social Impact Assessment in AI*, La Haya, Springer, 2022; P. Simón Castellano, *Justicia cautelar e inteligencia artificial: la alternativa a los atávicos heurísticos judiciales*, Barcelona, J. M. Bosch, 2021; P. Simón Castellano, *La prisión algorítmica: Prevención, reinserción social y tutela de derechos fundamentales en el paradigma de los centros penitenciarios inteligentes*, València, Tirant lo Blanch, 2022.

[3]   Véanse al respecto las obras colectivas A. J. Huergo Lora (Dir), La regulación de los algoritmos, Cizur Menor, Aranzadi, 2020; F. J. Castro Toledo (Dir.), *La transformación algorítmica del sistema de justicia penal*, Cizur Menor: Aranzadi, 2022.

Dicha evaluación tiene como objetivo principal identificar, prevenir y minimizar los posibles efectos negativos que los algoritmos pueden tener sobre los derechos individuales y colectivos. Asimismo, busca establecer mecanismos que garanticen la transparencia y la rendición de cuentas de los sistemas algorítmicos en base al tipo de tecnología y a las finalidades para las que va a ser empleado.

2. Objetivos de la investigación

El objetivo principal de este capítulo es explorar y analizar los desafíos y las oportunidades que surgen en el ámbito de las evaluaciones de impacto algorítmico en los derechos fundamentales, en general, y el riesgo de discriminación, en particular. A partir de un enfoque interdisciplinario, se pretende:

(1) Analizar críticamente las implicaciones de los algoritmos en la protección de los derechos fundamentales, centrándonos especialmente en los posibles sesgos y discriminaciones generados.

(2) Examinar los principios éticos y los marcos normativos existentes que abordan los aspectos algorítmicos de los derechos fundamentales, con el fin de identificar lagunas y desafíos en la práctica.

(3) Proponer criterios y directrices para la implementación efectiva de evaluaciones de impacto algorítmico, con el objetivo de minimizar los sesgos, garantizar la transparencia y promover la rendición de cuentas.

(4) Presentar ejemplos prácticos y buenas prácticas en el ámbito de las evaluaciones de impacto algorítmico en diferentes contextos, como el sector público, la justicia y las plataformas digitales.

(5) Analizar los desafíos y oportunidades de implementar medidas de transparencia en los algoritmos, incluyendo la divulgación de información relevante y comprensible para los usuarios y afectados.

(6) Investigar mecanismos de rendición de cuentas efectivos para los sistemas algorítmicos, incluyendo la responsabilidad legal y ética de los actores involucrados en su desarrollo, implementación y uso.

(7) Identificar recomendaciones y directrices para una regulación adecuada de las evaluaciones de impacto algorítmico, que fomente la protección de los derechos fundamentales sin obstaculizar la innovación y el progreso tecnológico.

3. Definición de hipótesis

En este capítulo, partimos de la hipótesis de que la implementación de evaluaciones de impacto algorítmico efectivas, basadas en un modelo de cumplimiento recurrente y la obtención de sellos de conformidad, puede contribuir a minimizar los sesgos algorítmicos y salvaguardar los derechos fundamentales en un entorno cada vez más digitalizado. Sostenemos que, mediante un enfoque multidisciplinario y basado en principios éticos, es posible identificar y corregir los sesgos algorítmicos, promover la transparencia en los procesos de toma de decisiones y establecer mecanismos adecuados de rendición de cuentas.

A través de esta investigación, se pretende contribuir al debate académico y jurídico sobre la importancia de las evaluaciones de impacto algorítmico en la protección de los derechos fundamentales. Además, se busca ofrecer orientaciones prácticas y propuestas concretas para garantizar una implementación efectiva de estas evaluaciones, promoviendo así un entorno algorítmico más justo, transparente y respetuoso de nuestros derechos fundamentales.

En los siguientes apartados, se profundizará en cada uno de estos objetivos, analizando la problemática, revisando la literatura relevante, presentando casos de estudio y ofreciendo recomendaciones concretas para una evaluación de impacto algorítmico rigurosa y responsable.

II. CONTENIDO DE LA EVALUACIÓN DE IMPACTO ALGORÍTMICO Y JUICIO DE PROPORCIONALIDAD

Una EIA implica ponderar derechos e intereses legítimos en base a unos riesgos derivados de los sistemas de IA que se han detectado gracias al empleo de métodos científicos. Esa ponderación se realiza de forma previa a la colisión entre derechos fundamentales, que se presume en un determinado grado de probabilidad —*likelihood*—. A lo largo de su ciclo de vida, los sistemas de IA han de ser inclusivos y accesibles, y no deberían implicar ni provocar una discriminación injusta contra las personas, comunidades o grupos. En este sentido, las EIA tratan de delimitar cuál es el impacto individual y social del funcionamiento del sistema de IA objeto de análisis.

Como hemos visto anteriormente, esto supone dar un paso más allá, se aleja de la ponderación que realizan jueces y tribunales, y también de la proporcionalidad que opera como límite interno al legislador, de tal modo que el regulador ahora proyecta obligaciones de ponderación sobre particulares, empresas y administraciones públicas —en el ámbito de actividad administrativa no normativa—, con la particularidad que estas deben llevarse a cabo antes de que colisionen de forma efectiva los derechos fundamentales y los demás intereses jurídico-constitucionales en liza.

El modelo es muy parecido al que ya existe en el ámbito del cumplimiento normativo en protección de datos, con las EIPD, y del cumplimiento normativo en general —ISO 37301, UNE ISO 19601, etc.—, en el que se exige proactividad y la creación de un modelo orientado al cumplimiento, basado en un enfoque de gestión del riesgo. Las normas ISO (véase por todas la ISO 31010:2019) definen el concepto de riesgo como el efecto de la incertidumbre sobre la consecución de objetivos entendiendo como tal efecto cualquier desviación positiva o negativa sobre lo previsto inicialmente, teniendo en cuenta que los objetivos pueden ser muy diversos en función del contexto y las actividades y fines de cada organización.

La LIA, en sintonía con un enfoque basado en el riesgo, establece la obligación de gestionar los riesgos que para los derechos y libertades de las personas suponen distintos sistemas de IA, y tras hacer una clasificación de riesgos —cuatro niveles, desde el prohibido hasta el permitido con muy pocas salvaguardas o garantías— meramente basada en tipos de usos y tecnologías, exige que esa gestión se produzca por parte de las propias empresas que producen, comercializan, implementan o emplean sistemas basados en IA. Lo deben hacer en el marco de un sistema de cumplimiento normativo, con los resultados de las periódicas EIA, trabajando en base a la evolución de los indicadores de cumplimiento normativo, soslayando los niveles de riesgo en base a distintos factores —derechos afectados, departamentos implicados, procesos de negocio vinculados, etc.— que serán objeto de estudio en la segunda parte de esta monografía.

Esta obligación la establece la propuesta de LIA con un redactado que ha sido, además, objeto de enmienda reciente por parte del Parlamento europeo, que las ha aprobado[4] con fecha de 14 de junio de 2023. Nos referimos al contenido del considerando 58 bis[5], de redacción nueva e in-

---

[4]   Véase el texto definitivo, con las enmiendas aprobadas por el Parlamento europeo con fecha de 14 de junio de 2023, disponible en: https://www.europarl.europa. eu/doceo/document/TA-9-2023-0236_ES.pdf (fecha de última consulta: 30 de junio de 2023).

[5]   Establece que "Aunque los riesgos relacionados con los sistemas de IA pueden resultar de su diseño, también pueden derivarse del uso que se hace de ellos. Por consiguiente, los implementadores de un sistema de IA de alto riesgo desempeñan un papel crítico a la hora de garantizar que se protegen los derechos

troducido por la enmienda 92; y al extenso artículo 29. bis[6], también de redacción nueva e introducido por la enmienda 413.

-----

fundamentales, complementando las obligaciones del proveedor al desarrollar el sistema de IA. Los implementadores son los más indicados para comprender cómo se utilizará concretamente el sistema de IA de alto riesgo y pueden, por lo tanto, identificar potenciales riesgos significativos que no se previeron en la fase de desarrollo, debido a un conocimiento más preciso del contexto de uso y de las personas o los grupos de personas que podrían verse afectados, incluidos grupos marginados y vulnerables. Los implementadores deben identificar estructuras de gobernanza adecuadas en ese contexto específico de uso, como las disposiciones para la supervisión humana, los procedimientos de tramitación de reclamaciones y los procedimientos de recurso, ya que las opciones en las estructuras de gobernanza pueden ser decisivas para mitigar los riesgos para los derechos fundamentales en casos de uso concretos. Por lo tanto, a fin de garantizar de forma eficiente que se protegen los derechos fundamentales, el implementador de sistemas de IA de alto riesgo debe llevar a cabo una evaluación de su impacto en los derechos fundamentales antes de su puesta en funcionamiento. La evaluación de impacto debe acompañarse de un plan detallado que describa las medidas o herramientas que ayudarán a mitigar los riesgos detectados para los derechos fundamentales a más tardar desde el momento de su puesta en funcionamiento. Si no se puede identificar dicho plan, el implementador debe abstenerse de poner en funcionamiento el sistema. Al realizar la evaluación de impacto, el implementador debe notificarlo a la autoridad nacional de supervisión y, en la medida de lo posible, a las partes interesadas pertinentes, así como a los representantes de grupos de personas que puedan verse afectados por el sistema de IA, a fin de recabar la información pertinente que se considere necesaria para llevar a cabo la evaluación de impacto y se le anima a publicar en su sitio web en línea el resumen de su evaluación de impacto en materia de derechos fundamentales. Estas obligaciones no deben aplicarse a las pymes, que, dada la falta de recursos, podrían tener dificultades para llevar a cabo dicha consulta. No obstante, también deben esforzarse por hacer participar a dichos representantes cuando realicen su evaluación de impacto en los derechos fundamentales. Además, dado el impacto potencial y la necesidad de supervisión y control democráticos, los implementadores de sistemas de IA de alto riesgo que sean autoridades públicas o instituciones, órganos y organismos de la Unión, así como los implementadores que sean empresas designadas como guardianes de acceso en virtud del Reglamento (UE) 2022/1925, deben estar obligados a registrar el uso de cualquier sistema de IA de alto riesgo en una base de datos pública. Otros implementadores podrán registrarse voluntariamente".

[6] "Artículo 29 bis. Evaluación del impacto en los derechos fundamentales para los sistemas de IA de alto riesgo. Antes de poner en uso un sistema de IA de alto riesgo, según se define en el artículo 6, apartado 2, con excepción de los sistemas de IA destinados a utilizarse en el ámbito 2 del anexo III, los implementadores llevarán a cabo una evaluación del impacto de los sistemas en el contexto específico

de uso. Esta evaluación abarcará, como mínimo, los siguientes elementos: a) una descripción clara de la finalidad prevista para la que se utilizará el sistema; b) una descripción clara del ámbito geográfico y temporal previsto de utilización del sistema; c) las categorías de personas físicas y grupos que puedan verse afectados por la utilización del sistema; d) una verificación de que la utilización del sistema es conforme al Derecho de la Unión y nacional pertinente en materia de derechos fundamentales; e) el impacto razonablemente previsible en los derechos fundamentales de poner en uso el sistema de IA de alto riesgo; f) los riesgos de perjuicio específicos que puedan afectar a personas marginadas o a grupos vulnerables; g) las repercusiones negativas razonablemente previsibles del uso del sistema en el medio ambiente; h) un plan detallado sobre cómo se mitigarán los perjuicios y el impacto negativo en los derechos fundamentales; j) el sistema de gobernanza que pondrá en marcha el implementador, incluida la vigilancia humana, la tramitación de reclamaciones y las vías de recurso. 2. Si no es posible definir un plan detallado para mitigar los riesgos descritos en el transcurso de la evaluación contemplada en el apartado 1, el implementador se abstendrá de poner en uso el sistema de IA de alto riesgo e informará sin demora indebida al proveedor y a las autoridades nacionales de supervisión pertinentes. Las autoridades nacionales de supervisión, con arreglo a los artículos 65 y 67, tendrán esta información en cuenta al investigar sistemas que presenten un riesgo a nivel nacional. 3. La obligación descrita con arreglo al apartado 1 se aplicará al primer uso del sistema de IA de alto riesgo. En casos similares, el implementador podrá recurrir a una evaluación de impacto sobre los derechos fundamentales realizada previamente o a una evaluación existente realizada por los proveedores. Si, durante el uso del sistema de IA de alto riesgo, el implementador considera que ya no se cumplen los criterios enumerados en el apartado 1, llevará a cabo una nueva evaluación de impacto en materia de derechos fundamentales. 4. En el transcurso de la evaluación de impacto, el implementador, con excepción de las pymes, notificará a las autoridades nacionales de supervisión y a las partes interesadas pertinentes e incluirá, en la medida de lo posible, la participación de los representantes de las personas o grupos de personas que probablemente se vean afectadas por el sistema de IA de alto riesgo, según se determina en el apartado 1, incluidos, entre otros, los organismos de igualdad, los organismos de protección de los consumidores, los interlocutores sociales y las agencias de protección de datos, con vistas a recibir su contribución a la evaluación de impacto. El implementador concederá a estos organismos un plazo de seis semanas para responder. Las pymes podrán aplicar voluntariamente las disposiciones establecidas en el presente apartado. En el caso contemplado en el artículo 47, apartado 1, las autoridades públicas podrán quedar exentas de estas obligaciones. 5. El implementador que sea una autoridad pública o una empresa contemplada en el artículo 51, apartado 1 bis, letra b), publicará un resumen de los resultados de la evaluación de impacto como parte del registro de uso con arreglo a su obligación en virtud del artículo 51, apartado 2. 6. Cuando el implementador ya deba llevar a cabo una evaluación de impacto relativa a la protección de datos en virtud del artículo 35 del Reglamento (UE) 2016/679 o del artículo 27 de la Directiva (UE) 2016/680, la evaluación de impacto en materia de de-

La normativa establece la obligatoriedad de las EIA en derechos fundamentales (siguiendo el considerando 58 bis) cuando se trate de tecnologías o usos clasificados en la categoría de alto riesgo. Además, la LIA señala expresamente a los implementadores de los sistemas de IA como aquellos sujetos responsables para identificar estructuras de gobernanza adecuadas en el contexto específico de uso de la tecnología y, en cualquier caso, deberán llevar a cabo una evaluación de su impacto en los derechos fundamentales antes de la puesta en funcionamiento del sistema. La evaluación de impacto debe acompañarse de un plan detallado que describa las medidas o herramientas que ayudarán a mitigar los riesgos detectados y, al inicio de la evaluación, deberá notificarse a la autoridad nacional de supervisión y, en la medida de lo posible, a las partes interesadas pertinentes, así como a los representantes de grupos de personas o potenciales colectivos afectados por el sistema de IA. En el caso que los implementadores de sistemas de IA de alto riesgo sean autoridades o instituciones públicas, estos, además, estarán obligados a registrar el uso de cualquier sistema de IA de alto riesgo en una base de datos pública. fundamentales.

Por su parte, el nivel de detalle del artículo 29 bis de la propuesta de LIA, en la versión aprobada por el Parlamento europeo con fecha de 14 de junio de 2023, es muy elevada, y eso que se refiere en exclusiva a la evaluación del impacto en los derechos fundamentales para los sistemas de IA de alto riesgo. El artículo, que hemos reproducido literalmente a pie y que tiene una extensión nada desdeñable, puede sintetizarse en seis ideas o requisitos: (1) antes de utilizar un sistema de IA de alto riesgo, los implementadores deben llevar a cabo una evaluación del impacto del sistema en el contexto específico de uso; (2) la EIA (en derechos fundamentales) debe incluir elementos como la finalidad del sistema, el alcance geográfico y temporal, las categorías de personas afectadas, la conformidad con la legislación de derechos fundamentales, el impacto en los derechos fundamentales y los riesgos específicos para personas marginadas o grupos vulnerables, entre otros; (3) si no es posible identificar un plan detallado para mitigar los riesgos, el implementador debe abstenerse de utilizar el sistema y notificar a las autoridades pertinentes; (4) durante la EIA, se debe notificar a las autoridades de supervisión y a las partes interesadas, y se debe involucrar a representantes de las personas o grupos afectados por el sistema de IA de alto riesgo; (5) los implementadores que sean autoridades u organismos públicos deben publicar un resumen

---

rechos fundamentales prevista en el apartado 1 se llevará a cabo junto con la evaluación de impacto relativa a la protección de datos. La evaluación de impacto relativa a la protección de datos se publicará como apéndice".

de los resultados de la EIA como parte, también, del registro de uso al que les obliga la LIA y otra normativa europea relacionada; (6) si ya se realiza una evaluación de impacto de protección de datos, esta se debe llevar a cabo conjuntamente con la EIA en derechos fundamentales, y la evaluación de protección de datos se publicará como un apéndice de la EIA (objeto principal de la evaluación).

En España, el artículo 23 de la Ley 15/2022, de 12 de julio, integral para la igualdad de trato y la no discriminación, también reconoce la necesidad y obligatoriedad de las evaluaciones de impacto algorítmico al establecer que las administraciones públicas implementarán mecanismos para garantizar que los algoritmos utilizados en la toma de decisiones cumplan con criterios de minimización de sesgos, transparencia y rendición de cuentas, considerando su posible impacto discriminatorio. Se indica que se priorizará la transparencia en el diseño y en la implementación de los algoritmos utilizados por las administraciones públicas, así como la capacidad de interpretar las decisiones adoptadas por los mismos. También señala que se fomentará la creación de un sello de calidad para los algoritmos. Sea como fuere, este reconocimiento es mucho más limitado, no concreta qué se entiende por "evaluaciones de impacto que determinen el posible sesgo discriminatorio" y, de entrada y por la propia terminología utilizada, se vincula más al riesgo de discriminación algorítmica, obviando muchos otros riesgos que afectan a otros derechos fundamentales, por ejemplo, los relacionados con la indefensión y la desinformación.

La propuesta de LIA, como se ha observado, es mucho más concreta, exige este tipo de evaluaciones previas en caso de sistemas de riesgo alto y, además, concreta el contenido mínimo (la finalidad del sistema, el alcance geográfico y temporal, las categorías de personas afectadas, la conformidad con la legislación de derechos fundamentales, el impacto en los derechos fundamentales y los riesgos específicos para personas marginadas o grupos vulnerables, la evaluación de impacto en protección de datos como apéndice, etc.) y la necesidad de dar publicidad al informe resumen de los resultados de la EIA.

Veamos más concretamente por qué una EIA implica una valoración o evaluación *ex ante* de un conflicto que puede hipotéticamente llegar a producirse[7] —el efecto de la incertidumbre sobre la consecución de un efecto

---

[7]   Sobre este mismo extremo, aunque con mayor extensión, véase la monografía P. Simón Castellano, *La evaluación de impacto algorítmico en los derechos fundamentales*, Cizur Menor, Aranzadi, 2023.

no deseado—, así como los juicios y elementos de juicio que una EIA incorpora, más allá de la idoneidad, necesidad y proporcionalidad en sentido estricto. De este análisis, de las EIA, derivaran todas las medidas técnicas y organizativas, así como los controles, que minimizan y hacen que los niveles de riesgo residuales estén dentro del umbral de riesgo aceptable. Así que de esa evaluación y ponderación depende, en gran medida, el éxito que supone en la práctica emplear sistemas de IA sin que se produzcan daños o injerencias en derechos fundamentales.

1. Objeto de evaluación (decisión algorítmica automatizada) y límites de los sistemas de inteligencia artificial en función de la tecnología concreta

Una decisión algorítmica automatizada es un proceso en el que un algoritmo o modelo matemático es utilizado para tomar decisiones sin la intervención humana. Esto se realiza mediante la recopilación y análisis de datos, y la aplicación de reglas o fórmulas preestablecidas para determinar un resultado o solución.

Sin embargo, las tecnologías que pueden emplearse para llegar a tal decisión son muy diversas, desde meros sistemas expertos, modelos lineales, redes neuronales, aprendizaje automático profundo, etc. Por ello cualquier EIA empieza por la definición de la tecnología que se emplea, y en base a esta, se infieren una serie de riesgos inherentes sobre los que trabajar. La definición de la tecnología implica también la determinación de la base de datos —personales o no— sobre la que esta trabaja, formando esta también parte del contexto y alcance de la tecnología, lo que exige un estudio de todo el ciclo de vida tecnológico y, también, de los datos y la información que procesa o trata.

Hay muchos ejemplos de decisión algorítmica automatizada que ya están presentes en nuestro día a día, tales como (1) los sistemas de recomendación—aplican en plataformas de comercio electrónico y utilizan algoritmos para recomendar productos a los consumidores basados en su historial de compras y preferencias—, (2) los de aprobación de crédito —empleados por bancos y entidades crediticias que utilizan algoritmos para analizar información financiera y de crédito de los solicitantes de préstamos para determinar su aptitud y los niveles de riesgo—, (3) los que facilitan la selección de candidatos —analizan los currículums y las entrevistas de los candidatos para la contratación y seleccionan a los candidatos idóneos para un puesto—, (4) de clasificación de la información relevante —por ejemplo, seleccionando el correo no deseado—, entre otros. Se trata tan solo de algunos ejemplos, pero la decisión algorítmica automatizada está presente en una amplia gama de industrias y aplicaciones, desde la banca y las finanzas hasta la salud y la seguridad pública.

Como los algoritmos pueden proyectar sesgos y prejuicios, es importante definir y monitorear los niveles de riesgo, empezando el análisis por una definición y delimitación pormenorizada y exhaustiva sobre la tecnología que aplica y la base de datos sobre la que procesa. Todos las EIA deben empezar por este análisis, más aún si tenemos en cuenta que la LIA establece cuatro niveles de riesgo, cuya clasificación depende en exclusiva de responder qué tecnología y para qué, con un paquete de controles o medidas técnicas y organizativas que hay que cumplir en función de las respuestas que se ofrezcan a esos dos interrogantes.

2. *Publicidad de los informes de evaluación de impacto algorítmico y obligación de registro público: ¿una ponderación compartida con el público?*

Teniendo en cuenta el contenido de las EIA y su indudable utilidad práctica, consideramos necesario hacer hincapié en las razones por las que estas deben ser públicas[8] —aunque los niveles de transparencia pueden modularse entre una publicidad total o parcial, y también en función de si la publicidad es para todos o sólo para órganos de control competentes—. En primer lugar, cabe recordar que es importante que los informes de EIA sean públicos por que los algoritmos están siendo cada vez más utilizados en la toma de decisiones que afectan a la vida de las personas, y es necesario garantizar que estas decisiones sean justas e imparciales.

La transparencia y la rendición de cuentas son fundamentales para asegurar que los algoritmos no sean discriminatorios ni sesgados, y para proteger los derechos humanos de las personas afectadas por estas decisiones. Al hacer públicos los informes de evaluación de impacto algorítmico, se fomenta la responsabilidad de quienes desarrollan, comercializan y emplean los algoritmos, y se promueve una mayor confianza en estos sistemas.

Además, la publicidad de estos informes permite una mayor participación ciudadana en la evaluación y mejora de los algoritmos, lo que a su vez puede contribuir a mejorar la calidad de las decisiones automatizadas. Tal extremo puede ayudar a identificar posibles errores o sesgos, y permitir su

---

[8]   Seguimos el mismo criterio de D. Reisman *et. al*, "Algorithmic impact assessments: a practical framework for public agency accountability", en AINOW, 2018, pág. 13, disponible en https://www.nist.gov/system/files/documents/2021/10/04/aiareport2018.pdf (fecha de última consulta: 13 de marzo de 2022).

corrección o ajuste antes de que se produzcan efectos negativos en la vida de las personas.

Obviamente, los órganos de control sobre sistemas de IA deben tener acceso a los informes íntegros de las EIA, así como a las eventuales certificaciones —sin valor probatorio, que sean aceptadas por el mercado tal y como ha sucedido en otros ámbitos, por ejemplo, en el compliance con las certificaciones ISO—, a los códigos de conducta y a las evidencias sobre los controles y las medidas técnicas y organizativas. La existencia de toda esta información —proyectada digitalmente o sobre un soporte documental— no significa que se exima de responsabilidad, como en el ámbito de la criminal compliance, en el que tampoco exime, salvo que se compruebe que efectivamente la empresa u organización hizo lo posible para minimizar el riesgo que finalmente se ha acabado produciendo. Lo que significa que a la postre sí puede eximir de responsabilidad, siguiendo el paralelismo, siempre y cuando el evento riesgoso finalmente se acabe produciendo y ocasionando un daño, y al mismo tiempo se pueda acreditar que el responsable —empresa, particular o administración pública— ha hecho todo lo posible para minimizar ese concreto riesgo inherente que finalmente, a pesar de estar dentro de umbral de riesgo aceptable, ha terminado por materializarse con un impacto determinado.

En síntesis, la publicidad de los informes de evaluación de impacto algorítmico constituye una pieza clave e insoslayable de cualquier modelo de cumplimiento para la obtención de una IA confiable, en la medida que permite contribuir a la transparencia y rendición de cuentas de la solución algorítmica, así como a la protección de los derechos humanos en el contexto del uso de algoritmos en la toma de decisiones.

3. Gestión interna de (auto)evaluaciones de impacto algorítmico: hacía un modelo de debido proceso, justicia y equidad en la co-construcción de una inteligencia artificial confiable

Como decíamos anteriormente, las EIA implican un ejercicio de ponderación que pretende evaluar y determinar cuál es el impacto individual y social del funcionamiento de un sistema de IA, así como establecer controles que permitan que los niveles de riesgos estén dentro del umbral de aquello que se considera tolerable o aceptable. Luego las EIA son algo más que una mera evaluación, y también implican gestión de los riesgos algorítmicos que han sido detectados y que ahora son monitorizados. Para ello es necesario un equipo de gestión de los riesgos y, si de lo que se trata es de minimizarlos, incorporar a todos los agentes necesarios —perspectiva interdisciplinar y multidisciplinar— para monitorizar los resultados.

Las EIA son, en realidad, una práctica de gobernanza, un sistema de gestión del cumplimiento, que estructura y sostiene una relación de rendición de cuentas, que se han establecido ampliamente en dominios análogos a los sistemas algorítmicos —sistemas de seguridad de la información vinculados a programas criminal compliance o protección de datos, etc.—[9].

Esa función de rendición de cuentas que cumple la EIA requiere como mínimo de (1) un actor que presenta un relato técnico del impacto del sistema de IA sistema propuesto o implantado y (2) de un equipo de personas profesionales, independientes o autónomas, que evalúan este relato y pueden proponer cambios en la implantación del sistema basándose en la evaluación de su impacto y la evaluación de la eficacia de los controles o medidas técnicas y organizativas existentes. La relación estructurada entre (1) y (2), el contenido y los criterios para dar cuenta del impacto algorítmico y las consecuencias derivadas del relato son también elementos indispensables de una EIA, tal y como han apuntado y estudiado autores como Bovens[10] o Wieringa[11].

La comprensión de las EIA como esa suma de factores ha permitido a algunos autores definir la responsabilidad algorítmica como la rendición de cuentas que se refiere a una contabilidad en red de un sistema algorítmico sociotécnico, siguiendo las distintas etapas del ciclo de vida del sistema de IA[12]. En esta relación de rendición de cuentas, múltiples actores —diseñadores, responsables de la toma de decisiones, desarrolladores, usuarios, etc.— tienen la obligación de explicar y justificar su uso, diseño y las decisiones en relación con el sistema y los efectos subsiguientes de estas.

Esa intervención cambiante, por parte de distintos tipos de actores, que van a jugar roles diferentes en función de la fase de que se trate del ciclo de vida del sistema de IA —diseño, implementación, monitorización, etc.—, justifica que éstos, a su vez, puedan tener que rendir cuentas ante distintos

---

[9] Véase J. Metcalf et. al, "Algorithmic Impact Assessments and Accountability: The Co-construction of Impacts", en *FAccT '21: Proceedings of the 2021 ACM Conference on Fairness, Accountability, and Transparency*, 2021, págs. 739-740.

[10] M. Bovens, "Analysing and Assessing Accountability: A Conceptual Framework", en *European Law Journal* 13 (4), 2007, págs. 447– 468.

[11] M. Wieringa, "What to account for when accounting for algorithms: a systematic literature review on algorithmic accountability", en *Proceedings of the 2020 Conference on Fairness, Accountability, and Transparency*. ACM, Barcelona, 2020, págs. 1–18.

[12] Ibídem, pág. 7.

órganos o tipos de foros —formales o informales, internos o externos a la organización—, ya sea por aspectos concretos del sistema de IA o por su totalidad. Aunque existen potencialmente muchas formas de rendición de cuentas en cualquier ámbito, las EIA son una forma establecida y bastante directa de construir un régimen de rendición de cuentas.

Se habla de la co-construcción —traducción literal del co-construction anglosajón[13]— de una IA confiable precisamente porque son esos actores, con la participación de los distintos agentes implicados —también los sociales, internos o externos a la compañía, y otros terceros como pueden ser los proveedores y clientes, o incluso los representantes de los colectivos potencialmente afectados—, los que deben establecer los criterios para evaluar y monitorizar los riesgos derivados del sistema de IA. No existen unos criterios y principios uniformes para cualquier sistema de IA, sino que la definición y aplicación de estos depende de responder qué tecnología y para qué, y de la participación de los actores implicados —co-construcción—.

En este sentido, las EIA implican desarrollar y poner a prueba propuestas y posibles prácticas de medición; como decíamos, no existe un modelo perfecto o ideal, sino una variedad demostrable de perspectivas sobre quién es el actor, quién es el foro, cuál es su relación, qué debe notificarse y cuáles son las consecuencias o impactos que mitigar. Cada ámbito tiene un conjunto diferente de expectativas sobre lo que constituyen impactos y daños dentro de ese ámbito, cuál es la mejor forma de evaluar esos daños potenciales como impactos de una empresa concreta, quién es responsable de realizar esa evaluación y quién tiene autoridad para exigir cambios en esa empresa, así como supervisar y monitorizar controles.

4. Acceso significativo por parte de desarrolladores, investigadores y auditores. La revisión y mejora continua del sistema

Teniendo presente que los modelos de cumplimiento normativo, sea cual sea su ámbito competencial, no son estáticos, sino que están en constante revisión y mejora, fruto de la necesidad de volver a evaluar de forma recurrente los niveles de riesgo residual en base a distintas variables —normalmente probabilidad e impacto—, parece evidente que hay que garantizar un acceso significativo por parte de los desarrolladores, investigadores

---

[13]   Véase de nuevo el trabajo de J. Metcalf et. al, citado anteriormente.

y auditores a todo el proceso de la EIA[14], esto es, más allá del mero acceso al informe final de resultados de la EIA.

El principio de mejora continua se refiere a la idea de que los programas de cumplimiento deben ser evaluados y mejorados de manera continua para garantizar que sean efectivos y estén adaptados a las necesidades cambiantes de la organización y el entorno regulatorio. Este principio se basa en la comprensión de que los sistemas de cumplimiento normativo no son estáticos y deben evolucionar con el tiempo. La mejora continua implica la revisión periódica del programa de cumplimiento y la identificación de áreas de mejora y oportunidades de fortalecimiento.

Por ello, una EIA no culmina con un informe de resultados, sino que exige realizar evaluaciones periódicas de riesgos y amenazas —para identificar en su nuevos riesgos y amenazas, o algunos ya existentes pero que no fueron detectados anteriormente—, mantener actualizado el marco normativo y los controles que aplican, capacitar y concienciar de forma continua a los responsables, mandos intermedios, empleados, proveedores, clientes o colectivos afectados sobre los riesgos y amenazas actuales, realizar pruebas y auditorías internas que pueden ayudar a identificar posibles brechas y áreas de mejora en el sistema.

Resulta necesario, por ende, garantizar un acceso significativo por parte de desarrolladores, investigadores y auditores a todo el proceso de EIA, incluido el diseño, por varias razones. En primer lugar, porque como hemos visto en el epígrafe anterior, la transparencia en el proceso de EIA es fundamental para garantizar que las decisiones tomadas por las máquinas o las decisiones automatizadas sean justas y equitativas. El acceso a la EIA permite a los desarrolladores, investigadores y auditores comprender cómo se ha llevado a cabo la evaluación y si se han tenido en cuenta todos los factores relevantes. En segundo lugar, por la necesidad de cumplir con el principio de mejora continua, y es que el acceso a los resultados de las evaluaciones de impacto algorítmico permite a los desarrolladores, investigadores y auditores identificar posibles limitaciones o sesgos en los modelos y algoritmos, lo que a su vez permite mejorar y ajustar estos modelos y algoritmos de manera continua. Finalmente, en tercer lugar, la responsabilidad es un aspecto clave en la implementación de algoritmos y modelos en diferentes ámbitos. El acceso a las EIA permite a los actores señalados *supra* evaluar la responsabilidad en el uso de estos modelos y algoritmos.

---

[14]   Véase D. Reisman *et. al*, citado, pág. 18.

En resumen, garantizar un acceso significativo por parte de desarrolladores, investigadores y auditores a la EIA es importante para garantizar
la transparencia en el proceso de evaluación, mejorar continuamente los
modelos y algoritmos, y evaluar la responsabilidad en su uso.

5. *La evaluación de impacto dispar (disparate impact assessment)*

Una subcategoría específica dentro de la EIA es la llamada *disparate impact assessment* que pone el foco sobre uno de los principales riesgos del
empleo de algoritmos, que es la proyección de los sesgos o de la discriminación existente en la sociedad o en la forma de tomar decisiones por parte
de un grupo de personas a las que el algoritmo trata de emular.

La evaluación de impacto dispar —también podríamos traducirla como
la evaluación de impacto «desproporcionado»— es un proceso para evaluar si un modelo, algoritmo o práctica empresarial está causando efectos adversos en un grupo protegido de personas, como minorías raciales
o étnicas, mujeres, personas con discapacidades, entre otros. El término
«dispar» se refiere a la discriminación que puede estar presente cuando un
modelo o algoritmo tiene un impacto negativo desproporcionado en un
grupo protegido de personas. La evaluación de impacto dispar se utiliza
para identificar si hay sesgos o discriminación involuntaria en el modelo o
algoritmo, y para tomar medidas para abordar estos problemas[15].

La evaluación de impacto dispar es un proceso complejo que implica
la recolección de datos y la realización de análisis para evaluar el impacto
del modelo o algoritmo en diferentes grupos de personas. Más concretamente, la técnica de la evaluación de impacto dispar implica la recolección
de datos y la realización de análisis para evaluar si hay una diferencia significativa en los resultados del grupo protegido en comparación con otros
grupos, que se toman de referencia para establecer una suerte de *tertium
comparationis*. Si se encuentra una diferencia significativa, se puede inferir
que la política o práctica tiene un impacto desproporcionado en el grupo
protegido.

Algunas de las prácticas comunes que se utilizan en la evaluación de impacto dispar incluyen (1) la identificación del grupo protegido —la evaluación de impacto dispar comienza identificando los grupos protegidos de
personas que podrían estar siendo afectados negativamente por el modelo

---

[15]   M. MacCarthy, "Standards of fairness for disparate impact assessment of big data
       algorithms", en *Cumb. L. Rev.*, 48, 2017.

o algoritmo—, (2) la recopilación de datos —se recolectan datos relevantes para el grupo protegido, como edad, género, raza, etnia, discapacidad, orientación sexual, creencias, etc.—, (3) análisis de los datos —se evalúa si el modelo o algoritmo tiene un impacto desproporcionado en el grupo protegido, al compararlo con otros grupos con los que se compara—, (4) se identifican posibles soluciones para abordarlos, como ajustes en el modelo o algoritmo, cambios en la recolección de datos o en la calidad de la base de datos, o establecimiento de nuevas reglas lógicas que permitan minimizar la proyección del sesgo en la toma de decisiones.

En general, la evaluación de impacto dispar es una práctica importante y una evaluación específica dentro de las EIA, que sirve para garantizar que los modelos y algoritmos sean justos e imparciales, y para identificar y abordar cualquier sesgo o discriminación involuntaria —por mimetismo o por mera proyección de una desigualdad previamente existente en la sociedad—[16].

III. NATURALEZA JURÍDICA Y PAPEL DE LA EVALUACIÓN DE IMPACTO ALGORÍTMICO EN LA PROTECCIÓN EFECTIVA DE LOS DERECHOS FUNDAMENTALES

Las EIA son una herramienta clave —en términos de utilidad y eficacia— en la protección efectiva de los derechos en el contexto de la aplicación de IA y los algoritmos en determinados procesos o para concretas finalidades. La naturaleza jurídica de las EIA varía, como no podría ser de otro modo, según la jurisdicción y la legislación aplicable. Sin embargo, en general, las EIA pueden ser consideradas como una obligación ética de las empresas y organizaciones para proteger los derechos de las personas que pueden verse afectadas por la aplicación de los sistemas algorítmicos.

En cierto modo, las EIA tienen como precedente las EIPD que ya están previstas desde hace años en el RGPD y disponen de sus propios sistemas de certificación para generar confianza en el mercado (como las normas ISO o UNE-ISO).

Como veremos en el apartado de metodologías en perspectiva comparada, algunos sistemas son ya obligatorios para el sector público, como el AIA canadiense o el FRAIA holandés. Otro buen ejemplo es la Ley de Ren-

---

[16] J. Skeem & C. T. Lowenkamp, "Risk, race, and recidivism: Predictive bias and disparate impact", en *Criminology*, 54(4), 2016, págs. 680-712.

dición de Cuentas Algorítmica (AAA) de 2019 propuesta en el Congreso de Estados Unidos, que establece una relación de rendición de cuentas diferente, exigiendo a todas las empresas de cierto tamaño que hagan uso de datos de dominios regulados que lleven a cabo una EIA antes de desplegar o vender sus sistemas, y que realicen retroactivamente un EIA para todos los sistemas existentes. La ley se elaboró para garantizar que los sistemas algorítmicos estén sujetos a las mismas normas de no discriminación que se aplican a otras actividades económicas en dominios regulados. El legislador norteamericano exige una evaluación, pero no facilita un foro en el que la evaluación pueda compartirse y hacerse pública, dejando explícitamente a la discreción de la empresa hacer público los informes con los resultados de la EIA. A nivel europeo, la propuesta de LIA se refiere a las EIA como una herramienta obligatoria en función del nivel de riesgo en el que se haya clasificado ese sistema tecnológico o el uso que se le quiera dar.

En otros países, en cambio, las EIA constituyen una mera expectativa regulatoria, es decir, una recomendación que no está explícitamente respaldada por la ley. Sin embargo, las empresas y organizaciones que operan en estas jurisdicciones pueden tener la obligación ética de realizar evaluaciones de impacto algorítmico para garantizar la protección de los derechos humanos y evitar el riesgo de posibles reclamaciones legales o sanciones administrativas.

En general, la naturaleza jurídica de las EIA es de cumplimiento obligatorio en muchos contextos de uso y para determinadas tecnologías, mientras que para otras se considera una buena práctica en la protección de los derechos humanos en el contexto de la tecnología y los algoritmos.

El valor probatorio a nivel de evidencias de los informes de resultados finales de la EIA, así como la trazabilidad y el histórico de versiones, es indiscutible. No significa esto que una EIA favorable o de conformidad con el uso y empleo tecnológico implique una exención de responsabilidad total o parcial del responsable, pero es indudable que en manos del juzgador puede tener un valor probatorio indiscutible para alcanzar la convicción de que un responsable determinado, empresa o administración pública, ha implementado los controles adecuados para mantener los focos de riesgo principales dentro de un umbral aceptable. De ello se pueden inferir respuestas jurídicas que modulen la responsabilidad —civil, penal o administrativa—, atendiendo a las circunstancias concretas del daño y especialmente, al evento riesgoso que se ha acabado produciendo, así como a su alcance y efectos. De forma parecida a lo que ya sucede hoy en el ámbito de la prevención del delito y la responsabilidad penal de las personas jurídicas —eximente en caso de disponer de controles específicos y adecuados para el delito que, en beneficio de la organización, se ha terminado produciendo—.

IV. LA EVALUACIÓN DE IMPACTO ALGORÍTMICO COMO HERRAMIENTA ESENCIAL PARA LA MINIMIZACIÓN DE RIESGOS, SESGOS Y DAÑOS

No existe un modelo único ni ideal de EIA, con los mismos criterios, parámetros y aspectos a analizar. Depende del contexto y alcance de cada organización, pero también de responder con exactitud las preguntas correctas: qué tecnología, para qué y cómo. En función de ello cabría definir niveles precisos de impacto, riesgo y daño, lo que a postre permite establecer en simetría las respectivas acciones.

Por ello, algunos autores indican que cualquier EIA debe contemplar al menos cuatro niveles generales para determinar concomitantemente cuatro acciones de protección: la prohibición, la reparación, la mitigación y la prevención[17]. Las EIA son instrumentos necesarios e imprescindibles si queremos una IA confiable, basada en un modelo de prevención y responsabilidad por parte de las entidades responsables —que aplican, implementan y utilizan el sistema de IA, y también por parte de los que lo diseñan o comercializan—. Al respecto, Mateos-García indica que las EIA serán imprescindibles puesto que necesitamos definir y medir la precisión del modelo, las sanciones y recompensas, los cambios en el desempeño algorítmico debido a la volatilidad ambiental, los niveles de supervisión y sus costos[18].

No existe tampoco una única taxonomía de riesgos y daños evaluados. Así, en otro foro hemos realizado una propuesta de taxonomía de garantías jurídicas ante los sistemas de IA[19], aunque se trata de un esfuerzo de

---

[17]   J. F. Aguirre Sala, "Especificando la responsabilidad algorítmica", en *Teknokultura. Revista de Cultura Digital y Movimientos Sociales*, 19 (2), 2022, págs. 265-275, en especial véase pág. 273.

[18]   J. Mateos-García, "To err is algorithm: Algorithmic fallibility and economic organization", en *Nesta*, 2017, disponible en https://www. nesta.org.uk/blog/to-err-is-algorithm-algorithmic-fallibility-and-economic-organisation/#_ednref12 (fecha de última consulta: 13 de marzo de 2022).

[19]   P. Simón Castellano, "Taxonomía de las garantías jurídicas en el empleo de los sistemas de inteligencia artificial", en *Revista de Derecho Político*, núm. 117, 2023, pp. 153-196.

dogmática aplicada y de sistematización que acepta que algunas de las propiedades y subpropiedades serán más o menos útiles para garantizar sus objetivos y legítimas finalidades en función de la determinación de qué tecnología y para qué), lo que significa que los controles y las medidas técnicas y organizativas serán dispares en función de los niveles de riesgo inherente y residual que se proyecten en cada (re)evaluación del sistema.

V. MODELOS DE EVALUACIÓN DE IMPACTO ALGORÍTMICO EN PERSPECTIVA COMPARADA

Veamos a continuación distintos modelos y metodologías que han sido diseñados e implementados en perspectiva comparada en forma de guías, herramientas o *toolkits* para la realización de las EIA y, en definitiva, para garantizar que el diseño, desarrollo, integración, implementación y empleo de los sistemas de IA se produce dentro de un estándar mínimo de riesgo tolerable o aceptable, en términos de impacto algorítmico sobre los derechos de las personas —también los fundamentales, así como otros intereses jurídico-constitucional que pueden entrar en conflicto—.

1.   Canadá y el "Algorithmic Impact Asssessment Tool"

Otra iniciativa interesante para simplificar el proceso de autoevaluación es la que ha ofrecido el Gobierno de Canadá, pionero en la materia, con el estándar *Algorithmic Impact Assessment Tool* (en adelante, también nos referiremos a ella por sus siglas en inglés, AIA), que permite determinar el nivel de impacto de un sistema que adopta decisiones automatizadas con base en cuarenta y ochos preguntas de riesgo y treinta y tres de controles para su mitigación. Funciona como un cuestionario, con factores y parámetros diversos —tipo de decisión, diseño de los sistemas, colectivos afectados e impacto sobre la persona, base de datos que nutre el sistema— que permiten obtener unas puntuaciones de evaluación[20].

La herramienta para la evaluación de impacto algorítmico canadiense es una herramienta de evaluación de riesgos obligatoria —administraciones— en Canadá destinada a respaldar la normativa del Departamento del Tesoro sobre la toma de decisiones automatizadas. Los puntajes de

---

[20]   Véase Gobierno de Canadá. (2022). «Algorithmic Impact Assessment». Disponible en Internet: https://open.canada.ca/aia-eia-js/?lang=en (última consulta el 9 de julio de 2022).

evaluación se basan en muchos factores, incluidos el diseño de los sistemas tecnológico, el algoritmo y el tipo específico de IA, el tipo de decisión que proyecta, el impacto sobre los derechos y los datos de los que se nutre.

El AIA se desarrolló sobre la base de las mejores prácticas tras consultar con todas las partes interesadas, tanto internas como externas. Fue desarrollado como un recurso *open access,* abierto a todos y está disponible para el público para compartir y reutilizar bajo una licencia abierta. El AIA está disponible como cuestionario en línea en el portal de gobierno abierto canadiense. Cuando se completa el cuestionario, los resultados proporcionan un nivel de impacto y un enlace a los requisitos de la citada normativa del Departamento del Tesoro.

El AIA evalúa las decisiones automatizadas en una amplia gama de temas, incluidos los destinatarios del servicio, los procesos comerciales, los datos y las decisiones de diseño del sistema. El cuestionario debe ser completado con la participación de un equipo multidisciplinar que aporte experiencia en todas estas áreas, y por ello se vincula la utilidad de la evaluación al hecho que las respuestas que se ofrecen sean veraces y exactas. Cada pregunta en el AIA debe ser contestada. Si la respuesta a una pregunta es desconocida, entonces se marca la puntuación más baja para la pregunta en cuestión. De todas las preguntas, la empresa o administración responsable que realiza mediante un equipo multidisciplinar el AIA debe aportar evidencias y pruebas documentales de los extremos que se afirman.

Por lo que se refiere a los niveles de riesgo, la propia normativa del Departamento del Tesoro establece una lista completa de los controles de los que son responsables los departamentos implicados en el uso de IA. Algunos de los controles aumentan para niveles de impacto más altos, incluido el tipo de revisión por pares y el grado de participación humana en las decisiones que adopta el algoritmo. Otros requisitos o controles constituyen obligaciones básicas que no varían según el nivel de impacto, como consultar con los servicios legales de la institución antes del desarrollo del sistema, capacitar a los empleados para su comprensión y empleo o proporcionar las opciones de recurso aplicables para impugnar las decisiones.

El instrumento canadiense considera, en lo individual y comunitario, como bloques concretos de estudio y evaluación, el impacto de los algoritmos sobre los derechos, en general, y sobre la salud, el bienestar e intereses económicos, así como la sostenibilidad del ecosistema y la duración y reversibilidad de los impactos[21]. Más concretamente, el AIA tiene como objetivo identificar riesgos y evaluar impactos en una amplia gama de áreas, que incluyen (1) los derechos de las personas o comunidades, (2) la salud o el bienestar de las personas o comunidades, (3) los intereses económicos de individuos, entidades o comunidades y (4) la sostenibilidad continua de un ecosistema.

Las definiciones del área de riesgo incluyen como elementos de la EIA (1) el proyecto, (2) el sistema, (3) el algoritmo o tecnología en cuestión, (4) el tipo de decisiones automatizadas que proyecta, (5) su potencial impacto y consecuencias y (6) los datos sobre los que opera.

Los impactos de automatizar una decisión administrativa se clasifican en 4 niveles, que van desde el Nivel I (impacto leve) hasta el Nivel IV (impacto severo o muy alto). Los niveles de impacto se distinguen en función de criterios de reversibilidad y duración esperada: las decisiones automatizadas con poco o ningún impacto son reversibles y breves, mientras que aquellas con un impacto muy alto son irreversibles y perpetuas. Cada nivel de impacto corresponde a un rango de porcentaje de puntuación. El nivel de impacto asignado a un proyecto de automatización depende del tramo de rango en el que se encuentra el porcentaje de puntuación del proyecto. Los niveles de impacto determinan los controles y medidas requeridas por la normativa del Departamento del Tesoro sobre la toma de decisiones automatizadas. Como se ha indicado *supra*, los controles están diseñados para ser proporcionales a los niveles de impacto.

Respecto al principio de mejora continua, la citada normativa del Departamento del Tesoro (subsección 6.1.3) establece que los departamentos responsables deben actualizar de forma periódica y recurrente sus AIA, especialmente después de que produzcan o incorporen cambios en la funcionalidad del sistema o en el alcance de uso.

2. La herramienta "AIA" del Gobierno de Estados Unidos

El *Algorithmic Impact Assessment* del *U.S. Chief Information Officers Council* es un cuestionario online diseñado para ayudar a empresas a evaluar y mitigar los impactos asociados con la implementación de un sistema de IA que permita adoptar decisiones automatizadas. Las preguntas se centran en los procesos comerciales, los datos y las decisiones de diseño del sistema de IA.

---

[21]   Ibídem.

Se trata de un cuestionario que hace alrededor de 62-78 preguntas relacionadas con los procesos comerciales, la base de datos y las decisiones relativas al diseño del sistema de IA. No está disponible online la información sobre el proceso de diseño de las preguntas y tampoco el peso que ha se ha dado a los distintos elementos para realizar una evaluación apropiada. Los resultados además no reflejan un puntaje en base a las motivaciones o argumentos que se hayan ofrecido como respuesta a cada una de las preguntas.

3. Países Bajos y el modelo FRAIA

A solicitud del Ministerio del Interior y Relaciones de los Países Bajos, se ha desarrollado y aprobado el modelo FRAIA[22] (siglas de *Fundamental Rights and Algorithm Impact Assessment*), que contempla una metodología específica para la realización de las EIA. El FRAIA es un instrumento, básicamente un manual, que apoya a las organizaciones en la toma de decisiones sobre el desarrollo y despliegue de los algoritmos. Paso a paso, se describen los puntos de discusión que deben abordarse antes de implementar el algoritmo. Al arrojar luz sobre el curso de un cuidadoso proceso de toma de decisiones e implementación de algoritmos, realizar la evaluación que propone la metodología FRAIA puede ayudar a prevenir situaciones como el escándalo de las prestaciones por cuidado de niños holandeses[23].

El modelo FRAIA comprende a los distintos actores implicados, incluyendo a los profesionales de IT (departamento de tecnología e informática de sistemas), a los administradores de datos, a los abogados, y a todos los demás sujetos involucrados y que deben estar en la mesa y ser tenidos en cuenta en la evaluación. Sólo entonces todos podrán tomar las decisiones correctas, y es el que FRAIA no versa o gira en torno, únicamente, de los derechos humanos.

---

[22]   Véase Gobierno de Holanda. (2021). «Fundamental Rights and Algorithms Impact Assessment (FRAIA)». Disponible en Internet:
https://www.government.nl/binaries/government/documenten/reports/2021/07/31/impact-assessment-fundamental-rights-and-algorithms/fundamental-rights-and-algorithms-impact-assessment-fraia.pdf (última consulta el 9 de julio de 2022).

[23]   Véase la noticia disponible en Internet: https://elpais.com/internacional/2021-01-15/el-gobierno-holandes-estudia-la-dimision-en-bloque-por-el-escandalo-en-las-ayudas-al-cuidado-de-ninos.html (fecha de última consulta: 20 de octubre de 2022).

El FRAIA comienza con preguntas generales o básicas tales como: ¿para qué finalidad exacta o concreta vas a usar el algoritmo? ¿Existe una base legal para ello? ¿Cómo se recopilan los datos? ¿Es confiable el método de recopilación de datos? El FRAIA es el trampolín del que cuelgan todos los marcos relevantes existentes relacionados con los algoritmos en el contexto holandés.

La FRAIA describe el proceso de toma de decisiones en tres fases. En la fase de preparación o diseño se determina por qué se utilizará un algoritmo, una tecnología concreta de IA y cuáles son los efectos esperados. Por ejemplo, una de las primeras preguntas que deben considerar es cuál es el objetivo concreto de implementar algoritmos. En la segunda fase, las preguntas giran en torno a lo que deben ser los llamados *input* —los datos de entrada— y el *throughput* —el algoritmo—, y por ende se discuten los aspectos más técnicos. Por ejemplo, el principio de calidad de los datos —que puede traducirse literalmente del inglés como basura que entra – basura que sale— establece que, si uno usa datos de mala calidad, la salida del algoritmo también será de mala calidad. En la tercera fase, la de salida o de los resultados, consiste en analizar cómo el algoritmo genera resultados, proyecciones o toma decisiones. Esto implica, por ejemplo, que las personas deben tener suficientes oportunidades para anular las decisiones tomadas por el algoritmo, y por ello, la última parte de la evaluación tiene en cuenta la necesidad de garantizar un derecho a una segunda oportunidad, una posibilidad de réplica o recurso frente a las decisiones automatizadas.

4.   OEIAC. El modelo PIO (Principios, Indicadores y Observables)

A pesar de que las consideraciones éticas alrededor de la IA pueden ser muy específicas, complejas y verdaderos rompecabezas según la aplicación de la tecnología y el contexto, la propuesta y metodología del modelo PIO de autoevaluación, elaborado por la OEIAC[24], parte de un sentido general

---

[24]   Sirva como ejemplo el caso de Cataluña, que puso en marcha en febrero de 2020 la Estratègia d'Intel·ligència Artificial de Catalunya con el fin de fortalecer el ecosistema catalán de inteligencia artificial, con un eje específico de «ética y sociedad». Para desarrollar el citado eje, se creó el Observatori d'Ètica en Intel·ligència Artificial de Catalunya (en adelante, OEIAC) que publica informes sobre la materia. Véanse algunos de los resultados en OEIAC, "Inteligencia artificial, ética y sociedad: Una mirada y discusión a través de la literatura especializada y de opiniones expertas", 2021, disponible en Internet: https://www.udg.edu/ca/Portals/57/OContent_Docs/Informe_OEIAC_2021_cast-4.pdf (última consulta el 9 de julio de 2022); OEIAC, "El Model PIO (Principis, Indicadors i Observa-

sobre cómo funcionan estas tecnologías desde un enfoque de ética aplicada de resolución de problemas.

El modelo PIO no es una lista de verificación obligatoria para las organizaciones. De hecho, no se trata de una legislación o reglamento, sino de un modelo que las organizaciones, de forma voluntaria, pueden utilizar a la hora de diseñar, desarrollar, integrar o implementar usos éticos en los datos y los sistemas de IA. A pesar de esta característica de voluntariedad, la intención es que el modelo PIO sea motivacional y complemente, no sustituya, las normativas y prácticas de IA responsable existentes.

De este modo, el modelo PIO propone uno desglose de conceptos y preguntas clave relacionadas con los siete principios éticos incluidos en el modelo que pueden surgir al tratar cualquier tema por parte de personas que están diseñando, desarrollando o implementando sistemas de IA. Aislando los siete principios éticos en bloques, el modelo PIO se organiza en una serie de preguntas a las personas que conforman una organización sobre el uso ético de datos y sistemas de IA, para comprobar el cumplimiento de estos principios.

Para hacerlo, el modelo PIO combina aspectos de los *toolkits, checklists* y certificaciones éticas, si bien el formulario o lista de verificación con los indicadores observables es el componente principal. El valor añadido de esta propuesta[25] es que la mayoría de *toolkits* se concentran en uno o dos principios o aspectos técnicos de evaluación, mientras que la propuesta del modelo PIO cubre una gran mayoría de los aspectos que se tratan en la literatura especializada y en cada uno de los principios éticos revisados. De este modo, las organizaciones pueden estar más seguras sobre qué necesitan saber y aplicar según la documentación de referencia en el contexto europeo y, por lo tanto, no se sorprenden sobre la carencia de aspectos de evaluación, más bien al contrario.

A nuestro modo de ver, la propuesta del modelo PIO no deja mucho espacio para la discrecionalidad o la duda, y permite un análisis rápido y bastante exhaustivo sobre los usos éticos de los datos y los sistemas de IA en términos organizativos. Por supuesto, es posible que cualquier persona que hace la autoevaluación tome atajos y lo haga de una manera que puede ser

---

bles): Una proposta d'autoavaluació organitzativa sobre l'ús ètic de dades i sistemes d'intel·ligència artificial", 2021, disponible en Internet: https://www.udg.edu/ca/Portals/57/OContent_Docs/modelPIO_v6.pdf (última consulta el 9 de julio de 2022).

[25]   Ibídem.

inadecuada, arrojando resultados poco representativos y, por ende, nada útiles.

Sin embargo, el modelo PIO está diseñado para que, como mínimo, quede patente cuál es la posición y actuación hacia cada uno de los principios éticos. Está claro, si un proyecto no incluye la interacción física con las personas o no incluye datos sobre personas o datos que representen poblaciones de personas, es probable que no haga falta ninguna revisión o evaluación a través del modelo PIO, salvo que haya una preocupación particular que se quiera tener en cuenta.

En este sentido, su impacto puede ser muy beneficioso puesto que tiene la capacidad de poder influir de manera positiva en los resultados de la IA y en todos los procesos asociados desde un principio en su diseño hasta su despliegue, así como generar confianza pública hacia los productos o servicios de una organización que implemente el modelo PIO.

El modelo PIO ofrece dos opciones para las organizaciones: una autoevaluación rápida y una autoevaluación completa con recomendaciones. Las dos evaluaciones —rápida y completa— han de servir para conocer cómo y hasta qué punto las organizaciones han tomado en consideración los siete principios éticos del sistema de evaluación PIO: (1) transparencia y explicabilidad; (2) justicia y equidad; (3) seguridad y no maleficencia; (4) responsabilidad y rendición de cuentas; (5) privacidad; (6) autonomía; y (7) sostenibilidad.

5. Ada Lovelace Institute

Interesa también traer a colación el modelo del *Ada Lovelace Institute*[26], que incorpora dos términos y cuatro enfoques fruto de su estudio de las llamadas cajas negras[27]. Los dos primeros son la auditoría de algoritmos y la

---

[26]   Ada Lovelace Institute (2020). «Examining the Black Box: Tools for assessing algorithmic systems». Disponible en Internet: https://www.adalovelaceinstitute. org/wp-content/uploads/2020/04/Ada-Lovelace-Institute-DataKind-UK-Examining-the-Black-Box-Report-2020.pdf (última consulta el 9 de julio de 2022).

[27]   Cuando hablamos de cajas negras o *black boxes* nos referimos a un tipo concreto de algoritmos basados en inteligencia artificial, entre los que están las potentes y seguras redes neuronales. Se conoce el *input* —lo que se aporta—, es decir, como se configura y prepara la caja, pero se desconocen las razones por las que esta ofrece un *output* concreto —lo que produce, los resultados—. El algoritmo hace predicciones potentes, que mejoran sobremanera los resultados de los sistemas expertos que emulan con reglas lógicas el pensamiento racional o el cálculo humano, pero

evaluación del impacto algorítmico. Para cada uno de estos, se identifican dos enfoques clave. Dentro de la auditoría de algoritmos se encuentra la auditoría de sesgo —con un enfoque específico, no integral, centrado en evaluar los sistemas algorítmicos en busca de sesgos y la inspección regulatoria —con un enfoque amplio, centrado en el cumplimiento de un sistema algorítmico con la regulación o las normas, que requiere una serie de herramientas y métodos diferentes; típicamente realizado por reguladores o auditores profesionales—. Por su parte, la EIA incorpora la evaluación del riesgo algorítmico —se analizan los posibles impactos sociales de un sistema algorítmico antes de que el sistema se implemente, con monitoreo continuo— y la estimación del impacto algorítmico —evaluación de los posibles impactos sociales de un sistema algorítmico en los usuarios o la población a la que afecta una vez que ya está en uso—.

6. *"Model Rules del European Law Institute"*

La administración pública se enfrenta a desafíos específicos al utilizar sistemas algorítmicos de toma de decisiones, incluso si no utilizan tecnologías de IA. El uso de estos sistemas plantea problemas relacionados con la buena administración, como la transparencia, la rendición de cuentas, el cumplimiento y la no discriminación. Las *Model Rules* (en adelante, MR) se han creado para complementar la legislación europea en materia de inteligencia artificial en el contexto específico de la administración pública. Las MR pretenden proporcionar garantías sólidas para mejorar la confianza de los ciudadanos en el uso de la tecnología en este ámbito, fomentando el papel de la evaluación de impacto.

La evaluación de impacto, siguiendo las MR, es una herramienta para analizar los efectos de los sistemas algorítmicos de toma de decisiones utilizados por las autoridades públicas. La evaluación de impacto tiene como objetivo sensibilizar sobre los riesgos de estos sistemas, permitir a las autoridades administrativas tomar una decisión informada sobre su uso, permitir la participación de expertos y del público en el proceso de toma de decisiones, hacer más transparente para el público el proceso de toma de

---

no sabemos explicar la razón de ello ni cómo lo hacen. Resulta paradigmático en este ámbito las inteligencias artificiales basadas en redes neuronales aplicadas al ajedrez —*AlphaZero, Stockfish o Leela Chess Zero*—, que siempre ganan no sólo a los humanos sino también a los programas basados en sistemas expertos —humanos o racionales—.

decisiones y sus resultados, y facilitar la rendición de cuentas de la administración pública por el uso de estos sistemas.

La evaluación de impacto no otorga obviamente una licencia para el uso de estos sistemas, pero es obligatoria para ciertos sistemas y su uso sin una evaluación previa sería ilegal. La evaluación no determina legalmente la decisión de la autoridad pública de utilizar un determinado sistema, sino que deja esta decisión a la discreción de la autoridad. Las MR son aplicables en diferentes contextos jurídicos dentro y fuera de la UE.

A continuación, compartimos una imagen detallada del procedimiento para la EIA siguiendo la propuesta de las MR, con todas las fases y acciones para cada proceso —diseño, revisión, alcance, publicación de los informes, repetición de la EIA, etc.—, así como medidas y controles específicos para los sistemas de IA que sean clasificados como sistemas de riesgo alto.

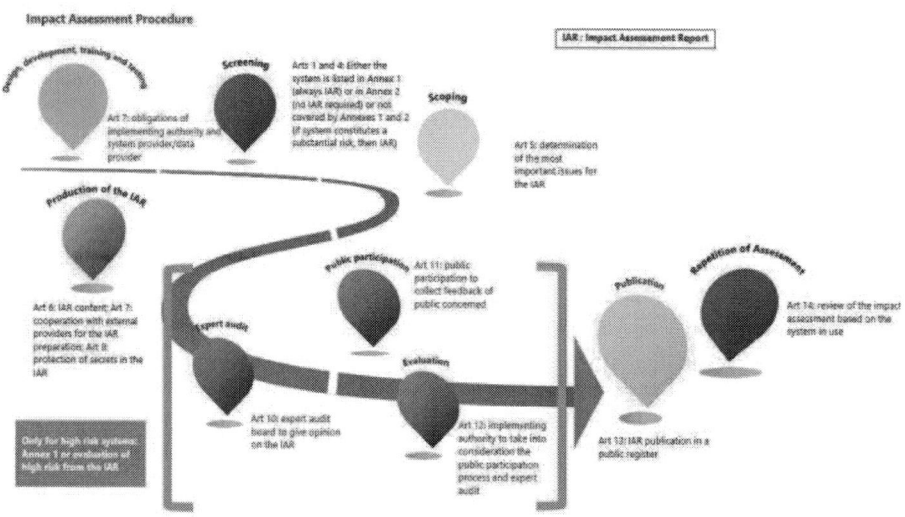

Fuente: *Model Rules on Impact Assessment of Algorithmic Decision-Making Systems Used by Public Administration*[28]

---

[28]   p. 7, disponible en Internet: https://www.europeanlawinstitute.eu/fileadmin/user_upload/p_eli/Publications/ELI_Model_Rules_on_Impact_Assessment_of_ADMSs_Used_by_Public_Administration.pdf (Fecha de última consulta: 12 de diciembre de 2022).

VI. CONCLUSIONES

A lo largo de este trabajo, se ha abordado el debate sobre el papel y la naturaleza jurídica de las EIA, centrándonos en su contenido, cometido y en los (micro)juicios de ponderación que incorporan. Se ha destacado que los elementos o dominios de análisis dentro de las EIA pueden variar, ya que no existe una metodología o modelo único y apropiado. Sin embargo, es recomendable realizar un esfuerzo por sistematizar y categorizar una serie de cuestiones, factores, parámetros y elementos que deben analizarse en todos los casos, permitiendo establecer niveles de riesgo inherente cercanos a la realidad.

Al igual que cualquier sistema de cumplimiento normativo, las EIA deben ser objeto de revisión y, en ocasiones, de reevaluación periódica. Esto implica verificar las medidas, controles y requisitos técnicos u organizativos establecidos para minimizar los riesgos inherentes, y alcanzar niveles de riesgo residual que sean considerados aceptables o tolerables.

Tras analizar el contenido de las EIA, hemos confirmado nuestra hipótesis inicial que sostiene que este tipo de juicios involucran una ponderación *ex ante*, trasladando a las administraciones públicas y a las empresas y particulares un ejercicio de ponderación de derechos que podrían entrar en conflicto desde la misma fase de diseño (proyección de sesgos humanos o establecimiento de reglas lógicas que los maximizan), así como en la implementación o utilización de un sistema de IA.

Este enfoque debe ser aceptado tanto por pragmatismo como por la creciente importancia del principio de responsabilidad proactiva de las organizaciones, que ha demostrado ser la forma más eficaz de proteger los intereses y bienes jurídicos desde una perspectiva preventiva. Sin embargo, la razón principal para aceptar este corolario no debe basarse únicamente en criterios utilitaristas, sino también en consideraciones sustantivas. Incluso cuando las EIA sean desarrolladas de forma voluntaria por los responsables de sistemas de IA de bajo riesgo, por ejemplo, estas herramientas son capaces de generar cambios en dichos sistemas y garantizar la eficacia de los controles y medidas que permitan el debido respeto de los derechos, ya sean fundamentales o no, de las personas. Los principios que inspiran el sistema, como la mejora continua, la comunicación y consulta, la responsabilidad proactiva, la creación y acción de órganos de supervisión, control y sanción, y la confianza en el mercado mediante la existencia de códigos de conducta, mecanismos de certificación o sellos de conformidad, pueden servir de base para justificar este modelo de ponderación *ex ante* en manos de empresas y particulares.

Si bien no existe un modelo único o sistema ideal, es necesario realizar un esfuerzo de dogmática aplicada para sistematizar criterios y elementos comunes que todas las EIA deberían contener y observar. Se han observado y apuntado hasta cuatro enfoques metodológicos distintos que pueden guiar las EIA, basados en las consecuencias y derechos, los riesgos, los actores y el contexto, y la tecnología específica de IA y sus potencialidades.

Algunos autores[29] han identificado diez componentes clave a considerar al evaluar el impacto de un sistema de inteligencia artificial. Estos componentes incluyen la legitimidad de las fuentes de información, los actores involucrados, el contexto de aplicación y los colectivos afectados, el evento que impulsó la necesidad de la evaluación, la temporalidad del sistema, la accesibilidad para el público, la metodología utilizada, el conjunto de evaluadores, el impacto real del sistema y la posible compensación por los daños causados. Estos elementos deben ser incorporados, con el nivel de jerarquía y autonomía correspondiente, en las diferentes fases y procesos de las EIA.

Consideramos que la estandarización de las EIA es necesaria, y en esa dirección están ya trabajando organizaciones internacionales como la ISO, lo que ayudaría a poner el foco de todos los operadores en las evaluaciones que a veces son lideradas por equipos que desempeñan múltiples funciones dentro de una empresa. El uso de guías o herramientas de autoevaluación permite homogeneizar, al menos, los factores y parámetros a analizar, las preguntas a formular, y simplifica la gestión de riesgos al determinar los controles eficaces para cada riesgo identificado. Un estándar internacional permitiría identificar los componentes que deben agregarse o reformarse para lograr algoritmos robustos y seguros, ofreciendo garantías en términos de responsabilidad, y sellos de conformidad. También establecería requisitos y obligaciones posteriores, como la existencia de un registro público de informes finales de EIA y el acceso público a los procesos y documentación del sistema de IA para permitir auditorías con un acceso significativo o reforzado.

En conclusión, aunque no existe un modelo único ni un sistema ideal, resulta necesario realizar un esfuerzo de dogmática aplicada para sistematizar criterios y elementos comunes que todas las EIA deberían contener y observar. La estandarización de las EIA, la consideración de los componentes clave y la adopción de un enfoque basado en principios éticos y de responsabilidad proactiva contribuirán a garantizar la protección de los derechos fundamentales en el desarrollo y uso de sistemas de inteligencia artificial.

---

[29]   Véase J. Metcalf et. Al, citado, pp. 735-746.

Una inteligencia artificial a medida de las personas: el control de la discriminación algorítmica

Raquel Valle Escolano
Profesora Ayudante Doctora de Ciencia Política.
Departamento de Derecho Constitucional
y Ciencia Política de la Universidad de Valencia

I. INTRODUCCIÓN

La Comisión Europea compara el significado y potencial de la Inteligencia Artificial (IA), con el que en el pasado tuvo la máquina de vapor o la electricidad, como elementos revulsivos de transformación de nuestro mundo, nuestra sociedad y nuestra industria. Y es que para la Comisión la IA constituye una tecnología absolutamente estratégica en el siglo XXI, sustentada en el crecimiento del poder de los sistemas computacionales, la disponibilidad de datos y el progreso en los algoritmos. Todo ello es cierto, y son afirmaciones que recalcan la extraordinaria capacidad que la IA posee de facilitar nuestras vidas, de cambiar elementos clave en sectores productivos esenciales, así como en otros terrenos bien variados, que trascienden con mucho lo económico —sociedad, cultura, educación— al servicio de la sociedad. Sin embargo, es también la propia Comisión Europea la que, a renglón seguido, se encarga de señalar que lo que está en juego con la irrupción de la IA, no puede ser más importante, destacando así la magnitud de sus consecuencias, los riesgos que la misma entraña, así como la relevancia de sus retos en temas clave. Ante este panorama, la Comisión concluye que la forma en que abordemos la IA definirá el mundo en que vivimos[1].

En estas páginas se realiza un breve recorrido por las implicaciones de la IA, en una aproximación que tiene en cuenta tanto sus posibilidades, como sus riesgos, partiendo del hecho de que ni las primeras ni estos últi-

---

[1] COMISIÓN EUROPEA, *Artificial Intelligence for Europe, Communication from the Commission to the European Parliament, the European Council, the Council, the European Economic and Social Committee and the Committee of the Regions*, 2018, https://eur-lex.europa.eu/legal-content/EN/TXT/PDF/?uri=CELEX:52018DC0237&from=EN

mos se conocen totalmente hoy en día, en la medida en que estamos ante una realidad en constante desarrollo, que progresa a un ritmo vertiginoso, con avances impredecibles, que llevan en muchos casos aparejados al mismo nivel potenciales efectos negativos en los derechos y libertades ciudadanas, en virtud del uso y explotación que se haga de la misma.

En este escenario, resulta esencial defender una dimensión ética que actúe desde el centro de la IA, impregnando el conjunto de desarrollos de la misma, actuales y futuros. Son necesarias políticas a nivel internacional y nacional, derivadas de marcos regulatorios acordados a nivel mundial o al menos regional, ofreciendo con ello respuestas que estén a la altura de la magnitud del reto al que la humanidad se enfrenta, capaces de garantizar que estas tecnologías emergentes beneficien, en la mayor medida posible, a la humanidad en su conjunto.

En este sentido, muchas son las implicaciones éticas que podrían derivarse de la premisa de considerar una IA centrada en el ser humano. En estas páginas, tras presentar brevemente el significado, perfiles y desafíos que plantea la IA en nuestros días y la irrenunciable aproximación a la misma desde premisas éticas, abordaré fundamentalmente una cuestión concreta: la necesidad de transparencia y comprensibilidad del funcionamiento de los algoritmos y los datos con los que han sido construidos y entrenados, un derecho esencial de las personas, que supone al tiempo una forma de controlar los riesgos que aquellos representan.

II. LA INTELIGENCIA ARTIFICIAL, UNA REVOLUCIÓN DE NUESTROS DÍAS

La inteligencia artificial es un término comprensivo que engloba un conjunto de tecnologías de rápida evolución que, citando de nuevo a la Comisión Europea[2], hace referencia a sistemas que despliegan un comportamiento inteligente, analizando el entorno y ejecutando a partir del mismo acciones —con un determinado nivel de autonomía— para lograr objetivos específicos. Un concepto ligeramente diferente, asimismo interesante, es el utilizado por UNESCO[3], que presenta a los sistemas de IA como tecnologías de procesamiento de la información que integran modelos y algoritmos que producen una capacidad para aprender y realizar tareas

---

[2]   COMISIÓN EUROPEA, *Artificial Intelligence for Europe*, Op. Cit.
[3]   UNESCO, Recomendación sobre la ética de la inteligencia artificial, 2022, p. 10.
         https://www.unesco.org/es/artificial-intelligence/recommendation-ethics

cognitivas, dando lugar a resultados como la predicción y la adopción de decisiones en entornos materiales y virtuales.

Los sistemas de IA pueden actuar basándose únicamente en soluciones de software, que operan en el mundo virtual (entre ellos, por ejemplo, sistemas de reconocimiento de voz y rostro, asistentes de voz, software de análisis de imagen…), o bien integrarse en dispositivos de hardware (tales como drones, robots avanzados o coches autónomos). Acciones que hace tiempo no eran posibles, o que requerían mucho mayor tiempo y gestiones, y que realizamos diariamente sin ser conscientes de los mecanismos que las hacen factibles, existen gracias a la inteligencia artificial: así, bloquear correo no deseado, o generar subtítulos o traducciones instantáneas, por citar tan solo dos ejemplos.

Los sistemas y tecnologías de IA se nutren de datos e información, y funcionan con base en las instrucciones que reciben, y aquí entra de lleno el concepto de algoritmo, que podemos presentar[4] como un código software que procesa un conjunto limitado de instrucciones, señalando en relación al mismo tres propiedades definitorias, como son su universalidad (los algoritmos resultan indispensables en esta era donde la tecnología permea todas las esferas de la vida), su opacidad —a pesar de estar presentes y gobernar cuestiones clave del día a día, son invisibles, inescrutables y herméticos— y, finalmente, un factor fundamental, su absoluto impacto en la vida de las personas. En definitiva, un algoritmo es un conjunto de instrucciones o reglas definidas y no-ambiguas, ordenadas y finitas, diseñado y utilizado en IA, que permite solucionar un problema, realizar un cómputo, procesar datos y tomar decisiones utilizando tales datos.

La Inteligencia Artificial ha ido pasando cronológicamente por una serie de etapas sucesivas, muy bien descritas en un documento elaborado a instancias del Parlamento Europeo[5]. En la primera de ellas, la denominada "IA simbólica" o sistemas de expertos, surgen los algoritmos, entendidos como procedimientos precisos basados en reglas, que una computadora puede seguir,

---

[4]　Según la descripción que realiza Monasterio (A. Monasterio, Ética algorítmica: implicaciones éticas de una sociedad cada vez más gobernada por algoritmos, *Dilemata*, 24, 2017, 185-217), citado por Valle (R. Valle, Inteligencia artificial y derechos de las personas con discapacidad: el poder de los algoritmos, *Revista Española de Discapacidad*, 11(1), 2023, 7-28, Doi: https://doi.org/10.5569/2340-5104.11.01.01).

[5]　P. Boucher, Artificial intelligence: *How does it work, why does it matter, and what can we do about it?* Parlamento Europeo, 2020, https://www.europarl.europa.eu/RegData/etudes/STUD/2020/641547/EPRS_STU(2020)641547_EN.pdf.

paso a paso, lo que le permite tomar decisiones, respondiendo de manera inteligente a una situación dada. En un segundo momento, asistimos a una nueva ola de IA que, a partir de los datos o información manejada, es capaz de automatizar el proceso de aprendizaje de los algoritmos, independizándose así de los expertos humanos, que estaban detrás del funcionamiento de la IA de la primera etapa. Este sistema se basa en redes neuronales artificiales (ANN), inspiradas en la funcionalidad del cerebro, de modo que, a partir de las entradas, mediante las señales que transmite la red de neuronas artificiales, se generan respuestas. Finalmente, todas las potencialidades futuras de la IA entrarían dentro del cambio de paradigma que supone la tercera ola de IA, que funcionaría mediante algoritmos que podrían actuar optando autónomamente por diversas alternativas y tomar decisiones en una amplia gama de contextos problemáticos. En definitiva, como señala Cotino[6], actualmente los algoritmos avanzados de aprendizaje automático —*advanced machine learning algorithms*— están revolucionando y automatizando la vida y la sociedad.

En este contexto, en los últimos tiempos se ha generado un gran aluvión de noticias, con el consiguiente debate ciudadano, así como una notable respuesta de las instituciones, la Inteligencia Artificial Generativa. La Inteligencia Artificial Generativa (IAG) es una rama de la inteligencia artificial capaz de crear contenido original a partir de los datos y la información que el propio sistema maneja. Esta tecnología utiliza algoritmos y redes neuronales avanzadas, que permiten el aprendizaje a partir de textos e imágenes, lo que hace posible alumbrar productos nuevos y únicos. La Inteligencia Artificial Generativa funciona a través del *machine learning* o aprendizaje automático, que está detrás del hecho de que muchas máquinas aprendan sin ser expresamente programadas para ello, identificando patrones que pueden servir para predecir, así como para la toma de decisiones. Una habilidad que respalda aplicaciones utilizadas día a día por ciudadanía, como las asistentes Siri y Alexa, o las recomendaciones que realizan plataformas como Netflix o Spotify.

Los beneficios de la IAG son numerosos y variados, y operan en espacios diferentes. Algunos de los más importantes o de más reciente protagonismo son[7]:

---

[6]   L. Cotino Hueso, Riesgos e impactos del Big Data, la inteligencia artificial y la robótica: enfoques, modelos y principios de la respuesta del derecho, *Revista general de Derecho administrativo*, núm. 50, 2019, p. 3, https://www.dropbox.com/s/010qzjnh7mwwk3t/cotinoiustel.pdf?dl=0

[7]   M. Granieri, *OBS Bussiness School*, 2023, https://www.obsbusiness.school/blog/que-es-la-inteligencia-artificial-generativa

- Generación de contenido nuevo en áreas como el arte, la música y la literatura. La aplicación de la inteligencia artificial generativa en este campo se ha incrementado exponencialmente en los últimos tiempos, demostrando su capacidad para ser utilizada como complemento al proceso creativo de diseñadores, artistas y creadores en general, en campos de actividad como el diseño, la literatura y el arte en sentido amplio.

- En terrenos relacionados con el marketing y la publicidad, la IA también está presente, y lo estará aún más cada día, posibilitando que las empresas lleguen a un público más amplio, a través de factores como el análisis masivo de datos, combinando campañas automatizadas, como estrategias de Email Marketing, con contenidos personalizados dirigidos al cliente, enfocándose en sus preferencias e intereses y mediante un trato individualizado, a través de chatbox que entablan conversaciones directas con los usuarios.

- Uno de los campos en los que la humanidad espera más de la IA es, sin duda, en su aplicación a la investigación científica y a la medicina para analizar grandes cantidades de datos. Con ello se consigue encontrar patrones y relaciones que de otra manera serían difíciles de detectar, lo que supone un potencial excepcional para avanzar en la ciencia y en la salud, dando pasos que hasta ahora habían costado cientos de años. Un ejemplo concreto lo encontramos en dos algoritmos, en primer lugar, AlphaFold, un algoritmo capaz de deducir 200 millones de formas de proteínas partiendo de su mera secuencia de aminoácidos; o, en el mismo campo, el algoritmo Chroma, que mejora la predicción de interacciones dentro de una misma proteína. Y es que las proteínas, como los genes que las codifican, funcionan como textos, que pueden manejarse con los mismos modelos (*large language models*) que utiliza ChatGPT, que tienen la capacidad de generar proteínas con secuencias novedosas, que podrán coadyuvar a fines como catalizar reacciones químicas o bloquear proteínas[8]. Es indiscutible, por tanto, el potencial de actuación y la importancia de las aplicaciones de algoritmos como los mencionados hoy en día, que constituyen una auténtica revolución.

---

[8] J. Sampedro, El lado luminoso de la inteligencia artificial, *El País*, 2023, 4 mayo. https://elpais.com/opinion/2023-05-04/el-lado-luminoso-de-la-inteligencia-artificial.html

- En general, la IA Generativa puede constituir un apoyo en numero-
sísimas áreas, generando resultados que llevarían lustros de obtener
a equipos humanos y, por tanto, aumentando la productividad, en
un abanico de usos que se incrementa día a día. En este sentido, Cotino[9] sintetiza algunos de los impactos económicos generados por la
IA, big data, robótica, y entre otros datos, ciñéndonos únicamente
al escenario europeo, cifra entre 6.500 y 12.000 millones de euros
al año de aquí a 2025 (incluida la mejora de la productividad y una
mayor calidad de vida entre la población de edad avanzada) si aten-
demos a los generados por la automatización de los conocimientos,
los robots y los vehículos autónomos[10]; en relación al PIB español,
en 2018 se estimó un crecimiento para 2035 directamente provocado por la IA, de 189 mil millones de dólares, más de un 10%[11];
mientras que se calcula que un 50% de la economía europea crece-
rá en su eficiencia en un 5-6%[12].

En definitiva, la IA y el uso de algoritmos en el que la misma descansa,
en su estadio actual y a través de sus potencialidades futuras de actuación,
sin duda entrañan enormes posibilidades de transformación en nuestras
vidas, a través de aspectos numerosos y esenciales, que el Libro Blanco
sobre la inteligencia artificial de la UE subraya[13], tales como una mejor
atención sanitaria (por ejemplo, mediante el logro de diagnósticos mucho
más precisos, o permitiendo una mejor prevención de las enfermedades),
un aumento de la eficiencia de la agricultura, optimizando la contribución
a la mitigación del cambio climático, la mejora de la eficiencia de los sistemas de producción a través de un mantenimiento predictivo, el aumento de la seguridad de los europeos, y toda una serie de transformaciones

[9]   L. Cotino Hueso, Riesgos e impactos del Big Data, la inteligencia artificial y la
        robótica: enfoques, modelos y principios de la respuesta del derecho, Op. Cit.
[10]   Un cálculo en el que Cotino maneja datos de la Comisión Europea: COMISIÓN
        EUROPEA, Artificial Intelligence for Europe, Op. Cit.
[11]   Estimaciones que el profesor Cotino realiza con base en un estudio de Accenture:
        Accenture, Country Spolights. Why Artificial Intelligence is the Future of Grow-
        th, 2018, p. 3. https://www.accenture.com/ve-es/_acnmedia/PDF33/Accenture-
        Why-AI-is-the-Future-of-Growth–Country-Spotlights.pdf
[12]   SMART-Comisión Europea, *Study on a European data market*, encarga-
        do por la Comisión, 2013, http://ec.europa.eu/digital-agenda/en/news/
        smart-20130063-study-europeandata-market-and-related-services. Citado por Coti-
        no, 2019, Op. Cit.
[13]   COMISIÓN EUROPEA, *Libro Blanco sobre la inteligencia artificial-un enfoque europeo
        orientado a la excelencia y la confianza*, 2020, p. 3, https://ec.europa.eu/info/sites/
        default/files/commission-white-paper-artificial-intelligence-feb2020_es.pdf

adicionales que a día de hoy tan solo podemos intuir. Una valoración muy similar a la que realizan tanto el Reglamento del Parlamento Europeo y del Consejo por el que se establecen normas armonizadas en materia de inteligencia artificial[14] como el documento *Inteligencia artificial para Europa*[15], que ensalzan la capacidad de la IA para resolver retos fundamentales de nuestros días, como el tratamiento de las enfermedades crónicas, la lucha contra el cambio climático o la previsión de las amenazas a la ciberseguridad. En esta línea, destacan las ventajas que un ecosistema europeo de IA bien organizado puede generar tanto a la ciudadanía (incidiendo en salud, transportes, servicios públicos…), como al desarrollo empresarial (creando una nueva generación de productos y de servicios en áreas en las que Europa es particularmente competitiva —maquinaria, transporte, ciberseguridad, agricultura, economía verde y circular, atención sanitaria y sectores de gran valor añadido, como la moda y el turismo—); y finalmente, en el sector público, contribuyendo a generar una gobernanza inteligente, entendida como un nuevo paradigma basado en la disponibilidad de cada vez más tecnologías basadas en datos y una orientación hacia la provisión de mejores servicios públicos (en transporte, educación, energía y gestión de los residuos), una mayor sostenibilidad de los productos, y una mejor protección y seguridad para los ciudadanos.

III. GESTIONAR LA INTELIGENCIA ARTIFICIAL, UNO DE LOS GRANDES RETOS DE LA HUMANIDAD

El uso de la tecnología tradicionalmente ha presentado no solo oportunidades, sino también retos o amenazas. Sin embargo, los desarrollos más recientes de la IA, especialmente los modelos generativos que crean imágenes —como la herramienta Midjourney—, que han construido fotos que han dado la vuelta al mundo, como Donald Trump arrestado y su eventual huida de la cárcel, la del papa Francisco con un sofisticado abrigo de plumas blanco, o montajes fotográficos de otros famosos; y sobre todo los desarrollos capaces de generar textos, especialmente el ChatGPT, han creado recientemente una alarma sin precedentes. Algunas de las reacciones, inmediatas, a este estado de cosas, han sido la propuesta legislativa

---

[14] COMISIÓN EUROPEA, Reglamento del Parlamento Europeo y del Consejo por el que se establecen normas armonizadas en materia de inteligencia artificial (Ley de Inteligencia Artificial), 2021, https://eur-lex.europa.eu/resource.html?uri=cellar:e0649735-a372-11eb-9585-01aa75ed71a1.0008.02/DOC_1&format=PDF

[15] COMISIÓN EUROPEA, *Artificial Intelligence for Europe*, 2018, Op. Cit.

europea de ampliar la AI Act (Ley de Inteligencia artificial) y sus limitaciones[16], prohibiendo los "usos intrusivos y discriminatorios de la IA", especialmente los sistemas biométricos en tiempo real o ex-post en espacios
públicos, salvo en aquellos casos excepcionales justificados por motivos de
seguridad. También destaca la propuesta de establecer una pausa temporal
en el desarrollo de la IA.

Ambas iniciativas merecen, sin duda, algún comentario. En relación a la
segunda, surge de una carta publicada el 22 de marzo de 2023[17] por *Future
of Life Institute*, secundada por miles de personas, incluyendo figuras muy
conocidas como los empresarios Elon Musk (CEO of SpaceX, Tesla & Twi-
tter) o Steve Wozniak (co-fundador de Apple), el experto en IA y ganador
del Premio Turing Joshua Bengio, o el historiador y filósofo Yuval Noah
Harari. En ella señalan que los sistemas potentes de IA deberían desarrollarse solo cuando estemos seguros de que sus efectos serán positivos y sus
riesgos manejables. Por ello instan a pausar inmediatamente durante al
menos 6 meses el desarrollo de sistemas de inteligencia artificial que sean
más poderosos que GPT-4 (la última versión pública de ChatGPT), apro-
vechando dicho lapso para poner en marcha un conjunto de protocolos
de seguridad compartidos, que puedan ser rigurosamente auditados y supervisados por expertos externos independientes. Dicha pausa se plantea
como un "verano de IA", que sirva para diseñar tales sistemas para el claro
beneficio de todos, dando a la sociedad la oportunidad de adaptarse.

Existe un acuerdo general en la necesidad de contar con una regulación y sistemas de gobernanza que garanticen que el impacto social de la
inteligencia artificial sea positivo para la humanidad. Sin embargo, esta petición de pausa en la IA ha generado tantos partidarios como detractores.
Entre estos últimos, Oliver[18] destaca lo cuestionable de las motivaciones de
la institución que promueve la carta, así como el hecho de calificar como
un riesgo existencial el desarrollo de la IA, especialmente proyectándose
hacia el futuro, ignorando por el contrario los grandes retos actuales de
los humanos de carne y hueso, así como cuestiones concretas que la IA
plantea ya a día de hoy, sin pensar en sus desarrollos futuros, a los que
la carta no alude. En todo caso, más allá de la controversia que la misiva

---

[16]   Los diputados han aprobado la propuesta en una sesión conjunta de las Comisio-
      nes de Libertades Civiles y Mercado Interior, que deberá ser todavía validada por
      el pleno de la Eurocámara y proseguir con el trámite legislativo ulterior.
[17]   Future of Life Institute, *Pause Giant AI Experiments: An Open Letter*, 2023, https://
      futureoflife.org/open-letter/pause-giant-ai-experiments/
[18]   N. Oliver, Una pausa cuestionable en la inteligencia artificial, *El País*, 3 mayo 2023.

ha generado, es innegable que la conciencia sobre los riesgos de la IA se ha multiplicado exponencialmente en los últimos tiempos, generando un debate en la ciudadanía, incluso en personas que no hace mucho apenas se habían parado a pensar sobre la misma. Todo ello reclama una acción decidida por parte los poderes públicos, gobiernos, parlamentos y organizaciones internacionales.

Precisamente en este ámbito se sitúa la reciente Propuesta de Reglamento del Parlamento Europeo y del Consejo sobre normas armonizadas sobre inteligencia artificial (Ley de inteligencia artificial), que modifica además determinados actos legislativos de la Unión[19]. El texto regula diversas cuestiones, entre las cuales podemos destacar las más relevantes. Así, comienza proponiendo una definición uniforme de IA, diseñada para ser tecnológicamente neutral, de modo que pueda aplicarse a los sistemas actuales y futuros. Un tema clave lo constituye la prohibición de usos intrusivos y discriminatorios de la IA, como los sistemas de identificación biométrica remota en tiempo real en espacios de acceso público y de identificación biométrica a distancia. En el último caso, lo hace salvo muy contadas excepciones: en concreto se exceptúan las fuerzas de seguridad para la persecución de delitos graves y previa autorización judicial. También se prohíben los sistemas de categorización biométrica que utilizan características sensibles (género, raza, etnia, estado civil, religión, orientación política, etc.), sistemas de reconocimiento de emociones por parte de las fuerzas de seguridad, para la gestión de fronteras, en el lugar de trabajo o en las instituciones educativas; y la recopilación indiscriminada de datos biométricos de las redes sociales o de imágenes de circuitos cerrados de televisión (CCTV) para crear bases de datos de reconocimiento facial. Finalmente, la propuesta normativa tiene entre sus objetivos el garantizar que los sistemas de IA sean supervisados por personas y sean seguros, transparentes, rastreables, no discriminatorios y respetuosos con el medio ambiente.

Se trata de una propuesta muy interesante, que trata de salir al paso de los peligros y retos más recientes que presentan los últimos desarrollos de la IA. Sin embargo, sigue en gran medida las líneas ya iniciadas en la regulación existente en esta materia. Así, la Unión Europea es consciente

---

[19]　PARLAMENTO EUROPEO, DRAFT Compromise Amendments on the Draft Report, Proposal for a regulation of the European Parliament and of the Council on harmonised rules on Artificial Intelligence (Artificial Intelligence Act) and amending certain Union Legislative Acts, 2023, https://www.europarl.europa.eu/meetdocs/2014_2019/plmrep/COMMITTEES/CJ40/DV/2023/05-11/ConsolidatedCA_IMCOLIBE_AI_ACT_EN.pdf

desde hace tiempo de las amenazas existentes en el funcionamiento de la IA y de la necesidad de implementar respuestas eficaces, y lo ha hecho marcando su propio perfil de acción, realizando un análisis desde una dimensión europea, con sello propio frente al mundo en la materia, en el dimensionamiento de su potencial, riesgos y líneas éticas, tal y como subraya Cotino, que habla de un diseño de la misma *made in Europe,* que apuesta claramente por una ética confiable que presida el establecimiento de los perfiles de la IA[20].

Son, en este sentido, varios los documentos, estudios, normas, que en la UE aluden a la cuestión. Tan solo destacaremos muy brevemente algunas consideraciones relativas a los ejes que establecen dos de ellos, en primer lugar, el Libro Blanco sobre la inteligencia artificial de la UE[21], así como el documento *Generar confianza en la inteligencia artificial centrada en el ser humano,* emitido como Comunicación de la Comisión al Parlamento Europeo, al Consejo, al Comité Económico y Social Europeo y al Comité de las Regiones[22].

El primero de estos documentos esboza el diseño de lo que califica como un *ecosistema de confianza* exclusivo en materia de IA, una meta que constituye un objetivo político en sí mismo, velando por el cumplimiento del acervo comunitario en la materia, especialmente las normas de protección de los derechos fundamentales y los derechos de los consumidores, protegiendo en particular su seguridad frente a los desequilibrios informativos de la toma de decisiones mediante algoritmos, en mucha mayor medida con relación a los sistemas de inteligencia artificial que operan en la UE y presentan un riesgo elevado. También se debe ofrecer protección y seguridad a empresas y organismos públicos, de modo que puedan utilizar la IA para innovar.

Por su parte, en el documento *Generar confianza en la inteligencia artificial centrada en el ser humano,* las instituciones europeas dejan claro que la confianza y la fiabilidad son requisitos previos para garantizar un enfoque

---

[20] L. Cotino Hueso, Ética en el diseño para el desarrollo de una inteligencia artificial, robótica y big data confiables y su utilidad desde el Derecho, *Revista catalana de dret públic,* núm. 58, 2019, pp. 29-48.

[21] COMISIÓN EUROPEA, *Libro Blanco sobre la inteligencia artificial – un enfoque europeo orientado a la excelencia y la confianza,* Op. Cit.

[22] COMISIÓN EUROPEA, Comunicación de la Comisión al Parlamento Europeo, al Consejo, al Comité Económico y Social Europeo y al Comité de las Regiones, *Generar confianza en la inteligencia artificial centrada en el ser humano,* 2019, https://ec.europa.eu/transparency/documents-register/detail?ref=COM(2019)168&lang=es

antropocéntrico de la IA. En particular, garantizar una IA fiable, significa que la misma debe ser conforme a la ley, debe respetar los principios éticos y debe ser sólida. Sobre estos tres componentes y los valores europeos, se han enunciado directrices por parte de expertos de alto nivel en la materia, que apuntan a siete requisitos esenciales que necesariamente deben respetar las aplicaciones de IA para ser fiables, en concreto:

- Intervención y supervisión humanas: Los sistemas de IA deben actuar como facilitadores de una sociedad floreciente y equitativa, apoyando la intervención humana y los derechos fundamentales, apuntando hacia el objetivo esencial del bienestar del usuario.

- Solidez y seguridad técnicas: Los algoritmos deben ser suficientemente seguros, fiables y sólidos para resolver errores o incoherencias durante todas las fases del ciclo vital del sistema de IA; deben ser fiables, resilientes frente a ataques externos, y sus resultados, reproducibles. Asimismo, deben integrar mecanismos de seguridad desde el diseño, para poder garantizar la verificación de su solidez y eficacia en cada fase.

- Privacidad y gestión de datos: Además de salvaguardar la privacidad y los datos personales, los sistemas de IA deben cumplir requerimientos capaces de garantizar la calidad de los conjuntos de datos que empleen.

- Transparencia

- Diversidad, no discriminación y equidad

    A estos dos últimos requisitos se aludirá de forma particular en el apartado relativo a la mitigación de los sesgos algorítmicos.

- Bienestar social y medioambiental: Debe fomentarse la sostenibilidad y la responsabilidad ecológica de los sistemas de IA. También debe tenerse en cuenta el impacto social de la misma.

- Rendición de cuentas: Es necesario establecer mecanismos que garanticen la responsabilidad y la rendición de cuentas de los sistemas de IA y de sus resultados, tanto antes como después de su implementación. Resulta esencial el poder auditar los sistemas de IA, evaluando sus potenciales impactos negativos. Y para el caso de que se produzcan efectos adversos injustos, deben preverse mecanismos accesibles que garanticen una reparación adecuada.

Las directrices elaboradas por el grupo de expertos de alto nivel sobre la IA, sin duda condensan las exigencias que los sistemas de IA debieran cumplir. Sin embargo, no son vinculantes y, como tales, no generan obligaciones legales, aunque sin duda impregnan claramente el derecho comunitario en la materia, así como en otras cuestiones conexas.

IV. LA DIMENSIÓN ÉTICA COMO GUÍA

Existe un claro imperativo para que en el campo de la IA se adopten y fortalezcan principios éticos sólidos, por la extraordinaria relevancia que la misma tiene en nuestras vidas diarias, ya que los modelos algorítmicos y de aprendizaje automático se utilizan para respaldar la toma de decisiones en aplicaciones de alto riesgo, como préstamos hipotecarios, contratación y sentencias de prisión[23]. Por otro lado, el avance sin precedentes en las técnicas de IA generativa, y su extraordinaria capacidad para crear instantáneamente, textos, música, imágenes, voz o vídeos de igual modo, y hacerlo, en ocasiones, incluso con un nivel de competencia mayor a como lo harían los humanos, ha exacerbado los dilemas éticos y sociales que desde hace tiempo estaban presentes en relación con el rápido desarrollo de la inteligencia artificial y los interrogantes que la misma planteaba. Hoy, más que nunca, hay que dar una medida humana a una tecnología que, como tal, no tiene alma, y en este sentido de Asís[24] insta a abordar los múltiples y complejos retos que las tecnologías convergentes proyectan en el corazón de la Ética y del Derecho, y que afectan directamente a los derechos humanos: hay que garantizar la inclusión, la diversidad y la equidad, constituyéndolos como valores irrenunciables para que los sistemas de aprendizaje automático no solo no creen ni perpetúen la discriminación, sino que sean útiles para liberar al ser humano y para mejorar la calidad de vida y el desarrollo inclusivo.

En este sentido, entre los numerosos retos y dilemas éticos con los que la humanidad tiene que lidiar, y hacerlo rápido, habida cuenta del ritmo a que avanza la IA, se han apuntado[25], entre otros, la violación de la privacidad y el uso de ingentes cantidades de datos, en muchas ocasiones sin

---

[23]   R. K. Bellamy et al. AI Fairness 360: An Extensible Toolkit for Detecting, Understanding, and Mitigating Unwanted Algorithmic Bias, *IBM Journal of Research and Development*, Vol. 63, No. 4/5, 2019, pp. 1-4, https://arxiv.org/abs/1810.01943

[24]   R. de Asís, *Es necesario un debate ético sobre la robótica que se plantee su sentido y aplicación*, Entrevista a Rafael de Asís Roig, 2013, https://portal.uc3m.es/portal/page/portal/actualidad_cientifica/actualidad/entrevistas/entrevista_rafael_de_asis
       R. de Asís, *Una mirada a la robótica desde los derechos humanos*, 2015, Dykinson.

[25]   N. Oliver, Una pausa cuestionable en la inteligencia artificial, Op. Cit.

consentimiento expreso y potencialmente infringiendo los derechos de propiedad intelectual de sus creadores; la falta de veracidad de los sistemas de IA generativa que crean todo tipo de contenidos falsos (textos, vídeos, imágenes, audios, videos…); o la manipulación subliminal del comportamiento humano por parte de algoritmos de IA . Otros temas a debatir se centran en la discriminación generada por factores como los sesgos y la discriminación algorítmicos que no solo perpetúan, sino incluso robustecen y exacerban estereotipos y patrones discriminatorios; o en la consiguiente necesidad de transparencia e inteligibilidad del funcionamiento de los algoritmos y de los datos que los sustentan y los hacen funcionar. También resulta hoy en día ineludible reflexionar sobre el poder de los algoritmos en la adopción de decisiones, el empleo y el trabajo, la interacción social, la atención de la salud, la educación, los medios de comunicación, el acceso a la información, la brecha digital, o la protección del consumidor (UNESCO, 2019[26], 2022[27]). Y finalmente, la humanidad debería debatir y alcanzar acuerdos en torno a las consecuencias de la IA y su desarrollo en cuestiones clave, como los derechos humanos y las libertades fundamentales, la igualdad de género, las prácticas científicas, el medio ambiente y los ecosistemas —por ejemplo, el impacto en la huella de carbono de las grandes redes neuronales que conforman los sistemas de IA—, así como sobre los procesos sociales, económicos, políticos y culturales, los derechos humanos, o incluso sobre las democracias y su funcionamiento.

En esta línea, Europa está bien posicionada para ejercer el liderazgo mundial en la construcción de alianzas en torno a valores compartidos y en la promoción del uso ético de la IA[28], y de forma repetida, en numerosas normas y declaraciones, ha subrayado un enfoque europeo que incide en las implicaciones humanas y éticas de la IA, y que busca garantizar que las nuevas tecnologías estén al servicio de todos los europeos, mejorando sus vidas y respetando sus derechos, que son los que consagra el derecho comunitario, perfilando una Europa de valores y derechos, que inciden claramente también en el ámbito de la IA.

---

[26]   UNESCO, *Preliminary Study on the Ethics of Artificial Intelligence*, 2019, https://unesdoc.unesco.org/ark:/48223/pf0000367823

[27]   UNESCO, Recomendación sobre la ética de la inteligencia artificial, 2022, https://www.unesco.org/es/artificial-intelligence/recommendation-ethics

[28]   Así lo afirma el Libro Blanco sobre la inteligencia artificial: COMISIÓN EUROPEA, *Libro Blanco sobre la inteligencia artificial – un enfoque europeo orientado a la excelencia y la confianza*, Op. Cit.

Sin embargo, en este apartado haremos referencia a un documento que asimismo procura una visión integral de los diversos factores que pueden configurar una verdadera dimensión ética que actúe como faro o guía de los diversos desarrollos de la IA, presentes y futuros. Se trata de la *Recomendación sobre la ética de la inteligencia artificial*[29], elaborada por la Organización de las Naciones Unidas para la Educación, la Ciencia y la Cultura, UNESCO, un texto ya aludido a lo largo de estas páginas, que declara expresamente su consideración de la ética como una base dinámica para la evaluación y la orientación normativas de las tecnologías de la IA, tomando como referencia la dignidad humana, el bienestar y la prevención de daños y apoyándose en la ética de la ciencia y la tecnología. En la medida en que el mismo condensa los principios y valores éticos generalmente aceptados en IA, se utilizará para enumerar y explicar brevemente cuáles son estos y qué exigencias concretas plantean.

UNESCO entiende los valores como ideales que motivan la orientación de las medidas de política y las normas jurídicas, mientras que los principios revelan los valores subyacentes de manera más concreta, de modo que puedan aplicarse más fácilmente en las declaraciones de política y las acciones. Unos y otros deberían ser respetados por todos los actores durante el ciclo de vida de los sistemas de IA, y promovidos mediante leyes, reglamentos y directrices empresariales. Todo ello debe ajustarse al derecho internacional, en particular la Carta de las Naciones Unidas y las obligaciones de los Estados Miembros en materia de derechos humanos, y estar en consonancia con los objetivos de sostenibilidad social, política, ambiental, educativa, científica y económica acordados internacionalmente, como los Objetivos de Desarrollo Sostenible (ODS) de las Naciones Unidas. En este sentido, los valores que UNESCO promueve son los siguientes:

1. Respeto, protección y promoción de los derechos humanos, las libertades fundamentales y la dignidad humana.

2. Prosperidad del medio ambiente y los ecosistemas.

3. Garantizar la diversidad y la inclusión.

4. Vivir en sociedades pacíficas, justas e interconectadas

En cuanto a los principios éticos que dicho documento propugna, están centrados en las siguientes ideas:

a. Proporcionalidad e inocuidad

---

[29]   UNESCO, Recomendación sobre la ética de la inteligencia artificial, Op. Cit.

b. Seguridad y protección

c. Equidad y no discriminación

d. Sostenibilidad

e. Derecho a la intimidad y protección de datos

f. Supervisión y decisión humanas

g. Transparencia y explicabilidad

h. Responsabilidad y rendición de cuentas

i. Sensibilización y educación

j. Gobernanza y colaboración adaptativas y de múltiples partes interesadas

En definitiva, la UNESCO persigue con estas líneas de acción establecer un horizonte ético y político, proporcionando un marco universal de valores, principios y acciones para orientar a los Estados en la formulación de sus leyes, políticas u otros instrumentos relativos a la IA, de conformidad con el derecho internacional, así como orientar las acciones de las personas, los grupos y las entidades del sector privado, a fin de asegurar la incorporación de la ética en todas las etapas del ciclo de vida de los sistemas de IA. La Recomendación busca como objetivo último proteger y respetar los derechos humanos y las libertades fundamentales, la dignidad humana y la igualdad, incluida la igualdad de género, a través del diálogo multidisciplinario y pluralista y la concertación sobre cuestiones éticas relacionadas con los sistemas de IA, entre los diferentes actores, promoviendo el acceso equitativo a los avances y los conocimientos en este ámbito y el aprovechamiento compartido de los beneficios.

Establecer un marco ético consensuado y efectivo para la IA se alza hoy como una exigencia insoslayable, pero es necesario, como señala Cotino[30], pasar "de las musas al teatro", incidiendo, no tanto en principios éticos genéricos y por lo general ya asentados, sino en mayor medida en reglas de contenido, organización y procedimiento y en la implantación práctica de procesos, organismos, comités y sistemas de cumplimiento, en el campo de la IA.

---

[30] L. Cotino Hueso, Ética en el diseño para el desarrollo de una inteligencia artificial, robótica y big data confiables y su utilidad desde el Derecho, Op. cit, p. 44.

V. MITIGAR LA DISCRIMINACIÓN ALGORÍTMICA

Como se ha señalado, el proceso de toma de decisiones de la IA funciona en gran medida mediante algoritmos basados en el aprendizaje automático. Por lo tanto, su respuesta a una tarea específica depende de su 'experiencia', es decir, de los datos que se le han proporcionado y que maneja. Los algoritmos que se encuentran detrás de las decisiones tomadas por máquinas cognitivas se basan en algunos principios a que el algoritmo obedece y que trata de optimizar, en base a la información que se le proporciona.

A partir de este funcionamiento, es fácil comprender que la discriminación algorítmica sea un hecho indiscutible, dado que los datos no son siempre objetivos y la información y las instrucciones que el algoritmo incorpora nunca resultan ser algo aséptico y neutral, y este es solo uno de los numerosos dilemas éticos que plantea la extensión de la inteligencia artificial (IA) en general y el uso de algoritmos en particular. De hecho, no es solo uno de los dilemas éticos de la IA, sino más bien uno de los temas clave o preocupaciones éticas fundamentales, tal y como señala la UNESCO, cuando subraya el peligro de los sesgos que los algoritmos pueden incorporar y exacerbar, lo que puede llegar a provocar discriminación, desigualdad, brechas digitales y exclusión y suponer una amenaza para la diversidad cultural, social y biológica, así como generar divisiones sociales o económicas[31].

Las tecnologías de IA no son neutrales, sino inherentemente sesgadas debido a los datos en los que se basan. Este elemento opera en relación a numerosas personas y grupos. En particular, algunos de mis análisis anteriores han girado de forma monográfica en torno al estudio tanto la discriminación fruto de los sesgos de género[32], como aquella que opera en relación con las personas que tienen alguna discapacidad[33]. Para ambos sectores de población, y no solo para ellos, los algoritmos resultan discriminatorios, debido, entre otras causas a:

— La existencia de representaciones estereotipadas profundamente arraigadas en nuestras sociedades.

---

[31] UNESCO, Recomendación sobre la ética de la inteligencia artificial, Op. Cit., p. 5

[32] R. Valle, Transparencia en la inteligencia artificial y en el uso de algoritmos: una visión de género. En L. Cotino Hueso y J. Castellanos (coord), *Transparencia y explicabilidad de la inteligencia artificial*, pp. 85-107

[33] R. Valle, Inteligencia artificial y derechos de las personas con discapacidad: el poder de los algoritmos, Op. Cit.

— La falta de neutralidad de las herramientas y sistemas de IA, que, al procesar grandes cantidades de datos, ordenan y priorizan siguiendo instrucciones que implican juicios de valor, de igual modo que ocurre con el modo en que funciona la inteligencia humana. Y tales sesgos pueden resultar incluso reforzados y amplificados, por el efecto multiplicador que tienen las TIC.

— La ausencia de participación de los grupos afectados en la construcción y empleo de algoritmos, y en general, en la industria de la IA, donde, por ejemplo, solo el 22 % de todos los profesionales son mujeres. Como señala la UNESCO, No es casualidad que los asistentes personales virtuales como Siri, Alexa o Cortana sean "mujeres" por defecto. El servilismo y, a veces, la sumisión que expresan son un ejemplo de cómo la IA puede (continuar) reforzando y propagando los prejuicios de género en nuestras sociedades. La proliferación de asistentes femeninos fomenta la creencia de que el papel esencial de las mujeres es el facilitar que los hombres puedan hacer cosas importantes[34].

En definitiva, la discriminación de las personas producto de la IA y del uso de algoritmos en particular, tiene su origen en datos deficientes y/o poco representativos, o sacados de contexto, en la falta de transparencia de la tecnología (que dificulta detectar los efectos discriminatorios), en la fuerza de las discriminaciones históricas, en la ausencia de puesta en valor de su protagonismo o intervención en multitud de áreas y contextos, etc. Y es que los conjuntos de datos utilizados por los sistemas de IA (tanto para el entrenamiento como para el funcionamiento) pueden verse afectados por la inclusión de sesgos históricos, por no estar completos o por modelos de gobernanza deficientes. Los sesgos pueden operar de forma involuntaria, o introducirse de un modo intencionado. Por otra parte, la forma en la que se desarrollan los sistemas de IA (por ejemplo, el modo en que está escrito el código de programación de un algoritmo), puede también contener sesgos. Todas estas circunstancias constituyen importantes fuentes de discriminación[35].

Mitigar la discriminación algorítmica no es una tarea fácil, asumiendo ya como punto de partida que resulta prácticamente imposible la elimina-

---

[34]   EQUALS & UNESCO, *I'd Blush If I Could, Closing Gender Divides in Digital Skills Through Education*, 2019, https://en.unesco.org/Id-blush-if-I-could
[35]   COMISIÓN EUROPEA, *Generar confianza en la inteligencia artificial centrada en el ser humano*, Op. Cit.

ción completa de dicha discriminación. En relación con la misma, habría que reflexionar y debatir sobre algunas cuestiones clave, que según numerosos estudios, coincidentes en su análisis y resultados, son las siguientes:

1. Cualquier estrategia debiera partir, como elemento irrenunciable, de incrementar la transparencia e inteligibilidad del funcionamiento de los algoritmos y los datos con los que han sido entrenados, así como la rendición de cuentas, una tarea muy complicada no solo jurídicamente, sino desde el punto de vista técnico. Las organizaciones deben mantener un estándar de explicabilidad en torno al funcionamiento de sus modelos y de transparencia y alrededor de sus posibles deficiencias. El sistema de IA no solo debe hacerse público en términos claros y accesibles, sino que las personas también deben poder comprender cómo se toman las decisiones y cómo se verifican (Consejo de Europa, 2019[36]).

2. Es necesario implementar desarrollos de datos garantistas, que permitan la utilización responsable de algoritmos, con controles y equilibrios, que verifiquen y mitiguen el sesgo en cada etapa del proceso de desarrollo de los mismos.

3. En relación con los equipos de trabajo, se insta a construir equipos diversos y multidisciplinares para trabajar en algoritmos y sistemas de IA, que garanticen la representación de todas las personas y grupos. Al tiempo, es imprescindible concienciar y promover una cultura de la ética y la responsabilidad en todos los actores relacionados con la IA, que les aliente a priorizar las consideraciones de equidad en cada paso del proceso de desarrollo del algoritmo (diseño, implementación, evaluación…).

4. Las organizaciones, tanto internacionales como de ámbito nacional, dedicadas a la defensa de derechos humanos en todos sus ámbitos, deben continuar orientando los debates y aumentando su participación en las políticas relacionadas con la inteligencia artificial.

5. Los Estados deben supervisar el desarrollo de las herramientas y soluciones innovadoras de IA, a fin de lograr detectar y corregir sus efectos discriminatorios, evaluando su incidencia en la promoción de los derechos. Corresponde también a los gobiernos sensibilizar

---

[36] CONSEJO DE EUROPA, *Unboxing Artificial Intelligence: 10 steps to protect Human Rights*, 2019, https://www.coe.int/en/web/commissioner/-/unboxing-artificial-intelligence-10-steps-to-protect-human-rights

al sector privado (desarrolladores y usuarios de inteligencia artificial) sobre estas cuestiones.

El sector público debería implantar regulaciones que garanticen los derechos de toda la ciudadanía; y adquirir únicamente sistemas y aplicaciones de IA respetuosas con dicha normativa. Al tiempo, debiera anticiparse, introduciendo en su comportamiento y desarrollos digitales exigencias éticas, que sirvan de ejemplo al sector privado y que generen un estado de opinión en la población sobre la necesidad de una IA inclusiva, que no discrimine y en cuya implantación participen todos los individuos y grupos.

6. Empresas y sector privado en general que trabajen en IA, deberían implantar la transparencia en su actividad; emplear la diligencia debida para respetar los derechos de todas las personas, promoverlos de forma proactiva y realizar evaluaciones del impacto de la IA y del uso de algoritmos en los derechos humanos. No hay que olvidar que, si bien muchas de las aplicaciones se utilizan en la esfera pública, la tecnología de IA la lideran y desarrollan empresas multinacionales en el sector privado, con una menor obligación inmediata a regirse por el bien público. Y además existe una absoluta concentración, ya que el 60% de estas tecnologías las desarrollan actores estadounidenses, y otro 20%, empresas chinas. Esta concentración deriva asimismo en falta de diversidad, en resultados discriminatorios, en la existencia de numerosos y variados sesgos[37].

7. En el ámbito de la responsabilidad social y del liderazgo, se propone establecer modelos de gobierno corporativo para una IA responsable, en todas las fases del proceso.

8. Es necesario disponer de un estado de derecho, en forma de marcos regulatorios de recomendaciones éticas, establecidos a nivel global, que puedan traducirse en políticas internacionales y nacionales, para garantizar que estas tecnologías emergentes beneficien a la humanidad en su conjunto y no generen ni refuercen la discriminación. Las respuestas a tales problemáticas necesariamente deben ser globales, ya que la IA (programas, máquinas…) no se limita a una ubicación tangible, sino que funciona con tecnología en la nube, lo que plantea un desafío en cuanto la regulación de la tecnología de

[37] Tal y como señala Gabriela Ramos, Subdirectora General de Ciencias Sociales y Humanas de la UNESCO: G. Ramos, La cuestión no es si se tiene que regular la inteligencia artificial, sino cómo, *El País* 22/4/23.

IA a nivel nacional e internacional. Y debe ser un marco regulatorio que se anticipe a los problemas, ya que habitualmente en IA lo que ocurre es que se reacciona a productos o servicios ya existentes. La actuación ex ante es fundamental, ya que, de otro modo, nos encontramos en ocasiones con productos peligrosos, que se encuentran ya en el mercado, y cuyas consecuencias y peligros no han podido calibrarse.

VI. REFLEXIONES FINALES

Muchas de las cuestiones problemáticas que se encuentran en el centro del debate en materia de IA, mejorarían de forma notable, si aumentaran los niveles de transparencia y explicabilidad en este terreno. Debe garantizarse asimismo la trazabilidad de los sistemas de IA: es importante registrar y documentar tanto las decisiones tomadas por los sistemas como la totalidad del proceso. A este respecto, en la medida de lo posible debe aportarse la explicabilidad del proceso de toma de decisiones algorítmico, adaptada a las personas afectadas. Por otra parte, los sistemas de IA deben ser identificables como tales, garantizando que los usuarios sepan que están interactuando con un sistema de IA y qué personas son responsables del mismo[38].

Estos dos factores, transparencia y explicabilidad, constituyen así condiciones previas fundamentales para garantizar el respeto, la protección y la promoción de los derechos humanos, las libertades fundamentales y los principios éticos. Como señala UNESCO[39], la transparencia es esencial para el funcionamiento eficaz de la normativa nacional e internacional en materia de responsabilidad. La ausencia de transparencia impide analizar y eventualmente impugnar las decisiones basadas en resultados producidos por los sistemas de IA y, por lo tanto, podría vulnerar el derecho a una defensa efectiva y a eventuales reparaciones por daños y perjuicios. Por otro lado, el grado de transparencia y explicabilidad debe adecuarse a los diferentes contextos, por lo que resulta necesario establecer un equilibrio entre ambas y otros principios como la privacidad, la seguridad y la protección. Los Estados Miembros y las empresas del sector privado deberían desarrollar mecanismos de diligencia debida y supervisión, así como aplicar protocolos de transparencia ejecutables para determinar, prevenir

---

[38]   COMISIÓN EUROPEA, *Generar confianza en la inteligencia artificial centrada en el ser humano*, Op. Cit.

[39]   UNESCO, Recomendación sobre la ética de la inteligencia artificial, 2022, Op. Cit.

y atenuar los riesgos y rendir cuentas, apoyando la investigación en este terreno.

En esta misma línea se pronuncia Cotino[40], cuando señala que el principio de transparencia algorítmica constituye el centro de la mayor parte de documentos de referencia sobre inteligencia artificial, como principio ético consensuado, que por otro lado alberga una idea general inclusiva con una miríada de nociones que orbitan a su alrededor, a saber: trazabilidad, explicabilidad, interpretabilidad, comprensibilidad, inteligibilidad, legibilidad, auditabilidad, testabilidad, comprobabilidad, simulabilidad, descomponibilidad, verificabilidad, replicabilidad, comunicación, código abierto, o la interesante distinción entre transparencia externa e interna[41].

Como señala Ramos, los modelos de lenguaje en los que se apoyan las más recientes herramientas de IA y su funcionamiento, resultan extremadamente difíciles de entender, y por ello, cuando llegan al mercado, no siempre son seguros, confiables ni transparentes. Una situación que se produce en medio de un vacío regulatorio general: todos los mercados están regulados, y la IA también debería estarlo[42].

De ahí la necesidad de avanzar, a partir de los actuales marcos regulatorios, recomendaciones, estándares y buenas prácticas, neutralizando riesgos y anticipándose a otros impactos negativos, fortaleciendo la protección de los derechos y eliminando las discriminaciones que sufren hoy en día numerosas personas, colectivos y países, que incluso desconocen el modo en que son discriminados por numerosos algoritmos, el origen de dicha discriminación y el funcionamiento de las herramientas que la hacen posible. Todo ello hay que hacerlo a partir del corazón de la ética, impregnando con ella una tecnología que, como tal, resulta fría y sin alma.

Cierto que no resulta una tarea fácil, por numerosos factores. El gran volumen económico que genera la IA; la carrera tecnológica y la competencia entre países; las dificultades que la comprensión del modo en que

---

[40]   L. Cotino, Qué concreta transparencia e información de algoritmos e inteligencia artificial es la debida, *Revista Española de la Transparencia*, 2023, pp. 17-63. DOI: https://doi.org/10.51915/ret.272

[41]   L. Cotino, Transparencia y explicabilidad de la inteligencia artificial y "compañía" (comunicación, interpretabilidad, inteligibilidad, auditabilidad, testabilidad, comprobabilidad, simulabilidad...). Para qué, para quién y cuánta", en L. Cotino Hueso y J. Castellanos (coords.), *Transparencia y explicabilidad de la inteligencia artificial*, 2022, Tirant lo Blanch.

[42]   G. Ramos, La cuestión no es si se tiene que regular la inteligencia artificial, sino cómo, Op. Cit.

opera la tecnología supone para el ciudadano estándar; el rápido avance de la IA, cuyos productos crecen a una velocidad exponencial, sorprendiendo al mundo; o la propia autonomía con que operan los sistemas de inteligencia artificial, son solo algunas de ellas. Pero precisamente por la extraordinaria relevancia que la IA tiene, por su gran potencial en contribuir al desarrollo y al bienestar humano en terrenos bien diversos, y porque manejarla, por parte de la humanidad que la ha creado, es un reto esencial e irrenunciable de este siglo, no podemos dejar de controlarla y llevarla a un terreno de eficiencia, crecimiento, igualdad y dignidad humana. Metas y objetivos igualmente esenciales, complicados y ambiciosos, impensables en épocas no demasiado lejanas, como la plasmación de derechos humanos en numerosos instrumentos internacionales y su asunción a nivel mundial; o el lograr mayores cotas de inclusión para personas y colectivos diversos, han sido conseguidos. Por ello, hay que ponerse manos a la obra, trabajando en numerosos frentes (legislación, investigación, en el plano nacional, en el ámbito internacional, con participación de los diversos actores…), y hacerlo rápido. Es necesario que la humanidad controle los resortes y mecanismos de la caja negra algorítmica, de modo que sea claramente la inteligencia humana la que dirija a la inteligencia artificial.

Buena administración algorítmica y debido proceso frente a los sesgos

Marco Emilio Sánchez Acevedo[1]

Docente e investigador de la Universidad Católica de Colombia

I. INTRODUCCIÓN

El creciente uso de tecnologías de la información y las comunicaciones ha traído un aumento en los riesgos asociados a las garantías para el ejercicio de los derechos de los ciudadanos en el ciberespacio. Al derecho a la buena administración pública electrónica, que fuera abordado de mi parte hace ya ocho años, sumado al derecho al uso de tecnologías de la información en las relaciones ciudadano — Estado, al derecho a la seguridad digital, se suma un nuevo alcance cuando se trata de uso de algoritmos. El desarrollo y aplicación de algoritmos por parte de las autoridades puede generar sesgos que deben ser abordados por el derecho en tanto a la garantía del debido proceso frente a su existencia.

---

[1] El presente capítulo de libro de investigación es resultado del trabajo adelantado por el autor dentro del proyecto de investigación *"Análisis de datos para la toma de decisiones espaciales e inteligencia artificial para la administración"*, vinculado al grupo de investigación Derecho Público y Tecnologías, categoría Colciencias A1, Universidad Católica de Colombia. De igual forma, resultado de la colaboración con el grupo de investigación Régimen jurídico constitucional de las libertades, el gobierno abierto y el uso de las nuevas tecnologías (UVEG-GIUV2016-270), así como del proyecto nacional MICINN, "Derechos y garantías frente a las decisiones automatizadas en entornos de inteligencia artificial, IoT, big data y robótica" (PID2019-108710RB-I00, 2020-2022) de la Universidad de Valencia – España y Proyecto "Derechos y garantías públicas frente a las decisiones automatizadas y el sesgo y discriminación algorítmicas" 2023-2025 (PID2022-136439OB-I00) financiado por MCIN/AEI/10.13039/501100011033/ FEDER, UE. Marco Emilio Sánchez Acevedo es abogado en Colombia y España, docente e investigador de la Universidad Católica de Colombia; asesor, consultor y autor de varias obras en derecho y tecnologías. Tiene un doctorado en Tecnologías y Servicios de la Sociedad de la Información, línea de investigación Derecho Público y Tecnologías; es magíster en Ciberseguridad y Ciberdefensa Nacional. Especialista en Derecho Administrativo, Constitucional y Gobierno electrónico. *E-mail.* mesanchez@ucatolica.edu.co

El presente capítulo pretende responder la pregunta de si *el desarrollo y aplicación de algoritmos por parte de las autoridades debe integrar sistemas de control que garanticen el debido proceso frente a los sesgos que se puedan generar.* Para dar respuesta a la pregunta planteada y cumplir el objetivo trazado, se ha utilizado la metodología cualitativa a partir del recorrido por cuatro fases: 1) recolección de información; 2) estructuración de los elementos que aportan a la resolución del problema; 3) correlación y análisis de la información, y 4) planteamiento de la solución. Por lo anterior, el lector encontrará tres apartados. En el primero, se analiza el sentido que se le debe dar a la buena administración electrónica desde el uso de algoritmos; en el segundo, se conceptualiza y se señalan las tipologías de los sesgos que se podrían generar con el uso de algoritmos; en el tercero, se realiza un análisis de la garantía del debido proceso frente a los sesgos generados por algoritmos, para, finalmente, ofrecer unas conclusiones.

El objetivo general de este capítulo es analizar el debido proceso frente a los sesgos generados por desarrollos y aplicación de algoritmos en el marco de la buena administración pública electrónica. Para fundamentar la hipótesis planteada se desarrollan las siguientes actividades: i) Se analiza el sentido que se le debe dar a la buena administración electrónica desde el uso de algoritmos; ii) se conceptualiza y se señalan las tipologías de los sesgos que se podrían generar con el uso de algoritmos; iii) se realiza un análisis de la garantía del debido proceso frente a los sesgos generados por algoritmos. Por último, se dan las conclusiones.

La metodología empleada corresponde al análisis e interpretación de documentos, a partir de explorar, elucidar y comprobar hechos, con su interpretación. Se crea una propuesta teórica que incluye elementos de descripción y explicación, a partir del método inductivo. Para esto: de manera inicial se ha codificado la información (codificación); seguidamente se ha creado y agrupado a partir de la construcción de un esquema con los temas relevantes de abordar (codificación axial); se ha delimitado la teoría a partir del marco teórico (codificación selectiva); y, por último, se formula una teoría a partir de los conceptos, términos y texto propuesto (teoría emergente).

II. ¿QUÉ SENTIDO SE LE DEBE DAR A LA BUENA ADMINISTRACIÓN ELECTRÓNICA DESDE EL USO DE ALGORITMOS?

Debo partir recordando el planteamiento dado por el profesor Tornos Mas al señalar que "el principio de buena administración responde a las concepciones más recientes del derecho administrativo, caracterizadas por el intento de superar la visión estrictamente formal que legitima la Administración para el mero cumplimiento neutral y objetivo de la norma que le otorga las potestades de actuación y, por otro lado, por la voluntad de situar al ciudadano en el centro de la preocupación de las normas que ordenan la actividad administrativa"[2]. O en palabras de Ponce, la buena administración delimita el alcance de los poderes.[3]

Vigente aún más, ahora en el ámbito de las relaciones de los ciudadanos con las autoridades en el ciberespacio, el concepto de "buena administración" y que trasciende a la buena administración algorítmica, desde la del derecho incorporado en la Carta de Derechos Fundamentales de la Unión Europea[4] que contempla dentro de su Título V —sobre "ciudadanía"— el artículo 41, sobre el "derecho a una buena Administración", que, a su vez, dispone:

"1. Toda persona tiene derecho a que las instituciones, órganos y organismos de la Unión traten sus asuntos imparcial y equitativamente y dentro de un plazo razonable.

2. Este derecho incluye en particular: el derecho de toda persona a ser oída antes de que se tome en contra suya una medida individual que la afecte desfavorablemente; el derecho de toda persona a acceder al expediente que le concierna, dentro del respeto de los intereses legítimos de la confidencialidad y del secreto profesional y comercial; la obligación que incumbe a la administración de motivar sus decisiones.

3. Toda persona tiene derecho a la reparación por la Unión de los daños causados por sus instituciones o sus agentes en el ejercicio de sus funciones, de conformidad con los principios generales comunes a los Derechos de los Estados miembros.

4. Toda persona podrá dirigirse a las instituciones de la Unión en una de las lenguas de los Tratados y deberá recibir una contestación en esa misma lengua."

---

[2]   J. Tornos Mas, El derecho a una buena administración, Sindicatura de Greuges de Barcelona, Barcelona, 2007.

[3]   J. Ponce Solé. Deber de buena administración y el derecho al procedimiento administrativo debido. Las bases constitucionales del procedimiento administrativo y del ejercicio de la discrecionalidad, *Lex Nova*, Valladolid, 2001, pp. 134 y ss.

[4]   Carta de derechos fundamentales de la Unión Europea, Diario Oficial de la Unión Europea N° C 303/1, del 14 de diciembre de 2007.

El derecho a la buena administración pública es pues un principio general de aplicación a la Administración Pública y al Derecho Administrativo; es una obligación de toda administración pública que se deriva de la definición del Estado Social y Democrático de Derecho; es un derecho fundamental a una buena administración pública, del que se deriva una serie de derechos concretos, derechos componentes que definen el estatuto del ciudadano en su relación con las administraciones públicas, y que están dirigidos a subrayar la dignidad humana.[5]

Surge de la noción de dignidad humana y su reconocimiento es frente a los Estados, es decir que el Estado o poder público en sí tiene el deber conforme a sus principios y funciones de reconocer los derechos y garantizarlos; debido a que son inherentes a las personas, y por ello el Estado debe trabajar en pro de proteger y respetar, como los señala el preámbulo de la Carta de las Naciones Unidas; *"La fe en los derechos fundamentales del hombre, en la dignidad y el valor de la persona humana, en la igualdad de derechos de hombres y mujeres"*[6].

Conforme a lo anterior, es relevante indicar que aquel que es responsable por ser el guardián de los derechos, con la finalidad de que sean respetados y garantizados es el gobierno, como también aquel que, en un sentido meramente arbitrario, preverá e impondrá un sistema jurídico idóneo para que surja de manera amplia esa efectividad en cuanto al goce de estos derechos. No apartándonos del concepto relacionado en cuanto a la universalidad e inalienabilidad, indivisibilidad, interdependencia e interrelación, igualdad y no discriminación, participación e inclusión, rendición de cuentas y Estado de Derechos. Siendo así, que el ejercicio del poder se encontrará limitado a las reglas que se verán reflejadas en

---

[5]   Sobre riesgos de mala administración pública. Véase a J. Ponce Solé, La prevención de riesgos de mala administración y corrupción, la inteligencia artificial y el derecho a una buena administración, *Revista Internacional, transparencia e igualdad*, 2018, pp. 1-19.

[6]   Como lo señala Valle "la igualdad entre mujeres y hombres es un principio jurídico universal reconocido en diversos textos internacionales sobre derechos humanos, así como un eje esencial en el ámbito de los derechos de la ciudadanía en la Unión Europea, que ha permitido desarrollar un acervo comunitario sobre igualdad de género de gran amplitud e importante calado, con un claro reflejo en el panorama legal de nuestro país", en H. Fallas, C. A. Contreras, *Algoritmos para integrar la perspectiva de género en la administración de la Justicia*, Iniciativa Latinoamericana de Datos Abiertos (ILDA), 2022, https://idatosabiertos.org/wp-content/uploads/2022/05/Algoritmos-para-integrar-la-perspectiva-de-ge%CC%81nero-en-la-Justicia.pdf, p. 91.

el marco u mecanismos de protección de los derechos humanos como lo señala la Corte Interamericana de los Derechos Humanos "*en la protección de los derechos humanos está necesariamente comprendida la restricción al ejercicio del poder estatal*" (Corte I.D.H., la expresión "leyes" en el artículo 30 de la Convención Americana sobre Derechos Humanos, Opinión Consultiva OC-6/86 del 9 de mayo de 1986).

Este concepto trasladado al uso de tecnologías de la información y las comunicaciones implica entender lo que significa la buena administración pública electrónica. La buena administración pública electrónica se refiere al uso eficiente y efectivo de la tecnología de la información y la comunicación (TIC) en la gestión de los asuntos públicos. Implica la utilización de plataformas digitales, sistemas electrónicos y herramientas, tecnologías, también como los sistemas de inteligencia artificial, para mejorar la entrega de servicios públicos, la toma de decisiones, la transparencia y la participación ciudadana.

Algunos elementos esenciales de la buena administración pública electrónica son:

Acceso y transparencia: La información y los servicios gubernamentales deben estar disponibles en el ciberespacio para que los ciudadanos puedan acceder a ellos de manera fácil y transparente. Esto incluye la publicación de datos abiertos y la promoción de la transparencia en la gestión pública.

Eficiencia y agilidad: La administración pública electrónica busca mejorar la eficiencia en los procesos gubernamentales, reducir la burocracia y agilizar los trámites y procedimientos. Esto se logra mediante la automatización de tareas, la digitalización de documentos y la implementación de sistemas electrónicos de gestión.

Participación: La buena administración pública electrónica fomenta la participación activa de los ciudadanos en la toma de decisiones y en la gestión de los asuntos públicos. Esto se puede lograr a través de plataformas en línea que permitan la participación en consultas públicas, la presentación de propuestas y la colaboración en la elaboración de políticas públicas.

Seguridad y protección de datos: Es fundamental garantizar la seguridad de la información y la protección de los datos personales en la administración pública electrónica. Se deben implementar medidas de seguridad robustas y cumplir con las normas y estándares de protección de datos.

Interoperabilidad y colaboración: La buena administración pública electrónica implica la interoperabilidad de los sistemas y la colaboración entre diferentes entidades gubernamentales. Esto permite compartir información y evitar la duplicación de esfuerzos, mejorando la coordinación y la calidad de los servicios públicos. Legalidad, debido proceso y respeto a los derechos, lo que implica que el uso de tecnologías debe permitir la garantía del conjunto de los derechos reconocidos a los ciudadanos.

La buena administración algorítmica se refiere a la implementación de procesos y prácticas para asegurar que los algoritmos utilizados por una organización sean éticos, precisos y transparentes[7]. Esto implica la incorporación de consideraciones éticas, jurídicas y sociales en la toma de decisiones algorítmicas, y la adopción de medidas para minimizar los sesgos y la discriminación algorítmica. Para lograr una buena administración algorítmica, es importante que las autoridades implementen un enfoque sistemático para el diseño[8], desarrollo y despliegue de algoritmos. Esto incluye la definición clara de los objetivos y las métricas de rendimiento, la selección de datos de entrenamiento representativos y diversos, la validación y pruebas rigurosas de los algoritmos antes de su implementación, y la monitorización continua del rendimiento y la calidad. Asimismo, es fundamental que las autoridades sean transparentes sobre los algoritmos que utilizan, proporcionando información clara y accesible sobre su funcionamiento y los datos que utilizan para tomar decisiones. Esto permite que los usuarios y los interesados comprendan cómo se toman las decisiones y puedan cuestionarlas si es necesario.

La buena administración algorítmica, entre otros, podría fundamentarse, en los tradicionales principios de buena administración que todos conocemos, pero también, en, por ejemplo, la Declaración Europea sobre los Derechos y Principios Digitales para la Década Digital señala dentro de los denominados derechos digitales, particularmente, en el referido a "Una transformación digital centrada en las personas", que reconoce a las personas como el núcleo de la transformación digital de la Unión Europea

---

[7]   Cotino expresa que "respecto de los usos públicos de la IA, se incluyen tanto obligaciones de publicidad activa como el derecho de acceso a la información pública, como los son los programas, algoritmos y sistemas de IA y a los registros que deja la actuación automatizada". L. Cotino, Transparencia y explicabilidad de la inteligencia artificial y "compañía" (comunicación, interpretabilidad, inteligibilidad, auditabilidad, testabilidad, comprobabilidad, simulabilidad...). Para qué, para quién y cuánta", en L. Cotino Hueso y J. Castellanos (coords.), *Transparencia y explicabilidad de la inteligencia artificial*, 2022, Tirant lo Blanch, p. 32.

[8]   Al respecto véase a L. Cotino Hueso, "Ética en el diseño para el desarrollo de una inteligencia artificial, robótica y big data confiables y su utilidad desde el derecho" *Revista Catalana de Derecho Público*, núm. 58 (junio 2019). http://dx.doi.org/10.2436/rcdp.i58.2019.3303

y en la que se señala el compromiso de respeto pleno de sus derechos fundamentales. Por ello, se plantea la necesidad de "adoptar las medidas necesarias para que los valores de la UE y los derechos de los ciudadanos reconocidos por el Derecho de la Unión se respeten tanto en línea como fuera de línea"[9]. De igual forma, en principios y derechos como la solidaridad e inclusión de tal forma que el diseño, el desarrollo, el despliegue y el uso de soluciones tecnológicas respeten los derechos fundamentales, permitan su ejercicio y promuevan la solidaridad y la inclusión"[10]. De igual forma, el principio de libertad, de tal manera que sea la persona quien tome la decisión entorno a los beneficios de usar o no un sistema de inteligencia artificial, con conocimiento de causa, así como estar protegida frente a los riesgos y daños a su salud, su seguridad y sus derechos fundamentales.

Existen diversos principios y marcos éticos que se han propuesto para guiar el desarrollo y uso responsable de la inteligencia artificial[11]. También estos se convierten en principios de buena administración pública algorítmica. Los sistemas de IA deben ser *transparentes* en su funcionamiento y en los datos utilizados para entrenarlos, de modo que los usuarios y las partes interesadas puedan entender cómo se toman las decisiones y detectar posibles sesgos o discriminaciones. Los sistemas de IA deben ser *justos y equitativos*, evitando la discriminación y asegurando que todos los usuarios sean tratados de manera igualitaria y sin sesgos. Las organizaciones que desarrollan y utilizan sistemas de IA deben ser *responsables* de las decisiones tomadas por estos sistemas y de los posibles efectos negativos que puedan tener sobre las personas y la sociedad en general. Los sistemas de IA deben ser *robustos y seguros*, evitando vulnerabilidades que puedan ser explotadas

---

[9]　Declaración Europea sobre los Derechos y Principios Digitales para la Década Digital https://digital-strategy.ec.europa.eu/es/library/european-declaration-digital-rights-and-principles

[10]　Ibídem.

[11]　Varios organismos internacionales cuentan con informes y proyectos regulatorios relevantes al respecto. Para resaltar Corporación Andina de Fomento, CAF (2021). Experiencia. Datos e inteligencia artificial en el sector público. [Disponible en: https://scioteca.caf.com/handle/123456789/1793]. [Fecha de consulta: 20 de mayo de 2023]. COMISIÓN EUROPEA, Libro Blanco sobre la inteligencia artificial – un enfoque europeo orientado a la excelencia y la confianza, 2020, https://ec.europa.eu/info/　sites/default/files/commission-white-paper-artificial-intelligence-feb2020_es.pdf/ COMISIÓN EUROPEA, Reglamento del Parlamento Europeo y del Consejo por el que se establecen normas armonizadas en materia de inteligencia artificial (Ley de Inteligencia Artificial), 2021, https://eur-lex.europa.eu/resource.html?uri=cellar:e0649735-a372-11eb-9585-01aa75ed71a1.0008.02/ DOC_1&format=PDF

para dañar o manipular a las personas o a la sociedad. Estos sistemas deben respetar la *privacidad* y proteger los datos personales de los usuarios, asegurando que se cumplan las leyes y regulaciones de protección de datos. Deben fomentar la *colaboración y cooperación* entre las organizaciones y las partes interesadas para abordar los desafíos éticos y sociales que plantea la IA, y para maximizar los beneficios que la IA puede ofrecer. Y, por último, deben ser diseñados y utilizados de manera *sostenible,* minimizando su impacto ambiental y asegurando que su uso no comprometa la capacidad de las futuras generaciones para satisfacer sus necesidades.

En resumen, la buena administración pública electrónica y algorítmica busca utilizar la tecnología de manera efectiva para mejorar la calidad de los servicios públicos, promover la transparencia y la participación ciudadana, y agilizar los procesos gubernamentales, desde la garantía de los derechos de los ciudadanos, especialmente, cuando se presentan sesgos, de tal forma que en virtud del principio del debido proceso puedan cuestionarnos.

III. CONCEPTUALIZACIÓN Y TIPOLOGÍAS DE LOS SESGOS QUE SE PODRÍAN GENERAR CON EL USO DE ALGORITMOS

Los algoritmos son un conjunto de instrucciones para solucionar un problema[12]. Los mismos han ido haciéndose más complejos con el tiempo, pasando de ser *estáticos,* en el sentido de que los programadores diseñaban ya en los mismos los criterios para tomar las decisiones, a ser *dinámicos,* en el sentido de que los algoritmos denominados de aprendizaje automático (*machine learning*) tienen la capacidad de aprender con el tiempo de los datos y experiencias para tomar decisiones *por sí mismos,* generando sus propias instrucciones que ya no son las iniciales del programador. Por otro lado, el llamado aprendizaje profundo (*deep learning*) supone un funcionamiento de la IA emulando redes neuronales complejas. El uso de IA está asociada al uso de máquinas, robots[13] y sistemas de automatización de

---

[12]   A. Boix Palop, Los algoritmos son reglamentos: la necesidad de extender las garantías propias de las normas reglamentarias a los programas empleados por la administración para la adopción de decisiones, *Revista de Derecho Público: Teoría y Método,* vol. 1, pp. 223-270, p. 230.

[13]   J. García-Prieto Cuesta, "¿Qué es un robot?", "Comúnmente también se considera que existe inteligencia artificial cuando una máquina imita funciones cognitivas de organismos vivos", en A. Barrio, (Dir.), *Derecho de los robots* (Madrid, La Ley), 2018, p.267

procesos. En estos casos, los algoritmos extraen patrones de las masas de datos y los resultados que se obtienen no están relacionados de modo lineal. Valle dice que "un algoritmo es un conjunto de instrucciones o reglas definidas y no-ambiguas, ordenadas y finitas, diseñado y utilizado en IA, que permite solucionar un problema, realizar un cómputo, procesar datos y llevar a cabo otras tareas o actividades, tales como la toma de decisiones utilizando datos".[14]

O como lo dice Peris: "el concepto de algoritmo consiste en un conjunto de instrucciones o reglas definidas y no-ambiguas, ordenadas y finitas que permite, típicamente, solucionar un problema, realizar un cómputo, procesar datos y llevar a cabo otras tareas o actividades".[15] Aplicar la inteligencia artificial[16] es entendida como aquella competencia o técnica encargada del desarrollo eficaz de las problemáticas específicas, e inclusive complejas, mediante la sistematización de algoritmos enfocados en la identificación del problema y sus limitaciones, datos, estadísticas, características y planteamiento de resultados.[17]

Los algoritmos desempeñan un papel cada vez más importante en diversas áreas de nuestra sociedad, desde la toma de decisiones financieras hasta la selección de candidatos para empleo. Sin embargo, existe una preocupación sobre la presencia de sesgos en el desarrollo de algoritmos, lo que desafíos significativos en términos de equidad, justicia y derechos humanos. Por ello, desde el diseño[18] se deben adoptar elementos y principios éticos

---

[14] R. Valle, Transparencia en la inteligencia artificial y en el uso de algoritmos: una visión de género, en L. Cotino Hueso y J. Castellanos (coords.), *Transparencia y explicabilidad de la inteligencia artificial*, 2022, Tirant lo Blanch, p. 86.

[15] A. Peris, Algoritmos: ¿podemos hacerlos transparentes y trazables en su proceso?, en L. Cotino Hueso y J. Castellanos (coords.), *Transparencia y explicabilidad de la inteligencia artificial*, 2022, Tirant lo Blanch, p. 71.

[16] Al respecto y su impacto en el derecho ver G. C. Martínez Bahena, "La inteligencia artificial y su aplicación en el campo del derecho", 2013 [Disponible en: https://www.corteidh.or.cr/tablas/r30570.pdf]. [Fecha de consulta: 18/04/2023].

[17] J.J. Almonacid Sierra, y Y. Coronel Ávila, "Aplicabilidad de la inteligencia artificial y la tecnología *blockchain* en el derecho contractual privado", *Revista Derecho Privado*, Universidad Nacional de Colombia, Bogotá, Colombia (38), 2020, pp.119—142.

[18] Cotino señala que "los algoritmos deben ser auditables por diseño, rastreables y verificables. Ello conduce necesariamente a explicar otros conceptos como los de trazabilidad (y documentabilidad), testabilidad, comprobabilidad, verificabilidad (y replicabilidad)". L. Cotino, Transparencia y explicabilidad de la inteligencia artificial y "compañía" (comunicación, interpretabilidad, inteligibilidad, auditabilidad, testabilidad, comprobabilidad, simulabilidad...). Para qué, para quién y cuánta", op. cit., p. 70.

y transparentes[19] que permitan contar con unos niveles mínimos para la garantía de los derechos[20].

Los sesgos en los algoritmos se refieren a las distorsiones o discriminaciones[21] sistemáticas que pueden surgir el proceso de desarrollo o entrenamiento de los modelos de inteligencia artificial. Estos sesgos pueden ser de diferentes tipos, como sesgos de datos (cuando los datos de entrenamiento reflejan desigualdades o prejuicios existentes), sesgos algorítmicos (cuando los algoritmos producen resultados injustos o discriminatorios) y sesgos emergentes (cuando los algoritmos desarrollan sesgos no previstos por los diseñadores). Un buen ejemplo lo señala el Informe UNESCO[22] sobre Inteligencia artificial e igualdad de género en el que se insta a reforzar las consideraciones de género y a abordarlas de manera monográfica en el terreno de las implicaciones éticas, señalando que la preocupación por la igualdad de género en ocasiones se incluye como un subconjunto, dentro de las consideraciones generales por el sesgo en el desarrollo de algoritmos, en el conjunto de datos utilizados para su formación, y en su uso en la toma de decisiones"[23].

Existen varios tipos de sesgos que pueden estar presentes en los algoritmos de inteligencia artificial: cuando los datos utilizados para entrenar el algoritmo no son representativos de la población a la que se aplicará el algoritmo (Sesgo de selección de datos); cuando el algoritmo se utiliza para confirmar o respaldar prejuicios existentes, en lugar de buscar una

---

[19]   A. Cerrillo i Martínez, La transparencia de los algoritmos que utilizan las administraciones públicas, *Anuario de Transparencia Local*, núm. 3, 2020, pp. 41-78.

[20]   L. Cotino Hueso, "Ética en el diseño para el desarrollo de una inteligencia artificial, robótica y big data confiables y su utilidad desde el derecho" *op. cit.*, pp. 29-48.

[21]   En la actualidad el sesgo de género en el desarrollo de algoritmos, en los conjuntos de datos utilizados para su construcción, y en su uso en la toma de decisiones, se considera un área crítica y emergente en el binomio igualdad de género-IA, que requiere una actuación rigurosa e inmediata". R. Valle, Transparencia en la inteligencia artificial y en el uso de algoritmos: una visión de género, op. cit., p. 97.

[22]   Cotino señala al respecto que "desde el punto de vista de la Recomendación sobre la ética de la IA UNESCO (nº 37): "transparencia y la explicabilidad de los sistemas de IA suelen ser condiciones previas fundamentales para garantizar el respeto, la protección y la promoción de los derechos humanos, las libertades fundamentales y los principios éticos". L. Cotino, Transparencia y explicabilidad de la inteligencia artificial y "compañía" (comunicación, interpretabilidad, inteligibilidad, auditabilidad, testabilidad, comprobabilidad, simulabilidad...). Para qué, para quién y cuánta", op. cit., p. 70.

[23]   R. Valle, Transparencia en la inteligencia artificial y en el uso de algoritmos: una visión de género, op. cit., p. 90.

comprensión objetiva de los datos (Sesgo de confirmación); cuando el algoritmo confía en los datos de entrada sin tener en cuenta otras variables o factores que pueden afectar la precisión de las predicciones (Sesgo de sobreconfianza); cuando los datos utilizados para entrenar el algoritmo no representan adecuadamente la diversidad de la población, lo que puede llevar a una discriminación involuntaria (Sesgo de falta de diversidad); cuando el algoritmo se ajusta a la retroalimentación que recibe, pero la retroalimentación puede estar sesgada o incorrecta (Sesgo de retroalimentación); cuando el algoritmo no tiene en cuenta el contexto en el que se utilizará la decisión, lo que puede llevar a resultados incorrectos o inapropiados (Sesgo de contexto); cuando el algoritmo no proporciona explicaciones claras y comprensibles sobre cómo se tomó una decisión, lo que puede hacer que sea difícil cuestionar o comprender los resultados (Sesgo de explicación).[24]

Quiere ello decir, que las causas por las que surgen los sesgos son de distinta fuente: los sesgos pueden surgir debido a la calidad de los datos utilizados para entrenar los algoritmos, que pueden reflejar desigualdades históricas o prejuicios existentes en la sociedad. Los sesgos también pueden estar presentes en el mismo diseño del algoritmo, como decisiones subjetivas tomadas por los desarrolladores o la inclusión de características que pueden llevar a resultados discriminatorios. La falta de diversidad en los equipos de desarrollo puede llevar a la falta de perspectivas y la perpetuación inadvertida de sesgos en los algoritmos.

La materialización de los riesgos asociados a la generación de sesgos trae como consecuencia decisiones discriminatorias, como la denegación de empleo o vivienda a determinados grupos, perpetuando desigualdades existentes[25]. De igual forma los algoritmos pueden ser opacos y difíciles

---

[24] Con el ánimo de prevenir este tipo de situaciones hay propuesta de regulación. Un claro ejemplo de ello Comisión Europea: "Generar confianza mediante el primer marco jurídico sobre la IA". En *Excelencia y confianza en la inteligencia artificial*. 2021. [Disponible en: https://ec.europa.eu/info/strategy/priorities-2019-2024/europe-fit-digital-age/excellence-trust-artificial-intelligence_es#generar-confianza-mediante-el-primer-marco-jurdico-sobre-la-ia]. [Fecha de consulta: 22 de mayo de 2023].

[25] Como subrayan Sainz y Castaño, la escasez de estudios que aborden los sesgos de género —por ejemplo, poca presencia de mujeres entre las poblaciones consideradas— en la generación, tratamiento y análisis de datos masivos (big data), pone de manifiesto la urgente necesidad de examinar las deficiencias de la calidad de la información que se toma como referencia para el diseño de políticas de impacto social, como puede ser la salud, la educación, o el consumo". M. Sainz, L. Arroyo,

de comprender, lo que dificulta la identificación y corrección de sesgos, y limita la capacidad de responsabilizar a las partes involucradas. Los sesgos en los algoritmos pueden violar los derechos fundamentales, como la privacidad, la no discriminación y el acceso igualitario a oportunidades[26]. En razón a esto, se debe contar con garantías que permitan ejercer una actividad de control frente a las decisiones administrativas y, en consecuencia, un debido proceso frente a los sesgos generados por los algoritmos.

IV. ANÁLISIS DE LA GARANTÍA DEL DEBIDO PROCESO FRENTE A LOS SESGOS GENERADOS POR ALGORITMOS

El debido proceso es un derecho fundamental que asegura que todas las personas tienen derecho a un juicio justo y a un proceso legal imparcial. En el contexto de los algoritmos y los sesgos, el debido proceso implica que las personas afectadas por las decisiones tomadas por los algoritmos tienen derecho a conocer cómo se tomó la decisión, y a tener una oportunidad para cuestionar o apelar la decisión.

El debido proceso es un principio fundamental en el ámbito jurídico que garantiza a todas las personas el derecho a un juicio justo y equitativo. Su importancia radica en que constituye una salvaguarda esencial para proteger los derechos fundamentales de los individuos y asegurar que la justicia se administre de manera imparcial y transparente. El debido proceso se refiere al conjunto de garantías y procedimientos legales que aseguran a todas las personas el derecho a un juicio justo. Incluye elementos como la igualdad ante la ley, el derecho a ser oído, el derecho a la defensa, la presunción de inocencia y la imparcialidad del tribunal[27].

Mujeres y digitalización. De las brechas a los algoritmos, Instituto de la Mujer y para la Igualdad de Oportunidades. Ministerio de Igualdad, p. 107.

[26] Al respecto, A. Soriano Arnanz, entre otros, Decisiones automatizadas y discriminación: aproximación y propuestas generales, *Revista General de Derecho Administrativo* (Iustel, enero 2021), núm. 56.

[27] La sentencia de 5 de febrero de 2020 del Tribunal de Distrito de la Haya (C / 09/550982 / HA ZA 18-388) señaló, entre otros, la vulneración de derechos como el de igualdad o debido proceso, precisamente porque no se daba suficiente transparencia, allí se analizan las garantías frente al uso de inteligencia artificial y decisiones automatizadas en el sector público y la sentencia holandesa de febrero de 2020, en La Ley Privacidad, Wolters Kluwer n° 4, mayo 2020. https://diariolaley. laleynext.es/Content/Documento.aspx?params=H4sIAAAAA AAEAMtMSbF1C-TEAmMDSwNjM7Wy1KLizPw8WyMDIwMDEyNzkEB mWqVLfnJIZUGqbUlRa-SoApoQJizQAAAA=WKE y "Hacia la transparencia 4.0: el uso de la inteligencia

El debido proceso desempeña un papel fundamental en la protección de los derechos humanos. A través de sus garantías, se asegura que las personas tendrán la oportunidad de ser escuchadas, presentar pruebas y defenderse de tomar decisiones que puedan afectar sus derechos y libertades fundamentales. Sin el debido proceso, existe el riesgo de abusos, arbitrariedad y violación de los derechos humanos. El debido proceso se aplica en diversas áreas del derecho, desde el derecho penal hasta el derecho administrativo. En el ámbito penal, se garantiza que los acusados tengan un juicio justo y se respeten sus derechos durante todo el proceso. En el ámbito administrativo, se asegura que las decisiones tomadas por las autoridades sean justas, transparentes y sujetas a revisión.

La imparcialidad y la transparencia son elementos fundamentales del debido proceso. Un tribunal imparcial garantiza que las decisiones se tomen sin prejuicios ni favoritismos, únicamente en la evidencia y la ley aplicable. La transparencia asegura que los procedimientos judiciales sean accesibles al público y que se brinde información clara y comprensible sobre los fundamentos de las decisiones tomadas.

El debido proceso frente a los sesgos algorítmicos implica que las organizaciones deben asegurarse de que los algoritmos que utilizan sean transparentes, justos, precisos y libres de sesgos, y que las decisiones tomadas por los algoritmos sean transparentes y fácilmente comprensibles. La transparencia de datos y de algoritmos, como subraya Sangüesa, implica la capacidad de saber qué datos se utilizan, cómo se utilizan, quiénes los utilizan, para qué los utilizan y cómo se llega a partir de los datos a tomar las decisiones que afectan a la esfera vital de quien reclama esta transparencia"[28]. Esto permite que las personas afectadas por las decisiones de los algoritmos puedan entender cómo se tomó la decisión y puedan cuestionar o apelar la decisión si es necesario. Vestri afirma que "En un sistema basado en algoritmos y en IA, debemos entender el sesgo como un elemento más de la ecuación de funcionamiento. En el ámbito que nos corresponde, solemos asociar el sesgo con la discriminación negativa que puede producir el modelo funcional. Desde luego este es un escenario que puede ocurrir,

---

artificial y big data para la lucha contra el fraude y la corrupción y las (muchas) exigencias constitucionales", en C. Ramió (coord.), *Repensando la administración digital y la innovación pública*, Instituto Nacional de Administración Pública (INAP), Madrid, 2021. https://links.uv.es/ FUW2pz6

[28] R. Sangüesa, "Inteligencia artificial y transparencia algorítmica: "It's complicated", BiD: textos universitaris de biblioteconomia i documentació, núm. 41 (desembre), 2018, p. 2. DOI: http://dx.doi. org/10.1344/BiD2018.41.12

sin embargo, en realidad, el sesgo es un error sistemático en el que puede incurrir el modelo funcional"[29].

Además, el debido proceso también implica que las autoridades deben estar dispuestas a revisar y corregir las decisiones algorítmicas si se detectan sesgos o errores. Esto puede requerir la revisión y actualización regular de los algoritmos, así como la implementación de mecanismos de retroalimentación y apelación que permitan a las personas afectadas por las decisiones algorítmicas presentar sus preocupaciones o quejas.

La materialización del seguimiento a un proceso administrativo previamente estipulado, debido proceso electrónico, en el cual debe encontrarse una serie de garantías mínimas a favor de los administrados que les determinen no solo el "orden" para iniciar, impulsar y culminar un requerimiento, sino también la cadena de derechos y obligaciones que maneja una y otra parte en la relación administración-administrado, de manera que, luego de futuras eventualidades, ambas partes puedan establecer en qué momento del procedimiento existió un fallo, y así dar pie para que se logre reconocer la cadena de derechos u obligaciones que se han vulnerado.

El debido proceso algorítmico se refiere al conjunto de principios y garantías que deben aplicarse en la toma de decisiones automatizadas realizadas por algoritmos. Estos principios buscan asegurar la equidad, transparencia, explicabilidad y rendición de cuentas en la implementación de algoritmos en diversos contextos, protegiendo así los derechos y libertades de las personas afectadas por estas decisiones[30].

Un elemento esencial del debido proceso algorítmico es la transparencia de los algoritmos utilizados. Las personas deben tener acceso a información clara y comprensible sobre cómo se toman las decisiones, qué datos se utilizan y cómo se utilizan para evitar cualquier opacidad o discriminación oculta. La explicabilidad de los algoritmos permite a las personas comprender las razones detrás de una decisión y cuestionarla si es necesario.

Los sesgos algorítmicos son preocupaciones importantes en la toma de decisiones automatizadas. Es fundamental identificar y reducir los sesgos

---

[29]   G. Vestri Denegación vs. Derecho de acceso al código fuente en los sistemas algorítmicos. Una perspectiva jurídico-administrativa, en L. Cotino Hueso y J. Castellanos (coords.), *Transparencia y explicabilidad de la inteligencia artificial*, 2022, Tirant lo Blanch, p. 126.

[30]   J. Valero Torrijos, Las garantías jurídicas de la inteligencia artificial en la actividad administrativa desde la perspectiva de la buena administración, *Revista Catalana de Dret Públic*, vol. 58, 2019.

para garantizar un proceso justo y equitativo. Esto implica realizar pruebas rigurosas y evaluaciones de impacto para identificar cualquier sesgo inherente en los datos utilizados y en los mismos algoritmos. Además, se deben tomar medidas para corregir los sesgos y evitar la discriminación injusta.

En un contexto de debido proceso algorítmico, las personas deben tener acceso a la información relevante utilizada en la toma de decisiones automatizadas. Esto incluye el derecho a conocer los datos utilizados, los criterios de evaluación y las sugerencias de las decisiones tomadas por los algoritmos. Además, se debe fomentar la participación activa de las personas afectadas, permitiéndoles presentar información adicional o impugnar decisiones si creen que se ha cometido un error o se ha violado su derecho.

La supervisión y la rendición de cuentas son elementos esenciales del debido proceso algorítmico. Se deben establecer mecanismos efectivos para monitorear el desempeño de los algoritmos y evaluar continuamente su impacto en las decisiones tomadas. Además, las organizaciones y los responsables de implementar los algoritmos deben ser responsables de cualquier error, sesgo o violación de derechos que surja como resultado de su uso.

Así las cosas, en el marco del debido proceso algorítmico se deberá tener acceso, de forma integral, a toda la información generada en el ciclo de vida de una solución inteligente, esto es, a todas las etapas o fases por las que pasó desde su concepción hasta su implementación y mantenimiento. Estas etapas son las siguientes:

- Identificación de necesidades: En esta etapa, se identifican las necesidades y los desafíos que se pretenden abordar con la solución inteligente. Se realiza un análisis de los problemas existentes y se definen los objetivos que se esperan lograr con la implementación de la solución.

- Diseño y desarrollo: En esta fase, se diseñaron los componentes y se desarrolló la solución inteligente. Esto implica el diseño de algoritmos, modelos de aprendizaje automático y sistemas de procesamiento de datos necesarios para la solución. También se pueden llevar a cabo pruebas y definiciones para garantizar que la solución cumpla con los requisitos establecidos.

- Implementación: En esta etapa, se implementó la solución inteligente en el entorno operativo. Esto puede implicar la integración con sistemas existentes, la instalación de hardware o software necesaria, y la configuración de la solución para su funcionamiento adecuado.

- Evaluación y pruebas: Una vez implementada, la solución inteligente se somete a pruebas y evaluaciones para verificar su funcionamiento y rendimiento. Se realizan pruebas de calidad, se evalúa su eficacia en la resolución de problemas y se identifican posibles mejoras o ajustes necesarios.

- Despliegue: En esta fase, la solución inteligente se pone en funcionamiento y se utiliza en el entorno real. Los usuarios o las partes interesadas pueden comenzar a utilizar la solución y aprovechar sus inteligentes.

- Monitoreo y mantenimiento: Después del uso, es fundamental monitorear continuamente el funcionamiento de la solución. Esto implica supervisar su rendimiento, detectar posibles problemas o errores, y realizar las actualizaciones o ajustes necesarios. Además, se puede recopilar retroalimentación de los usuarios y realizar mejoras iterativas para optimizar la solución a lo largo del tiempo.

- Retirada o actualización: En algunos casos, una solución inteligente puede necesitar ser retirada si se vuelve obsoleta o ya no cumple con los requisitos. Alternativamente, puede requerir actualizaciones periódicas para mantener la relevancia y funcionalidad a medida que evolucionen las necesidades y la tecnología.

En resumen, el ciclo de vida de una solución inteligente abarca desde la identificación de necesidades hasta la implementación, evaluación, uso, monitoreo y mantenimiento. Es un proceso iterativo en el que se busca mejorar continuamente la solución para adaptar a los cambios y garantizar su eficacia en la resolución de problemas. A todo el ciclo de vida debería tener derecho de acceder el ciudadano afectado en el marco de la garantía de control de la actividad pública y consecuente titularidad del derecho al debido proceso.

En igual sentido, se deben integrar sistemas de control que permitan la supervisión y el control al funcionamiento de los algoritmos utilizados en diferentes contextos. Se deben enfrentar los problemas asociados con los algoritmos, como sesgos inherentes, falta de transparencia y posibles consecuencias discriminatorias. Los sistemas de control, deben permitir realizar un monitoreo al cumplimiento de los principios. La realización de auditorías algorítmicas, la explicabilidad de los algoritmos, la evaluación de impacto y la regulación, se convierten en la piedra angular de las garantías frente a los sesgos. Se deben utilizar herramientas y técnicas para el control de algoritmos, como la recopilación de datos desagregados y representativos, la evaluación de sesgos y la implementación de mecanismos de explicabilidad.

V. CONCLUSIONES

La buena administración algorítmica está inmersa en el concepto de buena administración pública electrónica, que a su vez está reconocida como un derecho de los ciudadanos en su relación con las administraciones públicas.

En el diseño, el desarrollo, el despliegue y el uso de soluciones tecnológicas se debe garantizar el respeto los derechos fundamentales, permitan su ejercicio y promuevan la solidaridad y la inclusión.

El riesgo asociado a la generación de algoritmos que incorporen sesgos debe minimizarse con la generación de un procedimiento debido que proporcione salvaguardias y permita adoptar las medidas adecuadas, en particular promoviendo normas fiables, objetivas, que incorporen procesos, para que la inteligencia artificial y los sistemas digitales se utilicen en todo momento con pleno respeto de los derechos fundamentales de las personas.

El debido proceso algorítmico impone la obligación a quien desarrolla para que los sistemas algorítmicos se basen en conjuntos de datos adecuados para evitar la discriminación y permitir la supervisión humana de todos los resultados que afecten a la seguridad y los derechos fundamentales de las personas.

El debido proceso algorítmico impone la obligación de oír al ciudadano de manera previa cuando la decisión no le es favorable. El debido proceso algorítmico incorpora el derecho a que el ciudadano afectado sea reparado de los daños ocasionados. Las personas deben tener acceso a la información relevante utilizada en la toma de decisiones automatizadas. Esto incluye el derecho a conocer los datos utilizados, los criterios de evaluación y las sugerencias de las decisiones tomadas por los algoritmos.

El debido proceso algorítmico impone la obligación de contar con procedimientos que permitan la garantía de los derechos en el marco de la decisión adoptada por un algoritmo. El ciclo de vida de una solución inteligente abarca desde la identificación de necesidades hasta la implementación, evaluación, uso, monitoreo y mantenimiento. Es un proceso iterativo en el que se busca mejorar continuamente la solución para adaptar a los cambios y garantizar su eficacia en la resolución de problemas. A todo el ciclo de vida debería tener derecho de acceder el ciudadano afectado en el marco de la garantía de control de la actividad pública y consecuente titularidad del derecho al debido proceso.

La integración de sistemas de control que permitan la supervisión y el control al funcionamiento de los algoritmos utilizados en diferentes contextos, la realización de auditorías algorítmicas, la explicabilidad de los algoritmos, la evaluación de impacto y la regulación, se convierten en la piedra angular de las garantías frente a los sesgos. Se deben utilizar herramientas y técnicas para el control de algoritmos, como la recopilación de datos desagregados y representativos, la evaluación de sesgos y la implementación de mecanismos de explicabilidad.

Datos abiertos, interoperabilidad y reutilización de tecnología para la inteligencia artificial del sector público

RUBÉN MARTÍNEZ GUTIÉRREZ[1]

Profesor Titular de Derecho Administrativo, Delegado de Protección de Datos
de la Universidad de Alicante

I. INTRODUCCIÓN

En los últimos tiempos se está investigando con mucha intensidad en materia de Inteligencia Artificial, poniendo el acento en elementos de suma importancia como las implicaciones éticas y jurídicas, en especial lo que se ha venido a denominar como "reserva de humanidad" al margen de la utilización de tecnologías de IA, o, la importancia de la transparencia algorítmica para el adecuado control de estas tecnologías[2]. Sin duda, nos encontramos ante investigaciones de gran importancia para cimentar las bases de la futura regulación de la Inteligencia Artificial, pero hay un ámbito de la investigación jurídica que por el momento está quedando al margen, con carácter general, del estudio de los elementos estructurales que deberían ser objeto de análisis y atención de cara a una futura regulación de la IA. Me refiero en particular aquí a la necesidad de incorporar en la investigación y en la futura regulación los aspectos relativos a los datos abiertos, su reutilización, y a la interoperabilidad necesaria para hacerlo posible. El presente Capítulo

---

[1] El presente artículo se ha elaborado en el marco del Proyecto Retos del Ministerio PID2019-105736GB-I00DER: *Datos abiertos y reutilización de la información del sector público en el contexto de su transformación digital: la adaptación al nuevo marco normativo de la Unión Europea,* del que el autor de este artículo es Investigador Principal junto con Julián Valero Torrijos.

[2] Un excelente ejemplo en este ámbito de investigación es la siguiente obra colectiva: L. Cotino Hueso y J. Castellanos Claramunt (eds.), *Transparencia y explicabilidad de la Inteligencia Artificial,* Tirant Lo Blanch, Valencia, 2022. En especial recomendamos la lectura del trabajo de L. Cotino Hueso, "Transparencia y explicabilidad de la inteligencia artificial y "compañía" (comunicación, interpretabilidad, inteligibilidad, auditabilidad, testabilidad, comprobabilidad, simulabilidad...). Para qué, para quién y cuánta", págs. 25 y ss.

tiene el propósito de poner de manifiesto la necesidad de que se aborde un análisis riguroso de los datos abiertos, ya que haciendo un símil, se podría decir que es la sangre que nutre al cerebro de la IA, así como también de la interoperabilidad, principio estructural y necesario para el desarrollo de las tecnologías de IA y que, siguiendo con el símil, serían las arterias y venas que llevan los datos (sangre) a los sistemas de IA (cerebro), y que de alguna manera es necesaria para interconectar las neuronas del sistema.

De hecho, cuando nos aproximamos conceptualmente a analizar la Inteligencia Artificial desde el Derecho, los datos están siempre presentes como un elemento importante y determinante de la definición. La inteligencia artificial se basa en el uso de datos, que tras su procesamiento mediante algoritmos permite obtener resultados concretos a problemas planteados, tal y como ha señalado J. Ponce, quien con cita en la Resolución de la Reclamación 123/2016 Comisión de Garantía del derecho de acceso a la información pública de Catalunya señala que "un algoritmo, como procedimiento de cálculo que consiste en cumplir un conjunto ordenado y finito de instrucciones con unos datos especificados para llegar a la solución del problema planteado o conjunto finito de reglas que, aplicadas de manera ordenada, permiten la resolución sistemática de un problema, el cual se utiliza como punto de partida en programación informática (en las dos definiciones que da el Termcat aplicables a este caso), no deja de ser un tipo de información, expresado habitualmente en lenguaje matemático o informático (a pesar de que los algoritmos también se pueden expresar de otras muchas maneras, incluyendo los diagramas de flujo, el pseudocódigo y el propio lenguaje natural)[3]". De hecho, en esta misma línea, J. Valero ha señalado que nos encontramos en un periodo en el que el objetivo sería conseguir evolucionar las tecnologías de *big data* para alcanzar una verdadera IA[4].

Más claro si cabe ha sido en esta dirección L. Cotino al afirmar con acierto que cuando hablamos de IA, algoritmos, automatización o *big data* nos encontramos ante conceptos convergentes[5] y, por tanto, ante los cuales el

---

[3]   J. Ponce Sole, "Inteligencia artificial, Derecho Administrativo y reserva de humanidad: algoritmos y procedimiento administrativo debido tecnológico", *Revista General de Derecho Administrativo*, núm. 50, 2019, págs. 7-8.

[4]   J. Valero Torrijos, "Las garantías jurídicas de la inteligencia artificial en la actividad administrativa desde la perspectiva de la buena Administración", en *Revista Catalana de Dret Públic*, núm. 58, 2019, pág. 3.

[5]   L. Cotino Hueso, "Derecho y garantías ante el uso público y privado de inteligencia artificial, robótica y big data", en M. Bauzá Reilly (Dir.), *El Derecho de las TIC en Iberoamérica*, FIADI – La Ley, Montevideo (Uruguay), 2019, págs. 917 y ss.

tratamiento o procesamiento masivo de datos es un elemento consustancial al propio concepto o esencia de la Inteligencia Artificial. Según la Unión Europea, en su "Resolución de 14 de marzo de 2017, sobre las implicaciones de los macrodatos en los derechos fundamentales: privacidad, protección de datos, no discriminación, seguridad y aplicación de la ley[6]", podemos definir las tecnologías *big data* o de macrodatos como "la recopilación, análisis y acumulación constante de grandes cantidades de datos, incluidos datos personales, procedentes de diferentes fuentes y objeto de un tratamiento automatizado mediante algoritmos informáticos y avanzadas técnicas de tratamiento de datos, utilizando tanto datos almacenados como datos transmitidos en flujo continuo, con el fin de generar correlaciones, tendencias y patrones (analítica de macrodatos)". Ahora bien, para conseguir esa recopilación, acumulación, análisis y tratamiento, será esencial cumplir con el principio de interoperabilidad que permita una adecuada reutilización de los datos.

En suma, los datos y su reutilización es un elemento absolutamente indispensable para poder hablar de Inteligencia Artificial, y por ello, debería ser objeto de regulación conjunta. Por lo que se refiere al ámbito del sector público, los datos deben contextualizarse necesariamente en el marco de los datos abiertos y su regulación, que se menciona simplemente de soslayo en la propuesta de Reglamento UE para regular la Inteligencia Artificial, al igual que sucede con la interoperabilidad. Por estas razones, en las siguientes páginas se intentará poner el acento en los aspectos relativos a los datos abiertos, su reutilización y la necesaria garantía de interoperabilidad en el sector público, ya que difícilmente se podrá conseguir una correcta aplicación de las técnicas de Inteligencia Artificial si no se regulan adecuadamente estos aspectos estructurales.

II. LOS DATOS ABIERTOS: LA SANGRE DE LA INTELIGENCIA ARTIFICIAL

1. *Marco regulatorio general de los datos abiertos*

El marco regulatorio general de los datos en la Unión Europea está viviendo un momento de ebullición que puede suponer una fragmentación indeseable de la normativa, haciendo poco operativa su regulación. Como referencia del marco normativo actual, disponemos de una *Estrategia Eu-*

---

[6] Disponible en la web: https://www.europarl.europa.eu/doceo/document/TA-8-2017-0076_ES.html. Fecha de consulta: 29.06.2023.

ropea de Datos[7] que pretende "la creación de un mercado único de datos permitirá que estos fluyan libremente por la Unión y entre sectores, en beneficio de las empresas, los investigadores y las administraciones públicas". Ahora bien, previamente a la aprobación de la citada Estrategia ya disponíamos de un antecedente importante y, en mi opinión, los cimientos normativos en los que se apoyará tanto la política comunitaria como toda la normativa posterior: la Directiva (UE) 2019/1024, relativa a los datos abiertos y la reutilización de la información del sector público, que fue objeto de transposición en España mediante Real Decreto-Ley 24/2021, de 2 de noviembre, norma "escoba" que modificó entre otras la Ley 37/2007, sobre reutilización de la información del sector público. Como consecuencia directa de esta norma y de la Estrategia, la UE promulgó dos normas que ya se encuentran aprobadas, de un lado, el Reglamento UE 2022/868 del Parlamento Europeo y del Consejo, relativo a la gobernanza europea de datos y, de otro lado, el Reglamento de Ejecución (UE)2023/138 de la Comisión, de 21 de diciembre de 2022, por el que se establecen una lista de conjuntos de datos específicos de alto valor y modalidades de publicación y reutilización (desarrollo del artículo 13 y el Anexo I de la Directiva 1024/2019, que en mi opinión es el germen de los denominados Espacios de Datos de la UE, en constante evolución y ampliación y que se distinguen actualmente en: industria (fabricación), Pacto Verde Europeo, movilidad, salud, datos financieros, energía, sector agrario, Administraciones públicas, educación y formación, etc. Además de estas normas ya aprobadas, también debe tenerse en cuenta la Propuesta de Reglamento UE (COM (2022) 8 final, 2022/0047 (COD) de 23 de febrero de 2022, conocida como Ley de Dato, todavía pendiente de aprobación y que contiene una importante regulación del sector privado.

Pues bien, todo este conjunto de normas está provocando una cierta atomización del marco normativo de los datos, por no hablar también de una cierta descoordinación en materia de desarrollo y ejecución de los espacios de datos entre la UE y los Estados Miembros, por ejemplo, en España, el espacio de datos esencial es el de turismo que apenas hay alguna referencia puntual a nivel comunitario. Asimismo, el Reglamento de Gobernanza de Datos dispone de límites importantes, tal y como señala su art. 1.2 al establecer que "el presente Reglamento no obliga a los organismos

---

[7]   Comunicación de la Comisión Europea de 19.02.2020 titulada "Una Estrategia Europea de Datos". Toda la información al respecto está accesible en el sitio web oficial de la UE: https://commission.europa.eu/strategy-and-policy/priorities-2019-2024/europe-fit-digital-age/european-data-strategy_es Fecha de consulta: 19.06.2023.

del sector público a permitir la reutilización de datos ni los exime de sus obligaciones en materia de confidencialidad que les imponga el Derecho de la Unión o el nacional". Esta norma se aplica especialmente, según su artículo 3, "a aquellos datos que obren en poder de organismos del sector público que estén protegidos por motivos de:

a) confidencialidad comercial, incluidos los secretos comerciales, profesionales o empresariales;

b) confidencialidad estadística;

c) protección de los derechos de propiedad intelectual de terceros, o

d) protección de los datos personales, en la medida en que tales datos queden excluidos del ámbito de aplicación de la Directiva (UE) 2019/1024". Así, viene a ser una norma complementaria a la Directiva de 2019.

De esta manera, la Directiva 1024/2019 es por el momento la única norma que está teniendo impacto y desarrollo real, especialmente en el sector público, con el ejemplo ya comentado de su transposición a España en la Ley 37/2007, tras la reforma operada en ella por el Real Decreto — Ley 24/2021. Es cierto que también se prevé que tenga cierto impacto la Ley Europea de Datos una vez sea aprobada, ya que su impacto se centrará en el sector privado (artículo 1), siendo la otra cara de la moneda respecto a la Directiva 1024/2019, y determinará obligaciones para el sector privado también en su relación con el sector público, y regulará cuestiones de interoperabilidad (artículos 28 a 30), que resultan especialmente importantes en estos momentos y que deben ser objeto de una necesaria actualización y ajuste normativo, entre otras muchas cuestiones.

2. *Los datos abiertos como sangre de los cerebros de inteligencia artificial*

Como ya hemos tenido ocasión de comprobar en la parte introductoria de este trabajo de investigación, la base de las tecnologías de IA será la previa existencia de un adecuado tratamiento de datos y, en buena medida, su reutilización gracias a un adecuado nivel de interoperabilidad. A pesar de esta realidad, desde el Derecho y desde la investigación jurídica debemos ocuparnos con mayor empeño de las bases y fundamentos necesarios para articular la IA, como es el *big data* o macrodatos[8], o la interoperabilidad (y

---

[8] Según la "Resolución de 14 de marzo de 2017, sobre las implicaciones de los macrodatos en los derechos fundamentales: privacidad, protección de datos, no

también la seguridad) necesaria de las aplicaciones o sistemas. Estas cuestiones estructurales son los cimientos jurídicos de la Inteligencia Artificial y deben ser objeto de estudio, integrando su regulación en la futura normativa europea en la materia, aunque como hemos podido comprobar en el apartado anterior, parece que éste no va a ser, desafortunadamente, el criterio regulatorio vista la propuesta de Reglamento UE sobre Inteligencia Artificial.

Difícilmente se pueden articular sistemas de IA sin la premisa de disponer de unos datos de calidad. Los datos nutren los sistemas y tecnologías algorítmicas de manera que si existen problemas en la adecuada obtención de los mismos, o si los datos albergados no disponen de una calidad adecuada, siendo correctos y no sesgados, no podrán articularse buenas aplicaciones de IA. En esta tarea, la garantía de un buen diseño de los archivos basado en metadatos que permita la reutilización posterior de los datos y su empleo en las tecnologías de Inteligencia Artificial es clave, tal y como se comprobará en el siguiente Epígrafe. En este punto, también debemos tener en cuenta las posibilidades enormes que permitirán los denominados Espacios de Datos a los que ya hemos hecho mención en el apartado anterior, y que con una adecuada interoperabilidad y unos sistemas de procesamiento de los datos en ellos contenidos[9] multiplicarán las potencialidades de funcionamiento de los sistemas de Inteligencia Artificial.

En definitiva, los datos de calidad son los nutrientes esenciales de los sistemas de IA, y desde el Derecho se debe proceder a establecer una regulación rigurosa y adecuada que determine los elementos básicos para que

---

discriminación, seguridad y aplicación de la ley", "el concepto de macrodato se refiere a la recopilación, análisis y acumulación constante de grandes cantidades de datos, incluidos datos personales, procedentes de diferentes fuentes y objeto de un tratamiento automatizado mediante algoritmos informáticos y avanzadas técnicas de tratamiento de datos, utilizando tanto datos almacenados como datos transmitidos en flujo continuo, con el fin de generar correlaciones, tendencias y patrones (analítica de macrodatos)". A mayor abundamiento véase, L. Cotino Hueso, "Riesgos e impactos del Big Data, la Inteligencia Artificial y la Robótica. Enfoques, modelos y principios de la respuesta del Derecho", *Revista General de Derecho Administrativo*, núm. 50, 2019, pág. 6.

[9]   Como podrían ser los dispositivos prácticos a los que se refiere la Directiva 1024/2019/UE, a mayor abundamiento véase: R. Martínez Gutiérrez, "Los dispositivos prácticos como base de la Inteligencia Artificial. Exigencias y necesidades para su regulación en España", en R. Martínez Gutiérrez y J. Valero Torrijos (dirs.), *Datos abiertos y reutilización de la información del sector público*, Comares, Granada, págs. 103 y ss.

los datos del sector público se puedan almacenar en condiciones óptimas para permitir su utilización por las tecnologías algorítmicas. A mi juicio, no tiene sentido abordar una regulación de la IA sin que el presupuesto imprescindible para su adecuado funcionamiento, que no es otro que los datos, se encuentre regulado conjuntamente y de una manera coherente, exactamente igual que lo que sucede con la interoperabilidad, que vamos a pasar a analizar en el siguiente Epígrafe.

III. LA INTEROPERABILIDAD: ARTERIAS Y VENAS DE LA INTELIGENCIA ARTIFICIAL

Si los datos en la materia prima de la Inteligencia Artificial, la interoperabilidad, como mecanismo que permite la interconexión de los mismos con los sistemas y tecnologías de procesamiento, es un elemento estructural del sistema constituyéndose como las arterias y venas que hacen posible que fluyan los datos para ser adecuadamente procesados por los sistemas y tecnologías de IA. En las siguientes páginas vamos a proceder a realizar un estudio de la normativa actualmente vigente en materia de interoperabilidad y reutilización de datos en España, que es la que debería seguirse para cumplir con los estándares establecidos y posibilitar con ello un intercambio de datos interoperable entre las bases de datos del sector público y las aplicaciones de Inteligencia Artificial.

1. La importancia de la interoperabilidad

Ya desde hace tiempo, aunque de inicio sin ningún reconocimiento normativo hasta la promulgación del Esquema Nacional de Interoperabilidad en 2010, la interoperabilidad tenía la consideración de principio, de carácter instrumental si se quiere, del modelo de Administración electrónica. Lo que está claro es que la interoperabilidad tiene un valor estructural y así lo ha puesto de manifiesto el reglamento de actuación y funcionamiento del sector público por medios electrónicos, aprobado por el Real Decreto 203/2021[10], que ha establecido en su artículo 2.d) el "principio de

---

[10]   A mayor precisión sobre esta cuestión véase mi trabajo "La plena eficacia de la e-Administración. Comentario y notas fundamentales del Real Decreto 203/2021, por el que se aprueba el Reglamento de actuación y funcionamiento del sector público por medios electrónicos", *Revista de Derecho Digital e Innovación*, núm. 8, 2021, pág. 6, al señalar expresamente que: la letra d) del artículo 2 del Reglamento ha venido a consagrar normativamente un principio que en la práctica era

interoperabilidad, entendido como la capacidad de los sistemas de información y, por ende, de los procedimientos a los que éstos dan soporte, de compartir datos y posibilitar el intercambio de información entre ellos".

Sin interoperabilidad difícilmente se producirán intercambios, interconexiones o tratamientos automatizados que impliquen conectividad entre diferentes equipos, plataformas y sistemas, y como se puede observar en la propia definición de este principio, se hace referencia a su importancia capital para "compartir datos y posibilitar el intercambio de información entre ellos", lo que sin duda es la base de la regulación de los datos abiertos y de la reutilización de la información del sector público, clave a su vez para el óptimo funcionamiento de los sistemas y tecnologías de Inteligencia Artificial. A pesar de esta circunstancia la Ley 37/2007, incluso tras la transposición de la Directiva 1024/2019 efectuada en 2021, no ha asegurado el cumplimiento de las obligaciones en materia de interoperabilidad, como elemento angular para permitir la efectiva utilización de datos y su reutilización. Simplemente se ha establecido algo al respecto y de forma muy superficial en la Ley tras su reforma de noviembre de 2021, pero con una escasa relevancia, por lo que debería ser objeto de una mejora sustancial en el futuro como ya hemos advertido.

2. *La norma técnica de interoperabilidad de reutilización de recursos de información*

La interoperabilidad como factor clave de la reutilización de datos e información del sector público no es una novedad que aparece en nuestro panorama normativo con la Directiva de 2019. En España, y sobre la base de la Ley 37/2007 (y con apoyo en el Real Decreto 1495/2011, de 24 de octubre, por el que se desarrolla la Ley 37/2007, de 16 de noviembre, sobre reutilización de la información del sector público, para el ámbito del sector público estatal, que modificó el Real Decreto 4/2010 por el que se aprueba el Esquema Nacional de Interoperabilidad para añadir las cuestiones relativas a reutilización), se dictó la Resolución de 19 de febrero de 2013, de la Secretaría de Estado de Administraciones Públicas, por la que se aprueba la Norma Técnica de Interoperabilidad de Reutilización de recursos de la información, que define los estándares y los metadatos para hacer posible la reutilización de datos e información del sector público. Se trata de una norma técnica que según su preámbulo "establece condiciones comunes

---

estructural del modelo de e-Administración, como es el principio de interoperabilidad".

sobre selección, identificación, descripción, formato, condiciones de uso y puesta a disposición de los documentos y recursos de información elaborados o custodiados por el sector público, relativos a numerosos ámbitos de interés como la información social, económica, jurídica, turística, sobre empresas, educación, etc., cumpliendo plenamente con lo establecido en la citada Ley 37/2007, de 16 de noviembre". Además, se precisa que "estas condiciones tienen el objetivo de facilitar y garantizar el proceso de reutilización de la información de carácter público procedente de las Administraciones públicas, asegurando la persistencia de la información, el uso de formatos, así como los términos y condiciones de uso adecuados".

De esta forma, los objetivos fundamentales de la norma se pueden agrupar en tres: 1. Define los estándares y los metadatos para hacer posible la reutilización de datos e información del sector público. 2. Establece condiciones comunes sobre selección, identificación, descripción, formato, condiciones de uso y puesta a disposición de los documentos y recursos de información elaborados o custodiados por el sector público, relativos a numerosos ámbitos de interés como la información social, económica, jurídica, turística, sobre empresas, educación, etc. Y, 3. Facilitar y garantizar el proceso de reutilización de la información de carácter público procedente de las Administraciones públicas, asegurando la persistencia de la información, el uso de formatos, así como los términos y condiciones de uso adecuados.

Según el apartado II de la NTI, la norma "será de aplicación para la puesta a disposición, para su reutilización, de recursos de información de carácter público por parte de cualquier órgano de la Administración pública o Entidad de Derecho Público vinculada o dependiente de aquella en el ámbito establecido en el artículo 3 del Real Decreto 4/2010, de 8 de enero, por el que se regula el Esquema Nacional de Interoperabilidad en el ámbito de la Administración Electrónica", que por cierto, a su vez remitía al artículo 2 de la ya derogada Ley 11/2007, y que suponía su aplicación con carácter básico a todas las "Administraciones Públicas, entendiendo por tales la Administración General del Estado, las Administraciones de las Comunidades Autónomas y las Entidades que integran la Administración Local, así como las entidades de derecho público vinculadas o dependientes de las mismas".

En cuanto a los contenidos de la NTI, su contenido se centra especialmente en la regulación de los "identificadores de recursos uniformes" (URI) que se definen en el Anexo I de la norma como "cadena alfanumérica compacta que identifica recursos —físicos o abstractos— en la web de forma unívoca", y en la determinación y regulación de los metadatos de los documentos y de los catálogos de datos. De hecho, los anexos de la NTI, donde se contiene realmente el grueso de la regulación, se centran en: esquema de URI (Anexo II), los metadatos de documentos y recursos de información del catálogo (Anexos III, IV y V), y el establecimiento de un modelo de plantilla RDF de definición de catálogos y registros (Anexo VI). La misión de estos anexos es la determinación de estándares que permitan la reutilización de datos y documentos del sector público, fijando criterios y pautas comunes que permitan que los distintos sistemas, programas y plataformas se entiendan en esta tarea, llegándose a determinar incluso el modelo de plantilla "para la descripción en RDF de un catálogo de datos, registros, conjuntos de datos y distribuciones asociadas" (Anexo VI). Todos estos condicionantes técnicos son esenciales para que puedan abrirse los datos y reutilizarse la información del sector público, ya que, sin interoperabilidad, difícilmente se podrá cumplir con los objetivos y propósitos de la normativa comunitaria y nacional en esta materia.

Por todas estas razones, la transposición de la Directiva 1024/2019 en la actual Ley 37/2007 operada por el Real Decreto — Ley 24/2021 se debería haber regulado intensamente la obligatoriedad de las cuestiones reguladas en la NTI de reutilización de recursos de información con mayor intensidad, estableciendo que las mismas deberán aplicarse obligatoriamente en el diseño de cualquier herramienta de tratamiento masivo de datos y también de sistemas y tecnologías de Inteligencia Artificial, ya que actualmente se corre el riesgo de estar incumpliendo la normativa de interoperabilidad de carácter básico y además se está dificultando mucho desde el punto de vista técnico y de funcionamiento (por no decir que será prácticamente imposible de alcanzar) conseguir reutilizar documentos, datos e información del sector público. La legislación española de datos abiertos y reutilización no puede permanecer ajena a estas necesidades que tienen una gran trascendencia práctica y operativa en el funcionamiento de los sistemas o tecnologías destinadas a facilitar la reutilización de la información del sector público.

Finalmente, y como ya se ha comprobado, la NTI establece las pautas o estándares para que los sistemas puedan emplearse adecuadamente para la reutilización de datos y recursos de información elaborados o custodiados por el sector público, y ello es clave para poder implementar tecnologías y sistemas de Inteligencia Artificial que aporten alto valor. Ahora bien, en la UE y en materia de datos y reutilización, la importancia de la interoperabilidad se establece en la Estrategia UE de Datos (interoperabilidad y calidad de los datos, e infraestructura), y también, en la propuesta de

Reglamento de Ley de Datos (especialmente en el sector privado), pero sin avances significativos. Veremos en la evolución normativa futura de la legislación comunitaria y española que hemos descrito en el primer apartado del Epígrafe II de este trabajo si la garantía jurídica del principio de interoperabilidad se establece de forma imperativa en la normativa de forma que se garantice la adecuada interconexión de calidad de los datos y de los repositorios y Espacios de Datos con los sistemas y tecnologías de Inteligencia Artificial.

3. *Otras obligaciones conexas a la interoperabilidad: seguridad y de protección de datos de carácter personal*

Las tecnologías de IA también deberán cumplir en su diseño y funcionamiento con las obligaciones que para los sistemas, plataformas y programas ha determinado la normativa de seguridad, de un lado, y de protección de datos de carácter personal, de otro. Otro de los pilares del modelo de e-Administración que debería impregnar también la regulación de la Inteligencia Artificial en el sector público son las obligaciones establecidas en el Real Decreto 311/2022 por el que se regula el Esquema Nacional de Seguridad (ENS). La doctrina ha puesto de manifiesto la importancia y necesidad del cumplimiento de estas normas que definen el mínimo común denominador de seguridad de las aplicaciones y programas que vayan a ser utilizados por las Administraciones públicas[11], tanto si se han desarrollado por medios propios como si han sido objeto de adquisición tras un procedimiento de licitación pública (exactamente igual que en materia de interoperabilidad). Así, la regulación legal de los sistemas y tecnologías de IA deberá poner de manifiesto la exigencia del cumplimiento de estas obligaciones normativas.

De otro lado, la normativa europea y española de protección de datos de carácter personal ha puesto de manifiesto una serie de principios y parámetros de funcionamiento de las bases de datos que afectan centralmente a la regulación de las tecnologías de Inteligencia Artificial y de la reutilización de la información del sector público[12], siendo la base de un adecua-

---

[11] En particular, véase el trabajo de J. Fondevila Antolín, "Seguridad en la utilización de medios electrónicos: el Esquema Nacional de Seguridad", en E. Gamero Casado, (dir.), *Tratado de Procedimiento Administrativo Común y Régimen Jurídico Básico del sector público,* Tomo I, Tirant lo Blanch, Valencia, 2017.

[12] J. Valero Torrijos, "Protección de datos de carácter personal, datos abiertos y reutilización de la información del sector público", en I. Martín Delgado (dir.), *El*

do tratamiento automatizado de datos con cumplimiento del derecho a la protección de datos. A parte del ya consabido artículo 22 del Reglamento General de Protección de Datos, que regula las "decisiones individuales automatizadas, incluida la elaboración de perfiles", estableciendo, entre otras cuestiones, que "todo interesado tendrá derecho a no ser objeto de una decisión basada únicamente en el tratamiento automatizado, incluida la elaboración de perfiles, que produzca efectos jurídicos en él o le afecte significativamente de modo similar".

Adicionalmente a esta conocida previsión, nos referimos aquí también a la necesidad de que las tecnologías de Inteligencia Artificial cumplan con los parámetros de la normativa de protección de datos, especialmente en cuanto a la configuración de los archivos, repositorios o Espacios de Datos. Así, sería muy interesante que estas tecnologías garanticen en su diseño dos cuestiones básicas que habilita el Reglamento General de Protección de Datos de la UE y la Ley Orgánica de protección de Datos y Garantía de Derechos Digitales de 2018: (1) el denominado principio de minimización de datos (artículo 5.1.c del RGPD), y (2) la "protección de datos desde el diseño y por defecto" que se desarrolla en el artículo 25 del RGPD. Si las bases de datos, repositorios y/o Espacios de Datos de las Administraciones públicas cumpliesen con estos parámetros, y con ello garantizaran el principio de acceso al dato mínimo necesario[13] para la prestación de los servicios que se pretendan con la toma de datos, también se podría cumplir de una mejor manera con la apertura de datos y posibilitar la reutilización de datos e información del sector público sin afectar a la protección de datos. Los sistemas y tecnologías de Inteligencia Artificial deberían cumplir también con la garantía de estos principios, de forma que se posibilite una reutilización adecuada de los datos, documentos e información del sector público, ya que toda la información disponible podría ponerse a disposición de los ciudadanos y los agentes reutilizadores una vez minimizado y/o

---

procedimiento administrativo y el régimen jurídico de la administración pública desde la perspectiva de la innovación tecnológica, Iustel, Madrid, 2020, págs. 417 y ss.

[13]   A mayor abundamiento sobre estos principios, véase R. Martínez Gutiérrez, "Relaciones interadministrativas por medios electrónicos. Interoperabilidad", en E. Gamero Casado, (Dir.), Tratado de Procedimiento Administrativo Común y Régimen Jurídico Básico del Sector Público, Tomo II, Tirant Lo Blanch, Valencia, 2017, págs. 2891 y ss., e, "Interoperabilidad= transparencia + protección de datos", en la web del Observatorio de Transformación Digital del Sector Público, 2021, disponible en: https://www. uv.es/catedra-pagoda/es/actualidad/interoperabilidad-transparencia-proteccion-ruben-martinez-guiterrez-1286053802801/Novetat.html?id=1286182132547. Fecha de consulta: 29.06.2023.

neutralizado el impacto que tal apertura pudiera ocasionar en el derecho a la protección de datos de carácter personal. Se trata en definitiva de una necesidad manifiesta, que sorprende que no se haya tenido en consideración en la transposición de la Directiva 1024/2019 a nuestro ordenamiento jurídico mediante el Real Decreto — Ley 24/2021 que ha reformado la Ley 37/2007, y que es cuestión de tiempo que el ordenamiento jurídico deba conocer y exigir su cumplimiento.

En definitiva, debería exigirse de una mejor manera que el marco normativo de datos abiertos que ya hemos analizado y el conexo de Inteligencia Artificial determine elementos normativos de cumplimiento de los ámbitos que hemos analizado en este apartado.

IV. LA REUTILIZACIÓN DE APLICACIONES Y TRANSFERENCIA DE TECNOLOGÍAS COMO BASE DEL DESARROLLO DE SISTEMAS DE INTELIGENCIA ARTIFICIAL

1. *Marco normativo legal de la transferencia y reutilización de tecnología*

El artículo 157 de la Ley 40/2015, de Régimen Jurídico del Sector Público, regula la "reutilización de sistemas y aplicaciones de propiedad de la Administración", conectándose obviamente con el artículo 158 de la misma Ley que establece las condiciones de "transferencia de tecnología entre Administraciones". Se trata de preceptos herederos de los artículos 45 y 46 de la Ley 11/2007, de acceso electrónico de los ciudadanos a los Servicios Públicos, aunque con ciertas matizaciones y evoluciones, que ya en su momento se desarrollaron reglamentariamente por los artículos 16 y 17 del Real Decreto 4/2010, por el que se regula el Esquema Nacional de Interoperabilidad. El artículo 157 de la Ley 40/2015 establece en su primer apartado que "las Administraciones pondrán a disposición de cualquiera de ellas que lo solicite las aplicaciones, desarrolladas por sus servicios o que hayan sido objeto de contratación y de cuyos derechos de propiedad intelectual sean titulares, salvo que la información a la que estén asociadas sea objeto de especial protección por una norma. Las Administraciones cedentes y cesionarias podrán acordar la repercusión del coste de adquisición o fabricación de las aplicaciones cedidas". Este precepto es una de las razones fundamentales que justifican la posibilidad de realizar convenios de colaboración o cooperación en materia de transferencia de tecnología entre Administraciones (y organismos y entidades del sector público institucional). Esta cuestión, sobre la que posteriormente volveremos, es básica y justificaría la articulación de un centro de investigación, estudio y desarrollo de tecnologías de Inteligencia Artificial reutilizables en el Sector Público. Además, como señala J. Miranzo Díaz, si se procede de una forma ajustada a la Ley 40/2015 y con respeto a la jurisprudencia comunitaria y los principios de la contratación pública estaríamos hablando de una posibilidad que no generaría problemas de competencia[14].

Una cuestión importante de este precepto se refiere a las características de las aplicaciones que pueden ser objeto de cesión. A este respecto, se señala que "las aplicaciones, desarrolladas por sus servicios o que hayan sido objeto de contratación y de cuyos derechos de propiedad intelectual sean titulares, salvo que la información a la que estén asociadas sea objeto de especial protección por una norma". En relación a esta previsión, la aplicación o conjunto de aplicaciones desarrolladas mayoritariamente por los propios servicios de una Administración, organismo o entidad, entrarían dentro de las previsiones de este precepto, con la salvedad de que la aplicación, sistema o tecnología gestione información que sea objeto de especial protección por una norma.

Por su parte, el artículo 157.2 establece que "las aplicaciones a las que se refiere el apartado anterior podrán ser declaradas como de fuentes abiertas, cuando de ello se derive una mayor transparencia en el funcionamiento de la Administración Pública o se fomente con ello la incorporación de los ciudadanos a la Sociedad de la información". Como se puede observar en este apartado, las Administraciones, organismos o entidades cesionarias de aplicaciones tienen la opción de declarar o no como programas de fuentes abiertas dichas aplicaciones, plataformas o sistemas. Se trata de una posibilidad interesante en el ámbito de la Inteligencia Artificial donde tanto se ha hablado, con razón, de la transparencia y el acceso al código fuente de los algoritmos y sobre todo a la explicabilidad del funcionamiento de los mismos[15].

En cuanto al apartado 3º del artículo 157 de la LRJSP, este precepto señala que "las Administraciones Públicas, con carácter previo a la adqui-

---

[14]   J. Miranzo Díaz, "El régimen jurídico de las plataformas de contratación pública en España. Especial referencia a los conflictos competenciales y a su incidencia en el derecho de la competencia", *Revista Catalana de Dret Públic*, núm. 64, 2022, págs. 151-153.

[15]   A. Boix Palop y A. Soriano Arnanz, "Transparencia y control del uso de la Inteligencia Artificial por las Administraciones públicas", en F. Balaguer Callejón y L. Cotino Hueso (coords.), *Derecho Público de la Inteligencia Artificial*, Fundación Manuel Giménez Abad, Zaragoza, 2023, pág. 267, y también los distintos trabajos de la obra colectiva: L. Cotino Hueso y J. Castellanos Claramunt (eds.), *Transparencia y explicabilidad de la Inteligencia Artificial*, Tirant Lo Blanch, Valencia, 2022.

sición, desarrollo o al mantenimiento a lo largo de todo el ciclo de vida de una aplicación, tanto si se realiza con medios propios o por la contratación de los servicios correspondientes, deberán consultar en el directorio general de aplicaciones, dependiente de la Administración General del Estado, si existen soluciones disponibles para su reutilización, que puedan satisfacer total o parcialmente las necesidades, mejoras o actualizaciones que se pretenden cubrir, y siempre que los requisitos tecnológicos de interoperabilidad y seguridad así lo permitan.

En este directorio constarán tanto las aplicaciones disponibles de la Administración General del Estado como las disponibles en los directorios integrados de aplicaciones del resto de Administraciones.

En el caso de existir una solución disponible para su reutilización total o parcial, las Administraciones Públicas estarán obligadas a su uso, salvo que la decisión de no reutilizarla se justifique en términos de eficiencia conforme al artículo 7 de la Ley Orgánica 2/2012, de 27 de abril, de Estabilidad Presupuestaria y Sostenibilidad Financiera".

En base a este artículo, y sin posibilidad de duda alguna dado que el precepto es claro, las Administraciones que pretendan adquirir cualquier tecnología, incluida por su puesto las de Inteligencia Artificial, deben obligatoriamente consultar el directorio general de aplicaciones de la AGE para comprobar si existen soluciones disponibles para su reutilización que puedan satisfacer total o parcialmente sus necesidades de software. La no utilización de tecnología reutilizable sólo puede justificarse si la cesión de la tecnología implica costes de desarrollo y/o adaptación o mantenimiento superiores a los que se producirían con un desarrollo o fabricación total del producto, ya sea con medios propios o con la contratación del software, aplicaciones, sistema o plataforma mediante un procedimiento de contratación pública. La consulta obligatoria deberá realizarse con carácter previo a la adquisición, desarrollo o al mantenimiento a lo largo de todo el ciclo de vida de una aplicación, tanto si se pretende desarrollar por medios propios o mediante procedimientos de contratación pública. Además, en la línea con lo ya establecido en este capítulo, la tecnología que se vaya a reutilizar debe cumplir plenamente con las garantías de interoperabilidad y seguridad establecidas en los Reales Decretos 4/2010 y 311/2022.

Finalmente, el artículo 158 de la Ley 40/2015 se centra fundamentalmente en ampliar la base de regulación legal del directorio general de aplicaciones de la AGE para su libre reutilización al que también se refiere el apartado 3° del artículo 157 de la Ley. Según este artículo, en su apartado 1°, "las Administraciones Públicas mantendrán directorios actualizados de aplicaciones para su libre reutilización, de conformidad con lo dispuesto en el Esquema Nacional de Interoperabilidad. Estos directorios deberán ser plenamente interoperables con el directorio general de la Administración General del Estado, de modo que se garantice su compatibilidad informática e interconexión". Como se observa, el establecimiento y mantenimiento de "directorios actualizados de aplicaciones" (en la Ley 11/2007 se hablaba de "centro de transferencia de tecnología" de la AGE) es una obligación para las Administraciones, siempre que las aplicaciones cumplan con lo determinado en materia de interoperabilidad en el Real Decreto 4/2010, por el que se aprueba el Esquema Nacional de Interoperabilidad y sus normas técnicas de desarrollo. Quizá en materia de tecnologías y sistemas de IA sería interesante recuperar la idea del centro de transferencia de tecnología.

2. Diseño de los sistemas de inteligencia artificial en el Sector Público y reutilización de tecnología. La creación de un centro de transferencia de tecnología de inteligencia artificial

En el contexto legal de regulación de la transferencia y reutilización de tecnología, y su clara aplicación también a los sistemas y tecnologías de Inteligencia Artificial, la reutilización de tecnología parece ser una opción no sólo conveniente sino absolutamente necesaria. De esta manera, quizá sería buena idea recuperar la posibilidad de articular un centro de transferencia de tecnología en el sector público (que se establecía en la Ley 11/2007) que incluya el desarrollo, creación e implantación de tecnologías de IA, a parte de los sistemas, plataformas y aplicaciones clásicas de Administración electrónica o e-Contratación que puedan tener cabida, adicionalmente a otras. Se podría articular un centro de carácter más general, o incluso también, debido a su importancia estratégica en estos momentos, un centro específicamente dirigido a tecnologías de Inteligencia Artificial que pudiera incardinarse dentro de algún organismo como la AESIA (Agencia Española de Supervisión de la Inteligencia Artificial). Ahora bien, en estos momentos, el marco normativo no determina está posibilidad, ni tan siquiera se puede desprender de ella, de forma que requeriría un encaje normativo para dotar de seguridad jurídica al funcionamiento de este centro de transferencia de tecnología de IA.

Adicionalmente a estas cuestiones, debemos referirnos también a otros elementos de interés para el diseño de herramientas de IA. Y. Gaudemet ha señalado que uno de los problemas que se plantean al diseñar sistemas de IA (aunque su referencia se centra en tecnologías de "justicia predictiva" en la justicia) sería la interrelación entre el uso masivo de datos a través de su tratamiento y técnicas de *big data* y las implicaciones que ello puede tener a la luz de la regulación de los datos de carácter personal[16], cuestión a la que ya hemos hecho oportuna referencia. Asimismo, otra de las cuestiones a tener en cuenta sería el necesario control de calidad, de la fiabilidad y en definitiva de la robustez de los sistemas de IA[17], cuestión importante sin duda, pero sobre la cual se deberán proyectar las obligaciones competenciales de coordinación que debe ejercer en esta materia la AGE a través de instituciones como la AESIA[18], ya que efectivamente, un diseño inadecuado del sistema sí podría tener una afectación negativa en el desarrollo de la actividad administrativa, el ejercicio de potestades o la prestación de servicios públicos.

V. REFLEXIÓN FINAL

Si comparamos un sistema de Inteligencia Artificial con un ser vivo, los datos serían la "sangre" que nutre al "cerebro" de las tecnologías de IA, pero para que esos datos lleguen de forma óptima a los sistemas para su procesamiento, la interoperabilidad es un principio instrumental imprescindible para que pueda producirse la interconexión, siendo las "arterias y venas" de los sistemas y tecnologías algorítmicas. La necesidad de contar con unos datos de calidad y reutilizables implica reflexionar sobre las necesidades de estandarización que deben garantizarse normativamente y exigirse su cumplimiento a todas las Administraciones, entidades y orga-

---

[16]   Y. Gaudemet, "La justice à l'heure des algorithmes. À propos de la justice prédictive", *RDP*, 2018, págs. 663 y 664. También ha analizado esta problemática J. Ponce Sole, en su trabajo "Inteligencia artificial, Derecho Administrativo y reserva de humanidad: algoritmos y procedimiento administrativo debido tecnológico", op. cit., págs. 13 y ss., y R. Martínez Martínez, en "Inteligencia artificial desde el diseño. Retos y estrategias para el cumplimiento normativo, en *Revista Catalana de Dret Públic*, núm. 58, 2019, especialmente a partir de las págs. 74 y ss.

[17]   En esta misma línea puede verse J. Valero Torrijos, "The Legal Guarantees of Artificial Intelligence in Administrative Activity: Reflections and Contributions from the Viewpoint of Spanish Administrative Law and Good Administration Requirements", op. cit., págs. 60 y 61, e, Y. Gaudemet, "La justice à l'heure des algorithmes. À propos de la justice prédictive", op. cit., pág. 664.

[18]   A este respecto y en Francia, aunque en el ámbito de la Administración de Justicia, Y. Gaudemet ha establecido la necesidad de "sugerir una autoridad administrativa independiente encargada de controlar la calidad de los algoritmos, mediante una certificación (…) realizada mediante tecnología científica" por expertos en el control de estos sistemas. En, "La justice à l'heure des algorithmes. À propos de la justice prédictive", op. cit., pág. 664.

nismos del sector público. Esta circunstancia conecta inescindiblemente las cuestiones relativas a los datos, su reutilización y la interoperabilidad, como elementos indispensables para el adecuado funcionamiento de la Inteligencia Artificial en el sector público.

Finalmente, y con el objetivo de articular tecnologías de IA interoperables y seguras para su uso en el sector público, se debería reflexionar sobre la necesidad de liderar proyectos de creación, desarrollo e implantación de sistemas por parte del propio sector público que pueda ser reutilizada y que haya sido diseñada con unos estándares de transparencia algorítmica y explicabilidad que parecen necesarias para justificar la aplicación de la IA en el ejercicio de las potestades públicas. Espero que este trabajo de investigación sirva al menos para poner en el centro de la reflexión jurídica estas cuestiones que a todas luces parecen esenciales para una correcta implantación y funcionamiento de las tecnologías y sistemas de Inteligencia Artificial en el sector público.

Datos, inteligencia artificial y servicios públicos: la apuesta del Ayuntamiento de Barcelona por la transparencia algorítmica y la protección de los derechos de la ciudadanía

Paula Boet Serrano
Responsable de derechos digitales. Ayuntamiento de Barcelona

Michael Donaldson Carbón
Comisionado de Innovación Digital. Ayuntamiento de Barcelona

I. DATOS, INTELIGENCIA ARTIFICIAL Y SERVICIOS PÚBLICOS

Las tecnologías digitales y los datos están transformando nuestras sociedades y nuestra forma de vivir, trabajar y relacionarnos. Hoy en día, miles de millones de personas están conectadas y se comunican a través de dispositivos digitales con una gran capacidad de procesamiento. De estas interacciones, se recopila una gran cantidad de datos que, combinados con el uso de algoritmos y el entrenamiento de sistemas inteligentes (aprendizaje automático), nos proporcionan nuevas herramientas para realizar una amplia variedad de tareas.

La aplicación de tecnologías basadas en la inteligencia artificial en el sector público, la cual todavía es incipiente en muchas administraciones, ofrece muchas oportunidades para poder proveer servicios más eficientes, masivos, proactivos y adaptados a las necesidades de la ciudadanía, así como para agilizar los procesos internos y apoyar a la toma de decisiones. A escala europea, se ha apuntado que hasta un 30% de potenciales perceptores de ayudas públicas no las solicitan porque desconocen que existen. Esta cifra nos ancla de una forma convincente sobre la necesidad de transformar nuestras administraciones públicas a partir de la digitalización con un objetivo claro: proveer servicios públicos más eficientes, masivos, proactivos y adaptados.

Podremos proveer servicios más eficientes porque en la medida en que ajustemos nuestra oferta a las demandas reales, podremos distribuir nuestro presupuesto de una manera más eficaz y proveer servicios públicos digitales cada vez más adaptados con cada vez menores costes. En cuanto a la masividad, esta es una característica innata de los servicios públicos, pues estos son de acceso universal. Las tecnologías deben facilitar precisamente que este acceso sea una realidad y no una declaración de principios. En la proactividad encontramos quizás el cambio más lógico y sencillo, pero también el más radical. Si la Administración conoce bien la realidad de sus ciudadanos a partir de los datos, recogidos con consentimiento previo, será capaz de anticiparse y ofrecer a la ciudadanía un servicio determinado sin esperar que sea esta quién lo pida. Los datos, o más bien la buena gestión de estos, se han convertido en un nuevo puente de relación entre las administraciones públicas y la ciudadanía. Para no caer en la arbitrariedad o la discrecionalidad, estos datos deben ser las bases para poder personalizar de una manera más precisa los servicios digitales. En un contexto de diversidad creciente, donde las demandas son cada vez mayores y más complejas el reto de prestar servicios que cubran las necesidades cada vez es mayor.

El objetivo descrito pasa por la transformación digital, pero sería un craso error fiar esta transformación solamente al ámbito tecnológico. La tecnología, como lo es en otros contextos, será el instrumento y la palanca de cambio, pero nunca el elemento definitivo que cambie una organización, y mucho menos una organización pública. Si queremos impulsar y consolidar una transformación real para convertir a nuestra organización en una entidad orientada al dato y a la ciudadanía, nos encontraremos con muchos más retos. Apuntamos, sin orden jerárquico, algunas de estas cuestiones que debemos abordar.

- *Reto cultural.* Que las administraciones públicas han venido trabajando y organizándose desde una lógica vertical y compartimentada es una constatación que no se le escapa a nadie. Este modelo, heredero de las teorizaciones de Max Weber, se comprende bien con la imagen de los silos, pues permite ilustrar la falta de permeabilidad que a veces se da entre las diferentes áreas o departamentos. Estos silos tienen todo el sentido del mundo, puesto que la especialización requerida para resolver los problemas y prestar servicios encuentran acomodo en estructuras verticales y jerárquicas. Pero en un mundo de datos y en una sociedad tan compleja como la actual, esta estructura entra en crisis y necesita de estructuras horizontales o transversales donde la información y los datos que posee la organización puedan combinarse y compartirse para poder dar una respuesta que verdaderamente se adapte a los requisitos de la ciudadanía.

- *Reto organizativo.* Para que los datos fluyan de una manera natural en toda la organización deberemos cambiar nuestra manera de conseguir, almacenar, gestionar y compartir los datos. Los sistemas de información compartidos, una arquitectura integral de la información, las aplicaciones abiertas que permiten una gobernanza compartida son algunos de los conceptos que encuentran su réplica en soluciones tecnológicas. Pero de nuevo se trata de conceptos que albergan maneras de conceptualizar nuestro trabajo y nuestra organización que hacen referencia a un cambio organizativo y no tecnológico. A nivel organizativo, otro ámbito no menor que debemos trabajar es el talento. Nuestras organizaciones no están en disposición, por múltiples razones (sueldos, procesos selectivos) de tener perfiles profesionales altamente cualificados en IA, IOT y resto de tecnologías emergentes. Intentar trabajar sin estos perfiles en un mundo tan marcado por la digitalización también supone problemas destacables.

- *Reto legal.* Por razones históricas, basadas en la garantía de igualdad a la hora de tratar con los administrados, las instituciones públicas trabajamos en base al procedimiento. Los procesos nos igualan, garantizan la transparencia y la trazabilidad. Disminuyen la discrecionalidad. Pero a la vez el procedimiento está basado en el documento y no en el dato. Sin duda, a nivel organizativo debemos también modificar la normativa para poder convertirnos, desde el principio del procedimiento administrativo, en organizaciones orientadas al dato.

- *Retos de la gobernanza algorítmica.* Cuando hablamos de procesamiento de datos basado en sistemas algorítmicos, nos encontramos con un sinfín de retos asociados a la naturaleza opaca y hasta arbitraria de este tipo de sistemas, los cuales pueden tener como consecuencia impactos en los derechos fundamentales de las personas. Estos riesgos tienen que ver con la falta de transparencia y explicabilidad de las decisiones tomadas por un sistema que nadie sabe muy bien cómo funciona; el hecho de que a menudo se prioriza la optimización sin tener en cuenta a quién afecta; la dificultad para atribuir responsabilidades y garantizar la rendición de cuentas de una decisión que ha sido tomada por un sistema automatizado; la vulneración de la privacidad de los individuos y con el hecho que tanto las bases de datos como el código de los algoritmos pueden incorporar sesgos sociales que afecten de manera discriminatoria colectivos minorizados.

Un ejemplo de cómo las tecnologías basadas en IA aplicadas en el sector público pueden tener un impacto negativo en los derechos de las personas es el sistema SyRI, implementado en los Países Bajos, donde el Ministerio de Asuntos Sociales y Empleo usó grandes cantidades de datos personales para crear perfiles de riesgo de fraude. Este sistema se usó para analizar personas con rentas bajas y de origen extranjero para localizar perfiles de alto riesgo, lo cual era altamente discriminatorio. Y SyRI no es el único caso de mala práctica; de hecho, en los últimos años hemos conocido varios gracias a las denuncias de los medios de comunicación y de la sociedad civil.[1].

A la hora de aplicar tecnologías basadas en el dato y en inteligencia artificial en la provisión de servicios públicos, los ayuntamientos tenemos que tener presentes estas dos vertientes: a pesar de que nos pueden facilitar mucho el trabajo, tenemos que garantizar que las usamos de manera proporcionada, transparente y justa, introduciendo, en todas las fases del desarrollo y la implementación de este tipo de sistemas, mecanismos de salvaguardia y garantía de los derechos fundamentales; cumpliendo con la legislación vigente y los estándares éticos y técnicos adecuados, y asegurando que el proceso favorece la participación y deliberación constantes con la ciudadanía y las comunidades impactadas.

En este artículo exponemos algunos aprendizajes adquiridos en relación a los retos planteados en la implementación de la estrategia de inteligencia artificial desde el Ayuntamiento de Barcelona. En primer lugar, ofrecemos un estado de la cuestión de las aplicaciones que tiene la inteligencia artificial en las administraciones públicas; luego pasamos a definir algunas claves para una IA garantista con los derechos humanos y los valores democráticos y, por último, exponemos algunos aprendizajes y reflexiones en relación a la transparencia y explicabilidad algorítmicas.

II. OPORTUNIDADES Y RETOS DEL USO DE LOS ALGORITMOS Y LA INTELIGENCIA ARTIFICIAL PARA LAS ADMINISTRACIONES PÚBLICAS

En primer lugar, consideramos oportuno explicar qué es la Inteligencia Artificial y qué puede y qué no puede hacer en el contexto de una administración pública local.

---

[1]   https://algorace.org/2022/11/26/una-introduccion-a-la-ia-y-la-discriminacion-algoritmica-para-movimientos-sociales/

Según el informe "Directrices éticas para una IA fiable" del grupo de expertos de alto nivel en IA de la Comisión Europea", los sistemas de inteligencia artificial (IA) son sistemas de software (y posiblemente también de hardware) diseñados por humanos que, dado un objetivo complejo, actúan en la dimensión física o digital percibiendo su entorno mediante la adquisición de datos, interpretando los datos (estructurados o no estructurados) recogidos, razonando sobre el conocimiento, o procesando la información, derivada de estos datos y decidiendo la mejor acción o acciones para realizar para conseguir el objetivo dado. Los sistemas de IA pueden utilizar reglas simbólicas o aprender un modelo numérico, y también pueden adaptar su comportamiento analizando cómo se ve afectado el entorno por sus acciones anteriores".

Hay que añadir un matiz a esta definición, especialmente si hablamos de IA aplicada por el sector público. A menudo, los sistemas que se denominan de inteligencia artificial aplicados por el sector público no incorporan el aprendizaje automático, sino que son más bien algoritmos o sistemas algorítmicos simples. Aunque no incorporen aprendizaje automático, estos sistemas pueden tener un impacto en los derechos fundamentales de la ciudadanía, y por tanto los incluimos en la serie de sistemas que se tienen que supervisar.

Definir así los sistemas algorítmicos y la inteligencia artificial es clave para entender que no estamos hablando de una inteligencia sobrehumana, que tiene autonomía y que puede tomar decisiones de manera totalmente racional y objetiva, sino que estamos hablando de sistemas construidos y programados por personas, que son entrenados con bases de datos que pueden contener sesgos y que toman las decisiones que hemos programado que tomen. Por lo tanto, no podemos esperar que los algoritmos solucionen problemas o retos que tenemos por arte de magia y, sobre todo, no podemos tender hacia la automatización de cualquier decisión compleja. Al contrario: tenemos que usar los algoritmos de manera crítica, definiendo muy bien sus tareas, procesos y objetivos, garantizando una supervisión humana y siendo muy conscientes de sus limitaciones.

Fijándonos en aquello que la inteligencia artificial sí puede hacer en el contexto de una administración pública, encontramos una gran diversidad de tareas y aplicaciones. Muchas de las administraciones que están aplicando la inteligencia artificial lo están haciendo a través de pequeños pilotos, que permiten testear de forma flexible la aplicación del sistema en un caso de uso concreto y evaluar los riesgos y los beneficios sin comprometer la utilización a largo plazo.

Basándonos en nuestra experiencia en una administración pública local, podemos definir que, a grandes rasgos, la inteligencia artificial en el ámbito municipal se puede aplicar en:

- *La gestión interna municipal.* Las tecnologías basadas en IA se pueden aplicar en la mejora de los procesos internos y en la simplificación de la tramitación interna. Esto puede ser muy útil para sistematizar el conocimiento y los datos generados internamente, agilizar los procesos administrativos, incrementar la productividad y el ahorro de costes, pero, sobre todo, hacer que aumente la satisfacción de los trabajadores y trabajadoras municipales, que podrán centrar sus esfuerzos en tareas de más valor añadido.

- *Servicios a la ciudadanía.* La IA permitirá avanzar de manera muy significativa hacia una administración que ofrezca servicios centrados en las necesidades reales de la ciudadanía optimizando la oferta de servicios y haciéndolos más personalizados, y permitirá mejorar la propia atención ciudadana y la participación ciudadana, pasando de una administración reactiva a una administración proactiva. Sistemas como los de procesamiento y comprensión del lenguaje natural pueden ser clave en este ámbito, a pesar de que precisamente por este contacto directo con la ciudadanía habrá que garantizar el uso ético, legal y democrático de estas tecnologías.

- *La atención ciudadana.* Muchos ayuntamientos ya están introduciendo *bots* de conversación como complemento de los canales de comunicación con la ciudadanía ya establecidos, usando el procesamiento del lenguaje natural para clasificar de manera más ágil las quejas o peticiones de la ciudadanía, así como para potenciar la atención multiidioma y mejorar la accesibilidad de estos servicios.

- *La gestión del espacio público y la movilidad.* La IA y el tratamiento masivo de datos son clave para comprender mejor las necesidades cambiantes de la ciudad, tener datos que permitan hacer un diagnóstico más preciso y en tiempo real de los retos que afronta la ciudad, así como de las políticas públicas que se están desplegando. En última instancia, pasar a un modelo de política pública basado en la evidencia, y a un procedimiento administrativo basado en el dato y no en el expediente, permitirá avanzar hacia servicios públicos que se adapten a las necesidades de las personas.

- *La participación ciudadana y la democracia directa.* La IA también puede contribuir a mejorar la participación ciudadana y promover una democracia más directa ayudando, por ejemplo, a procesar miles de comentarios sobre propuestas normativas o agilizando los procesos participativos. Así pues, la IA hará posible adoptar nuevos enfoques basados en el análisis de grandes cantidades de información proveniente de la colaboración ciudadana, de datos que contienen las pautas y los patrones que definen la vida urbana (cómo se mueven, interactúan, utilizan los servicios y disfrutan de la ciudad las personas).

Para aterrizar un poco más este estado de la cuestión, consideramos de interés repasar brevemente algunos de los ámbitos y servicios en los que el Ayuntamiento de Barcelona ha aplicado la Inteligencia Artificial:

- *La clasificación temática de quejas y sugerencias enviadas por la ciudadanía mediante el buzón electrónico del Ayuntamiento.* El IRIS es el servicio que permite a la ciudadanía comunicar incidencias o enviar reclamaciones al Ayuntamiento de Barcelona para que las resuelva. A través del IRIS, la ciudadanía puede hacer llegar informaciones y consultas, pero también quejas y sugerencias de mejora. En este proceso, el ciudadano o ciudadana que avisa de la incidencia tiene que clasificarla utilizando un árbol de temáticas que se le ofrece a través de la aplicación informática. Esta clasificación es importante porque se utiliza para dirigir la incidencia directamente al departamento responsable, y agilizar así el proceso de respuesta. Los errores en la clasificación temática ocasionan respuestas inadecuadas y retrasos en la resolución de las incidencias y afectan a la calidad del servicio ofrecido.

  En el marco del proyecto de actualización del servicio IRIS se ha desarrollado un módulo llamado MARIO, basado en algoritmos de aprendizaje automático —Machine Learning— y procesamiento del lenguaje natural (una de las tecnologías enmarcadas en la IA) para simplificar al ciudadano o ciudadana el proceso de clasificación de las incidencias.

  A partir del análisis del texto libre que describe la incidencia, MARIO sugiere al ciudadano o ciudadana las categorías más probables donde la incidencia tiene cabida para que este/a elija la categoría más ajustada. MARIO, que está actualmente en pruebas, minimiza la tasa de error en la clasificación inicial de las incidencias reduciendo mucho los procesos de reclasificación manual. Antes, un 50% de las comunicaciones realizadas necesitaban ser reasignadas; ahora, con MARIO, se está logrando una tasa de acierto superior al 85%.

MARIO se ha desarrollado usando herramientas de código abierto —Open Source— como Python, Scikit-learn y Pandas, entre otros. El algoritmo ha requerido un entrenamiento que se ha llevado a cabo utilizando un conjunto de datos con las temáticas y las preguntas que ha hecho el ciudadano/a previamente validadas para garantizar que han sido correctamente clasificadas

- *La detección de demandas, problemas y la asignación de recursos en el Área de Derechos Sociales.* El Área de Derechos Sociales del Ayuntamiento de Barcelona atiende una media de cincuenta mil primeras visitas al año. Las personas que acuden a los cuarenta centros de servicios sociales repartidos por la ciudad tienen problemas económicos, de dependencia, por enfermedad mental, de alcoholismo, pueden necesitar ayuda psicológica, de adaptación, pueden sufrir una situación de violencia de género, etc. Estas problemáticas tan diversas son atendidas por una plantilla de más de setecientos profesionales —entre trabajadores/as sociales, psicólogos/as y educadores/as sociales—.

Cuando la persona llega al centro, se le atiende en unas cabinas privadas. El trabajador o trabajadora social graba la conversación y, al acabar, transcribe la problemática y la ayuda o servicio que se ha recomendado. En el sistema interno se describe con tres letras: demanda (D), problema (P), recurso (R). Un algoritmo, entrenado con un repositorio de trescientas mil entrevistas con técnicas de aprendizaje automático, sugiere los recursos destinados a cada caso. El algoritmo aquí es una ayuda a la decisión que finalmente toma el profesional que trata el caso —es importante remarcar que el algoritmo hace una recomendación después de que el profesional haya recomendado el recurso a la persona usuaria: en ningún caso se automatiza ninguna decisión o recomendación.

- *Anonimización de imágenes capturadas por drones para gestionar el espacio público.* Durante el año 2022, el Ayuntamiento de Barcelona usó la inteligencia artificial para anonimizar imágenes capturadas por drones en el espacio público. Este proyecto piloto tenía como objetivo hacer más eficiente la gestión del aforo de las playas de Barcelona en tiempo real, y optimizar los recursos que el servicio responsable de playas pone a su disposición. El software de inteligencia artificial que se aplicaba a las imágenes capturadas por los drones anonimizaba las caras de las personas que aparecían, y hacía un recuento automático de estas.

Estos son solo algunos ejemplos de proyectos piloto. El Atlas de Inteligencia Artificial Urbana, impulsado por el Observatorio de Inteligencia Artificial Urbana, una iniciativa de los ayuntamientos de Barcelona, Ámsterdam y Londres, en colaboración con el CIDOB y ONU-Habitat, recoge los proyectos de inteligencia artificial urbana que están llevando a cabo varias ciudades de todo el mundo.

III. POR UNA INTELIGENCIA ARTIFICIAL GARANTISTA CON LOS DERECHOS HUMANOS Y LOS VALORES DEMOCRÁTICOS

Como comentábamos en la introducción, la implementación de tecnologías basadas en inteligencia artificial en el ámbito público lleva asociados algunos riesgos. Para mitigarlos, es fundamental establecer mecanismos de gobernanza, supervisión y transparencia, así como establecer los principios que regirán la implementación de este tipo de tecnologías. Desde el año 2020, en el Ayuntamiento de Barcelona hemos trabajado desde los ámbitos político y técnico para conseguirlo.

En junio del 2020, el Plenario del Consejo Municipal aprobó por unanimidad una declaración institucional en que se manifestaba el apoyo a un modelo tecnológico municipal ético y confiable. En 2021, el Ayuntamiento de Barcelona aprobó la Medida de Gobierno de la Estrategia municipal de algoritmos y datos para el impulso ético de la inteligencia artificial[2], la cual consta de alrededor de veinte acciones para introducir tecnología de inteligencia artificial en diferentes servicios municipales. La estrategia fija también el marco normativo y los siete principios rectores que hay que seguir en toda aplicación tecnológica: Acción y supervisión humana; Robustez técnica y seguridad; Privacidad y gobernanza de los datos; Transparencia Diversidad, inclusión y equidad; Compromiso social y ambiental y Responsabilidad, rendición de cuentas y control democrático.

Dada la importancia de estos siete principios rectores, sobre los que no solo pivota la estrategia, sino que impregnan el resto de actuaciones y acciones que se contemplan en la misma, vamos a detenernos brevemente en cada uno de ellos.

---

[2]   https://ajuntament.barcelona.cat/premsa/wp-content/uploads/2021/04/Mesura-de-Govern-Intel-ligencia-artificial_cat-v2.47-ca-ES_.pdf

- *Acción y supervisión humana.* Esta supervisión debe evitar perjuicios o efectos adversos del uso de la IA sobre las personas. Por lo tanto, cualquier aplicación tecnológica que afecte a las personas y sea impulsada por el Ayuntamiento de Barcelona debe estar bajo el control humano, incluso en circunstancias donde el aprendizaje automático o técnicas similares permiten a los algoritmos tomar decisiones automatizadas. Esta supervisión humana será proporcional al riesgo que comporte la tecnología emergente en cuestión para las personas: a más riesgo, más supervisión.

- *Robustez técnica y seguridad.* Los sistemas inteligentes impulsados por el Ayuntamiento de Barcelona deben ser seguros, fiables y suficientemente robustos durante todas las fases del ciclo de vida de la tecnología. Deben protegerse, tener resistencia a los ataques informáticos e intentos más sutiles de manipulación de datos o algoritmos, así como garantizar un plan alternativo en caso de presentar problemas de funcionamiento o aplicación. En este sentido, es imprescindible un enfoque preventivo de los riesgos para minimizar los daños involuntarios e imprevistos. Por último, deben llevarse a cabo evaluaciones de impacto de manera periódica, y someterse a pruebas y validaciones antes, durante y después de ser aplicada la IA.

- *Privacidad y gobernanza de los datos.* En todas las etapas de la vida de las tecnologías utilizadas —desde su diseño y por defecto—, debe garantizarse la privacidad y la protección de datos. De acuerdo con el Reglamento general de protección de datos (RGPD), se hará un uso legítimo y proporcional de los datos personales, evitando el abuso de consentimiento. Los datos personales recopilados deben ser pertinentes y no excesivos en relación con la finalidad para los que son procesados.

- *Transparencia e información.* Siempre que sea posible, el Ayuntamiento de Barcelona garantizará la trazabilidad de los sistemas inteligentes, registrará y documentará tanto las decisiones automatizadas como el resto del proceso. El Ayuntamiento abrirá (dará acceso al código) los algoritmos que desarrolle internamente y los que aplique en políticas públicas. También recomendará a las empresas abrir sus algoritmos. Igualmente, quedará garantizada la transparencia de los datos, y el motivo por el que se implementa un sistema inteligente en un servicio público.

- *Diversidad, inclusión y equidad.* Para prevenir y mitigar los riesgos de discriminación, ninguna aplicación tecnológica responsabilidad del

Ayuntamiento de Barcelona puede provocar ni perpetuar discriminaciones en razón de género, lengua, origen, etnia, creencias, edad, nivel de educación, discapacidades físicas o psíquicas, condiciones de salud o situación económica. Para garantizar la diversidad y la equidad, el Ayuntamiento de Barcelona habilitará mecanismos que aseguren la participación de la ciudadanía. También se garantizará la accesibilidad digital mediante un enfoque de diseño universal para las personas con discapacidad.

- *Compromiso social y ambiental.* Los sistemas inteligentes deben ser una ayuda para avanzar en la sostenibilidad, la igualdad social y la prosperidad económica, y deben contribuir a no dejar a nadie atrás. En este sentido, el Ayuntamiento de Barcelona ha hecho una apuesta por el cumplimiento de los 17 objetivos de desarrollo sostenible, y la IA es una oportunidad que debe ponerse al servicio de la Agenda 2030. El impacto de los algoritmos y los sistemas inteligentes se tienen que ver también desde la perspectiva global, y deben estar al servicio de la gobernanza democrática que defiende la ciudad de Barcelona.

- *Responsabilidad, rendición de cuentas y control democrático.* Se establecerán los mecanismos para garantizar la responsabilidad y la rendición de cuentas de la IA y sus resultados, tanto antes como después de su implantación. Igualmente, el Ayuntamiento de Barcelona habilitará los recursos necesarios para una reparación rápida y adecuada de cualquier daño que pueda haber sufrido la ciudadanía en el desarrollo, despliegue o uso de los sistemas de IA que les afecten. El Gobierno municipal velará, en todo caso, por que el diseño y la implementación de sistemas de IA con afectaciones en el ámbito comunitario o cívico de la ciudad cuenten con la participación de las comunidades o colectivos afectados.

1. Protocolo interno para la implementación de sistemas algorítmicos y órganos de gobernanza

Una de las acciones clave que preveía la Estrategia de Inteligencia Artificial era la aprobación del documento "Protocolo de definición de metodologías de trabajo y protocolos para la implementación de sistemas algorítmicos"[3], que entró en vigor en diciembre del 2022. El Protocolo define

---

[3] https://ajuntament.barcelona.cat/digital/es/blog/protocolo-para-implantar-la-inteligencia-artificial-en-todos-los-servicios-municipales-con

los mecanismos de salvaguardia de derechos que tienen que existir en cada etapa de la licitación y la implementación de un sistema algorítmico por parte del Ayuntamiento de Barcelona, y establece los órganos de gobernanza y supervisión que velarán para que el impacto de la inteligencia artificial (IA) se alinee con los principios éticos. Se trata de un documento pionero en cuanto a la regulación y gobernanza de los sistemas algorítmicos en el ámbito local, puesto que es el primero en combinar el proceso de contratación pública, el ciclo de vida de un sistema algorítmico, los mecanismos que tiene el Ayuntamiento en cuanto a la protección de datos y los estándares éticos definidos por varias administraciones y organizaciones.

Este protocolo define que el Ayuntamiento de Barcelona evaluará el riesgo de cada sistema algorítmico que se quiera implementar, basándose en la clasificación de riesgos hecha por la Comisión Europea en el marco del Reglamento de Inteligencia Artificial. El protocolo establece diferentes tipos de mecanismos de garantía en función del nivel de riesgo del sistema que se licita.

Los sistemas algorítmicos de riesgo inaceptable —los que suponen una clara amenaza para la seguridad y los derechos de las personas— serán rechazados automáticamente, mientras que para el resto de sistemas se establecerán mecanismos en función del nivel de riesgo. Para los sistemas algorítmicos de alto riesgo —los que tienen un impacto directo en los derechos fundamentales de las personas—, este protocolo prevé una serie de mecanismos de garantía más estrictos que para los considerados de riesgo limitado o mínimo, como los estudios de impacto algorítmico elaborados por un consejo asesor externo o la creación de mecanismos de comunicación y transparencia, como los registros de algoritmos.

En el marco de la Estrategia y el Protocolo se han creado dos órganos de gobernanza que tienen un papel clave en la supervisión de los sistemas algorítmicos. Por un lado, la Comisión Transversal para el Impulso de la Inteligencia Artificial Ética, un órgano de coordinación donde están representadas las diversas áreas y organismos municipales que tienen una relación con el despliegue de sistemas algorítmicos y, por otro, el Consejo Asesor en Inteligencia Artificial, Ética y Derechos Digitales[4], formado por 15 expertos independientes, y que tiene como misión asistir y asesorar al Ayuntamiento en materia de uso de la inteligencia artificial para el bien

---

[4]   https://ajuntament.barcelona.cat/premsa/2023/04/08/lajuntament-de-barce-lona-crea-un-consell-assessor-en-intelligencia-artificial-i-nomena-els-experts-inde-pendents-que-en-formaran-part/

común y evaluar el impacto de los sistemas algorítmicos en los derechos fundamentales de las personas antes de implementarlos, puesto que una de sus funciones es la de emitir estudios de impacto algorítmico.

Nos vamos a detener en el consejo asesor dado que constituye una de las piezas de gobernanza más importantes del sistema de garantías de derecho en la aplicación de sistemas algorítmicos por parte del Ayuntamiento. Se trata de una composición, tal y como se recoge en los decretos de creación[5] y nombramiento[6], plural y paritaria. Se ha buscado que las trayectorias y las disciplinas que componen el consejo sean diversas, con un equilibrio entre perfiles de tipo más científico tecnológico y perfiles jurídicos sociales. Los miembros forman parte del consejo asesor sin remuneración, con excepción de la redacción de informes, y lo hacen con un mandato de cinco años, prorrogable durante cinco años más.

La importancia de dicho consejo asesor es doble; en primer lugar, porque se trata de un órgano externo de control a la actuación administrativa y por tanto facilita la transparencia. Y, en segundo lugar, y seguramente la razón más importante, porque se trata del órgano que deberá emitir un informe de impacto algorítmico previo a la contratación de un servicio algorítmico por parte del Ayuntamiento en caso de que se haya determinado riesgo alto. La solicitud de dicho informe es preceptiva pero no vinculante y por tanto recaerá en el servicio o área que impulse dicha contratación tener en cuenta el contenido del informe o justificar porque se desvía de las indicaciones emitidas por el Consejo llegado el caso.

El resto de las funciones recogidas en el decreto de constitución son las siguientes.

- Asesorar al equipo de gobierno del Ayuntamiento de Barcelona en materia de uso de la Inteligencia Artificial para el bien común desde una amplia y global visión.

- Proponer actuaciones y proyectos con el objetivo de que Barcelona se convierta en una ciudad referente del humanismo tecnológico y proponer políticas públicas innovadoras para garantizar los derechos digitales de la ciudadanía

- Evaluar el desarrollo de la Estrategia Municipal de Algoritmos y Datos para el Impulso Ético de la Inteligencia Artificial y conocer y

---

[5] https://bcnroc.ajuntament.barcelona.cat/jspui/handle/11703/129915
[6] https://bcnroc.ajuntament.barcelona.cat/jspui/handle/11703/130018

proponer mejoras para el cumplimiento de los objetivos y la realización de sus actuaciones.

Las normas de funcionamiento que son aprobadas por el mismo consejo también prevén una serie de aspectos de corte más organizativo haciendo referencia a la periodicidad de las reuniones, siendo estas ordinarias y extraordinarias. También está prevista la posibilidad de creación de grupos de trabajo en el seno del propio consejo y con carácter temporal con el fin de estudiar y preparar determinados asuntos en el ámbito de la ética, los derechos y la no discriminación de la Inteligencia Artificial.

2.   *Los registros de algoritmos*

Una de las acciones que el Ayuntamiento de Barcelona tiene previsto desarrollar es el registro de algoritmos. Los registros de algoritmos son portales web públicos donde cualquier persona puede informarse sobre los sistemas algorítmicos que usan las administraciones públicas. En el ámbito local, las ciudades de Ámsterdam y Helsinki han sido pioneras en el desarrollo de estas herramientas, y cada vez más ayuntamientos están implementando este tipo de portales fundamentales para garantizar la transparencia de los sistemas algorítmicos.

Los registros de algoritmos son una herramienta útil para documentar, de manera estandarizada e indexable, las decisiones y supuestos que ha tomado una administración pública sobre un sistema algorítmico durante todo su ciclo de vida: desarrollo, implementación, gestión y, en última instancia, desmantelamiento.

Para la ciudadanía, un registro de algoritmos es un medio para conocer qué algoritmos usa el Ayuntamiento y cómo estos afectan sus vidas, pero también para incidir y participar en las decisiones sobre el despliegue de estos. Para los gobiernos locales, puede ser una herramienta para gestionar la gobernanza de aquellos servicios públicos donde los algoritmos ejercen un papel destacado, especialmente en el proceso de desarrollo y funcionamiento, de acuerdo con los principios de responsabilidad, transparencia y seguridad de los servicios públicos.

En un registro de algoritmos se puede encontrar información sobre el área responsable del sistema dentro de la organización y un correo electrónico de contacto. Además, informa sobre los datos que se han utilizado para entrenar el algoritmo, el modelo de procesamiento de la información, qué discriminaciones, riesgos y mitigaciones se han detectado y cómo se implementa la supervisión humana.

En el caso del Ayuntamiento de Barcelona se ha trabajado bajo una hoja de ruta que situaba la creación del registro de algoritmos como la última pieza para constituir el sistema integral de transparencia y protección de derechos. Hemos creído, y así se ha llevado a cabo, que para poder transparentar la información primero deberíamos tener bien organizado y sistematizado los procedimientos internos. Así mismo, la construcción de un sistema de gobernanza que explique, guíe y acompañe el poder transparentar los sistemas algorítmicos nos ha parecido determinante. En este sentido, a fecha de hoy, junio de 2023 aún no existe el registro de algoritmos. De hecho, será clave poder dotarnos primero de otra pieza fundamental del sistema como es la redacción de un clausulado estándar para la adquisición en el mercado de sistemas algorítmicos por parte del ayuntamiento. Será muy importante poder balancear los principios de transparencia y trazabilidad con los de la propiedad intelectual y las patentes de software a la hora de dotarnos como Ayuntamiento de dichas aplicaciones algorítmicas.

Mientras tanto, y para avanzar en la definición de qué debería contener un registro de algoritmos, Barcelona, conjuntamente con 8 ciudades europeas, colaborando en el marco de Eurocities, ha participado en la estandarización del esquema de datos que establece la información que se tiene que publicar en dicho registro[7]. Se trata de un estándar común e interoperable que cualquier administración puede usar: una herramienta clave para garantizar que se publica toda aquella información necesaria para poder comprender el funcionamiento de los algoritmos y sus riesgos asociados.

De forma breve, destacamos algunos de los elementos que, a partir de seis categorías principales, configurarán el registro de algoritmos.

- *Información básica.* Bajo este apartado se recoge el nombre del algoritmo, así como una breve descripción del mismo. También aspectos más organizativos; a saber: departamento responsable y contacto, ya sea mail o teléfono. También explicitar sobre que vertical, derechos sociales, educación, tráfico, etc., va a ser aplicado. Por último, también incluye información sobre en qué fase se encuentra la implementación del algoritmo; en estudio, en construcción, en licitación, en piloto u operativo.

- *Caso de uso.* Esta categoría explica de manera detallada cuál es la aplicación del sistema algorítmico y sus consecuencias. Así, en pri-

---

[7] https://eurocities.eu/latest/nine-cities-set-standards-for-the-transparent-use-of-artificial-intelligence/

mer lugar, encontraremos información relativa a cuáles son los objetivos que perseguimos a través de la política o proceso de decisión que va a apalancarse en un sistema algorítmico y cuál es el papel de la aplicación, así como una descripción de cuál va a ser el impacto en su uso. Cómo va a interactuar y afectar a las personas, tanto de manera individual como de manera colectiva. Lógicamente cuando hablamos de impacto deberemos contemplar el riesgo y también recoger de manera explícita en el registro de algoritmos de qué tipo de riesgos estamos hablando. Finalmente deberemos recoger porque el uso del algoritmo es algo razonablemente necesario y proporcionado: es decir, cuáles son los beneficios esperados y cuáles son los potenciales daños esperados.

- Datos. Lo sabemos y lo repetimos. Los datos alimentan los sistemas algorítmicos y en múltiples ocasiones son éstos los que pueden introducir todo tipo de sesgos en los resultados del sistema. Para evitar las desviaciones en origen resulta imprescindible dotarnos de una infraestructura del dato de calidad y documentar la información relacionada con los datos en el registro de algoritmos. Así será básico explicar con qué bases de datos y fuentes hemos contado a la hora de entrenar y alimentar el sistema algorítmico. También deberemos describir si los conjuntos de datos contienen sesgos y si así fuese cuales son los elementos correctores. Por último, en este apartado recogeremos como hemos protegido los datos acorde con la normativa y de qué manera se garantiza la anonimización de los mismos en el caso de datos individuales.

- *Algoritmo.* Este apartado se centra de manera concreta en el algoritmo. En primer lugar, da a conocer qué tipo de algoritmo es y en segundo lugar ofrece una breve descripción del mismo. En esta descripción será importante detallar cómo funciona el algoritmo y cuáles son los aspectos importantes para conocer el funcionamiento del mismo; cómo procesa los datos y cuál es el mecanismo de decisión. Será conveniente, especialmente si se trata de un algoritmo de código abierto, poder acceder al código público. Por último, deberemos recoger los posibles estudios de impacto algorítmico que se hayan llevado a cabo.

- *Supervisión.* Bajo este epígrafe describiremos cuál es el desempeño esperado del algoritmo, cómo es monitorizado y quien lleva a cabo dicha supervisión. También deberemos recoger si el algoritmo es usado con fines descriptivos, de diagnóstico, predictivos o prescriptivos. Dicha información debería facilitarnos la identificación del riesgo del sistema. Finalmente, y teniendo en cuenta el principio de supervisión humana, deberíamos recoger los resultados y determinar cómo y cuándo los humanos pueden intervenir en ellos.

- *Metadatos.* Por último, en este apartado haremos referencia a cuál es la versión estándar de registro de algoritmos utilizada, a los identificadores únicos de los registros, el idioma en qué fue publicado, la fecha y los posibles cambios, así como sus revisiones. Cualquier palabra clave que pudiese ayudar a encontrar la información también será objeto del registro de algoritmos.

IV. APRENDIZAJES Y RECOMENDACIONES

Algunos de los aprendizajes que hemos adquirido en los últimos tres años desplegando la Estrategia y las acciones que se preveían pueden ser útiles para otras administraciones públicas que estén empezando a plantearse cómo implementar la inteligencia artificial. A continuación, planteamos algunas recomendaciones prácticas.

1. *Antes de desplegar cualquier proyecto de inteligencia artificial, tenemos que "ordenar la casa".* Es importante establecer el marco de gobernanza, los procesos y los mecanismos o órganos de supervisión, coordinación y responsabilidad, siempre teniendo en cuenta que no debemos actuar en detrimento de la agilidad. Hay que involucrar, en la gobernanza de la inteligencia artificial, a todos los departamentos y áreas que, de alguna forma, tendrán relación con los mismos: como que herramienta que se puede aplicar en una gran variedad de servicios —desde los servicios sociales hasta la movilidad, la gestión del espacio público, o la seguridad—, es necesario falta que sus responsables estén involucrados en la toma de decisiones. Es clave, también, trabajar de la mano de los servicios jurídicos, de los servicios de contratación y del delegado de protección de datos, para incorporar los mecanismos de garantía en los procesos ya existentes, como, por ejemplo, añadiendo cláusulas específicas para los sistemas algorítmicos en la contratación de estos, o garantizando que los sistemas algorítmicos que incluyen el tratamiento de datos personales cumplen con los mecanismos existentes de protección de datos.

2. *Apostar por los pilotos.* Introducir la inteligencia artificial en la provisión de servicios públicos no es una tarea que se pueda hacer de un día para otro. A menudo, los proyectos de inteligencia artificial —y de innovación, en general— pueden despertar reticencias o resistencias dentro de la

organización, porque el hecho que sean nuevos y que no haya experiencias previas que demuestren unos buenos resultados puede generar desconfianza. Además, la inteligencia artificial también requiere el desarrollo de nuevas competencias y de la sensibilización del personal municipal. Por último, es importante poder testear y probar los sistemas algorítmicos antes de comprometer un uso a largo plazo para ver si estos se adecuan a la tarea que tienen que llevar a cabo y si son la mejor alternativa para hacerlo. Por todo esto, es recomendable empezar a implementar la inteligencia artificial a través de proyectos piloto que permitan recoger feedback sobre el propio sistema. Durante todo el piloto, hay que recoger errores y aciertos e incorporarlos como aprendizajes, tanto para el propio desarrollo del piloto como en los protocolos y mecanismos de gobernanza de la IA del ayuntamiento.

3. *Es necesario medir el impacto de los sistemas algorítmicos en los derechos fundamentales de las personas, y adaptar las garantías o las prohibiciones a estos niveles de riesgo.* Antes de comprometer la utilización de un sistema algorítmico, hay que examinar el riesgo, y para hacerlo es necesario tener el conocimiento *in-house* que lo permita. Es recomendable no implementar sistemas algorítmicos de riesgo inaceptable, e introducir mecanismos como los estudios de impacto algorítmico para los sistemas de alto riesgo. Estos estudios examinan el impacto de los sistemas algorítmicos y proponen medidas de mitigación de estos, y los puede llevar a cabo el personal municipal, o se puede contar con expertos externos para hacerlo. Es muy recomendable involucrar a la sociedad civil y a las personas o colectivos potencialmente afectados por el sistema para definir una mitigación de riesgos adecuada y tomar decisiones sobre el sistema teniendo en cuenta el parecer de las personas a quienes afectará.

4. *En un campo tan cambiante y nuevo como la gobernanza de la inteligencia artificial, hay que involucrar una gran variedad de actores y recoger e incorporar aprendizajes de manera continua y flexible.* Las decisiones sobre cómo se implementa y se gobierna la inteligencia artificial no se pueden tomar de manera vertical, unívoca y unidireccional desde el Ayuntamiento: hay que incorporar las visiones de la cuádruple hélice (sociedad civil, sector privado, academia, administraciones públicas), y establecer protocolos y marcos de gobernanza ágiles y flexibles, que sean un trabajo continuo que permita ir incorporando las demandas de los actores implicados y los aprendizajes adquiridos: teniendo en cuenta el ritmo acelerado con que avanza el campo de la IA, muy probablemente, lo que decidamos hoy quedará desfasado dentro de poco.

El marco regulatorio europeo todavía se está definiendo. Mientras tanto, las administraciones públicas tenemos herramientas. El Reglamento Europeo de Inteligencia Artificial es una pieza legislativa clave que armonizará y regulará la puesta en el mercado de los sistemas algorítmicos, introduciendo requisitos de seguridad. Ahora mismo, sin embargo, tenemos un marco regulatorio que cubre parcialmente algunos aspectos de la IA —como, por ejemplo, el Reglamento General de Protección de Datos y la Ley Orgánica de Protección de Datos o, en el ámbito español, la ley 15/2022, integral para la igualdad del tratamiento y la no discriminación—. Hasta entonces no nos podemos quedar con los brazos cruzados: hace falta que, si implementamos sistemas de IA, lo hacemos con garantías y de manera democrática y transparente.

En esto, la contratación se vuelve una herramienta clave: en una licitación —y en el contrato que se deriva de ella—, las administraciones públicas tenemos la oportunidad de definir las reglas del juego y establecer los requisitos mínimos y las obligaciones contractuales con las que tendrá que cumplir el proveedor. Es en este momento que podemos pedir, por ejemplo, que las bases de datos que se usan para entrenar un algoritmo no tengan ningún sesgo, o que se nos garantice el acceso al código para poderlo publicar. En este sentido, las administraciones públicas, más que meras consumidoras de servicios TIC, podemos adoptar el rol de "dar forma al mercado", tomando prestada esta expresión de Mariana Mazzucato. Este rol es clave para definir, ahora qué podemos, las reglas del juego para una gobernanza de la IA en pro de los valores democráticos y el bien común. De hecho, uno de los aprendizajes que hemos adquirido trabajando en red con otras ciudades en el marco de Eurocities o de la Cities Coalition for Digital Rights es que los ayuntamientos a menudo somos pioneros en cuanto a la regulación de las nuevas tecnologías, y que otras administraciones y organizaciones internacionales acaban adoptando las buenas prácticas que impulsamos desde las ciudades.

5. *¿Transparencia? Siempre, pero que tenga sentido.* La transparencia algorítmica identifica "el principio según el cual los factores que intervienen en las decisiones tomadas por los algoritmos tendrían que ser visibles, conocidas, auditables y explicables a las personas que utilizan, regulan y son afectadas por los sistemas que usan estos algoritmos".

Una de las herramientas clave para garantizar la transparencia algorítmica y poner a disposición de cualquier parte interesada la información sobre qué sistemas algorítmicos usa un ayuntamiento son los registros de algoritmos, como ya hemos explicado. Los registros de algoritmos son una herramienta con un potencial enorme para accionar la explicabilidad y transparencia algorítmicas en la implementación de servicios públicos más eficientes y proactivos. Sin embargo, uno de los aprendizajes fundamentales de las experiencias de Ámsterdam y Helsinki ha sido que, más allá de crear una web y publicar algunos sistemas algorítmicos, todavía queda un largo camino para establecer criterios sobre cómo y qué se publica, dotarlos de una gobernanza clara en su despliegue y, en última instancia, conseguir que sean más que una web que "está bien tener".

6. *Un reto para resolver: ¿propiedad intelectual vs. transparencia?*

Las administraciones públicas tienen que poder explicar siempre por qué y cómo se ha tomado una decisión y cómo se ha fundamentado un procedimiento administrativo. Esto aplica, también, a las decisiones o procedimientos administrativos que se han llevado a cabo mediante un algoritmo. Para conseguir garantizar esta explicabilidad algorítmica debemos que crear un marco de colaboración y unas condiciones que permitan compartir la información necesaria, sobre todo cuando no es la administración quien desarrolla y opera el sistema, sino que lo hace un proveedor externo.

Una de las herramientas más útiles para poder establecer este marco de colaboración son las cláusulas de contratación, como ya hemos comentado. El reto, en este sentido, es definir qué información tiene que facilitar el proveedor para encontrar un equilibrio que permita explicar de manera transparente por qué y cómo un sistema algorítmico ha tomado una decisión mientras se garantiza la protección de la propiedad intelectual del sistema y la seguridad de este.

Es aquí donde empieza el debate: ¿hay que facilitar el acceso al código a la ciudadanía? O con proporcionar información sobre cómo funciona el sistema —explicando, por ejemplo, qué métodos usa, o qué bases de datos de entrenamiento se han empleado— sería suficiente? ¿O hay que proporcionar ambos tipos de información —acceso al código y a la documentación técnica, y una explicación clara sobre cómo funciona el sistema—?

V. REFLEXIONES FINALES

Como hemos argumentado durante este artículo, las tecnologías basadas en inteligencia artificial y los datos ofrecen muchas posibilidades a las administraciones públicas para proveer servicios públicos más proactivos a la ciudadanía, así como para agilizar procesos internos y dotarlos de más valor añadido. Tenemos que aprovechar estas oportunidades, pero debemos hacerlo de forma crítica, garantizando que la implementación de las tecnologías basadas en inteligencia artificial se produzca de manera democrática, segura e inclusiva, fomentando la reflexión crítica y garantizando la participación y lo co-diseño con la ciudadanía.

Nos encontramos ante una época de cambios o quizás, incluso, ante un cambio de época. Ciertamente, nuestra época está marcada por cambios acelerados y complejos a todos los niveles, entre los cuales, la inteligencia artificial destaca de manera diferenciada. Son cambios que se producen de manera concentrada, que hacen que gestionar la realidad se vuelva difícil. Aun así, y antes de que nos coja vértigo, es importante tener presente que, por mucho que el entorno cambie, en esencia las respuestas que queremos dar van de garantizar los derechos, la igualdad, la inclusión y de hacer que nadie quede atrás. Y esto no es nuevo, y sabemos cómo hacerlo.

Cuándo deben crearse registros y dar transparencia a los algoritmos y sistemas de inteligencia artificial públicos

Lorenzo Cotino Hueso[1]

Catedrático de Derecho Constitucional de la Universitat de València. Valgrai

I. UNA APROXIMACIÓN A LAS EXIGENCIAS DE TRANSPARENCIA DE LOS ALGORITMOS PÚBLICOS Y LA NORMATIVA ACTUALMENTE EXISTENTE

Hoy por hoy las exigencias de transparencia de los sistemas automatizados, algoritmos y sistemas de IA públicos[2] derivan de por directas exigencias constitucionales (arts. 9.3, 24 CE) que en buena medida requieren su desarrollo y precisión legal. En este sentido, cabe partir de las regulaciones legales generales. Así, la regulación de la transparencia algorítmica se encuentra en de la normativa de protección de datos en general, así como por sus exigencias especiales respecto de decisiones automatizadas (art. 22

---

[1] cotino@uv.es. OdiseIA. El presente estudio es resultado de investigación del proyecto: "Derechos y garantías públicas frente a las decisiones automatizadas y el sesgo y discriminación algorítmicas" (PID2022-136439OB-I00); Retos "Derechos y garantías frente a las decisiones automatizadas... (RTI2018-097172-B-C21); "La regulación de la transformación digital ..." grupo de investigación de excelencia Generalitat Valenciana "Algoritmic law" (Prometeo/2021/009, 2021-24); "Algorithmic Decisions and the Law: Opening the Black Box" (TED2021-131472A-I00) y "Transición digital de las Administraciones públicas e inteligencia artificial" (TED2021-132191B-I00) del Plan de Recuperación, Transformación y Resiliencia. Estancia Generalitat Valenciana CIAEST/2022/1. ELPIS: Análisis de datos para la toma de decisiones espaciales e inteligencia artificial para la administración, Grupo de Investigación en Derecho Público y TIC Universidad Católica de Colombia; MICINN prueba de concepto "Registro público de algoritmos" (Ref: PDC2022-133890-I00) 2022-2023

[2] Cabe remitir a la primera monografía en español sobre el tema, L. Cotino Hueso y J. Castellanos (coords.), *Transparencia y explicabilidad de la inteligencia artificial*, Tirant lo Blanch, Valencia, 2022, acceso abierto en https://www.uv.es/cotino/publicaciones/libroabiertotp22.pdf

RGPD y afines). También hay algunas normativas sectoriales (como la *ley rider* –art. 64.4.d) Estatuto de los Trabajadores).

En el contexto del sector público[3] la transparencia algorítmica se da por algunas regulaciones específicas aplicables (art. 41 Ley 40/2015, arts. 13 y 11 artículo 13 Real Decreto 203/2021). Más positivas son regulaciones novedosas como la ley valenciana, así como el artículo 23 Ley 15/2022 y el Decreto-ley 2/2023, de 8 de marzo, de medidas urgentes de impulso a la inteligencia artificial en Extremadura, inspirados expresamente en el apartado XVIII de la Carta de Derechos Digitales.

En todo caso, aunque no está aprobado, cabe tener en cuenta la regulación de la transparencia interna (entre proveedor y usuario del sistema) exigida en razón del el futuro Reglamento de IA de la UE (RIA).

Además de la normativa, en este estudio se acude a las autoridades de referencia (normalmente internacionales, europeas y comparadas) que van detallando las exigencias normativas o van proponiendo los estándares de transparencia deseables en general o en particular para el sector público. En este punto hay que destacar desde ya los especiales aportes para la transferencia autolimita pública, por el ICO inglés[4], desde Países Bajos (en especial Directrices, 2021[5]) y desde el Etalab

---

[3]   Sobre la transparencia de los algoritmos públicos, J. Jiménez López, "Oscuridad algorítmica en el sector público", en G. Vestri, *Disrupción tecnológica en la administración pública retos*, Aranzadi, Cízur 2022 y A. Boix Palop y A. Soriano Arnanz, "Transparencia y control del uso de la inteligencia artificial por las administraciones públicas", F. Balaguer y L. Cotino, *Derecho público de la inteligencia artificial*, F. Jiménez Abad-Marcial Pons, 2023. También, I. Martín, "La aplicación del principio de transparencia a la actividad administrativa", en E. Gamero (Dir.), *Inteligencia artificial y sector público: retos, límites y medios*, Tirant lo Blanch, Valencia, pp. 132-195.

[4]   ICO (Information Comissioner Office), *What do we need to do to ensure lawfulness, fairness, and transparency in AI systems?*, ICO, 2021, https://ico.org.uk/for-organisations/guide-to-data-protection/key-dp-themes/guidance-on-ai-and-data-protection/what-do-we-need-to-do-to-ensure-lawfulness-fairness-and-transparency-in-ai-systems/ Y de especial utilidad los estándares ICO (Information Comissioner Office), *Algorithmic transparency data standard*, ICO, 2021 (última versión julio 2022), https://www.gov.uk/government/collections/algorithmic-transparency-standard También, ICO y Alan Turing Institute, *Explaining decisions made with Artificial Intelligence*, 2020, https://ico.org.uk/for-organisations/guide-to-data-protection/key-dp-themes/explaining-decisions-made-with-ai/

[5]   De particular interés los criterios generales afirmados en el documento Directrices para el sector público, Ministerie van Justitie en Veiligheid (Ministerie van Justitie en Veiligheid), Rijksoverheid (Gobierno central), *Richtlijnen voor het toepassen van algoritmen door overheden en publieksvoorlichting over data-analyses (Pau-*

francés[6]. Por su parte, los organismos de normalización técnica NIST (EEUU), ISO, CEN CENELEC (UE) por lo general abordan —e incipientemente— la transparencia interna, no la transparencia dirigida al público en general[7].

La implantación de esta obligación no es sencilla[8] y se pretende superar experiencias voluntarias como las del City of Helsinki AI Register[9] o el de Ámsterdam[10]. En Francia destaca el inventario de algoritmos de la ciudad

---

tas para la aplicación de algoritmos por parte de los gobiernos y educación pública sobre análisis de datos), Directiva (Richtlijn), de 08-03-2021, https://www.rijksoverheid. nl/documenten/richtlijnen/2021/09/24/richtlijnen-voor-het-toepassen-van-algoritmen-door-overheden-en-publieksvoorlichting-over-data-analyses#:~:text=Rijksoverheid—,Richtlijnen%20voor%20het%20toepassen%20van%20algoritmen,en%20publieksvoorlichting%20over%20data%2Danalyses.&text=Doel%20van%20de%20richtlijnen%20is,de%20publieksvoorlichting%20daarbij%20door%20overheden

[6] Etalab, *Expliquer les algorithmes publics,* Etalab, 2022, https://guides.etalab.gouv.fr/pdf/guide-algorithmes.pdf

[7] Son variados los estándares existentes que hacen referencia a la transparencia algorítmica. Para EEUU cabe señalar los primeros trabajos NIST, *AI Risk Management Framework: Initial Draft*, 17 de marzo de 2022, https://www.nist.gov/document/ai-risk-management-framework-initial-draft Asimismo, con importante presencia de la transparencia, NIST; R. Schwartz y otros, *Towards a Standard for Identifying and Managing Bias in Artificial Intelligence, Special Publication* 1270 (NIST SP), National Institute of Standards and Technology, Gaithersburg, MD, 2022 https://doi.org/10.6028/NIST.SP.1270
En el contexto de ISO cabe remitir ISO/IEC TR 24027 *Sesgo en sistemas de IA y toma de decisiones asistida por IA* ISO/IEC TR 24029-1 *Evaluación de la robustez de la red neuronal ISO 26000 Guía sobre responsabilidad social).* Y en desarrollo: ISO/IEC DIS 23894 *Gestión de riesgos*, ISO/IEC AWI TS12791 *Tratamiento del sesgo no deseado en la clasificación y tareas de aprendizaje automático de regresión* así como ISO/IEC AWI 12792 *Taxonomía de transparencia de los sistemas de IA.*
En el contexto de CEN CENELEC de la Unión Europea, se sigue en 2022 el proceso de adopción de las primeras normas, cabe destacar la CEN/CLC/JTC 21 – *Artificial Intelligence.*

[8] Quien suscribe dirige el grupo de investigación de la Universidad de Valencia que suscribe un Convenio de colaboración Científica con la Dirección General de Transparencia desde 2022 para los estudios e investigación de la implantación de la publicidad activa de los sistemas algorítmicos y de inteligencia artificial usados por el sector público, exigida por la Ley 1/2022, de 13 de abril.

[9] https://ai.hel.fi/en/ai-register/

[10] https://algoritmeregister.amsterdam.nl/en/ai-register/

de Antibes Juan-les-Pins[11] y las listas de algoritmos de Nantes-Métropole[12] y de Pôle Emploi[13]. Ciertamente en Reino Unido, Francia o Países Bajos se trata de acciones de gran profundidad. Aún sin que sea obligatorio normativamente quizá el mejor ejemplo en España lo brinda el ámbito de Barcelona.

1.   La transparencia de los algoritmos públicos en la Carta de Derechos Digitales

Se ha adelantado una visión de conjunto de la normativa actualmente existente. Pese a que no se trate de un texto jurídico normativo y, por tanto, vinculante, resulta importante tener en cuenta la Carta de Derechos Digitales, adoptada por el Gobierno español en 2021[14]. Por cuanto a la transparencia y explicabilidad, además del tratamiento general de la participación y transparencia en la Carta[15], en particular cabe tener en cuenta los apartados XXV Derechos ante la inteligencia artificial, en particular por cuanto su el XXV. 2 b "dispone" que "*Se establecerán condiciones de transparencia, auditabilidad, explicabilidad, trazabilidad, supervisión humana y gobernanza. En todo caso, la información facilitada deberá ser accesible y comprensible.*"

Ya en particular, el apartado XVIII Derechos digitales de la ciudadanía en sus relaciones con las Administraciones públicas[16] en su punto 6 sobre "derechos de la ciudadanía en relación con la inteligencia artificial" para el sector público, además de la afirmación del "buen gobierno y el derecho a una buena Administración digital", que sin duda está relacionado con la transparencia. En todo caso, se afirma de modo concreto la necesidad de transparencia sobre el uso y aplicación, los datos, margen de error, carácter o no decisorio y se remite al desarrollo legal, con mención incluso del acceso al código fuente (b)[17]. Y ello viene además acompañado del derecho a

---

[11]   https://www.antibes-juanlespins.com/administration/acces-aux-documents-administratifs

[12]   https://data.nantesmetropole.fr/pages/algorithmes_nantes_metropole/

[13]   https://www.pole-emploi.fr/candidat/algorithmes.html

[14]   L. Cotino Hueso, (ed.), *La Carta de Derechos Digitales*, Tirant Lo Blanch, Valencia, 2022.

[15]   Por todos, J. Castellanos Claramunt, "El derecho a la participación ciudadana por medios digitales (XVI)", en L. Cotino Hueso (dir.), *La Carta de Derechos Digitales*, Tirant lo Blanch, pp. 225-250

[16]   En particular, "Derechos ante la administración digital y la inteligencia artificial (XVIII Y XV)", en la obra supra citada, pp. 251-284.

[17]   "b) La transparencia sobre el uso de instrumentos de inteligencia artificial y sobre su funcionamiento y alcance en cada procedimiento concreto y, en particular,

"obtener una motivación comprensible", "con justificación de las normas" y de "los criterios de aplicación de las mismas al caso", así como explicación de por qué la decisión humana "se separe del criterio propuesto por un sistema automatizado o inteligente." Se trata sin duda de unos contenidos sustantivos que deben inspirar futuras regulaciones.[18] Asimismo, no debe olvidarse que el uso de algoritmos en el ámbito de salud es bien relevante y al respecto el apartado *XXIII Derecho a la protección de la salud en el entorno digital* en su punto 5° afirma entre otros elementos "la transparencia sobre el uso de algoritmos, la accesibilidad y el pleno respeto de los derechos fundamentales del paciente y en particular su derecho a ser informado"[19].

2. Ley 15/2022, de 12 de julio, integral para la igualdad de trato y la no discriminación

La Ley 15/2022 es la primera norma estatal que expresa la proyección de los contenidos de la Carta de Derechos digitales. Pese a que no sean prescriptivas, incluye referencias a la transparencia algorítmica, de especial interés en el ámbito de los sesgos de los algoritmos. Así, "las administraciones públicas favorecerán la puesta en marcha de mecanismos para que los algoritmos involucrados en la toma de decisiones que se utilicen en las administraciones públicas tengan en cuenta criterios de minimización de sesgos, *transparencia y rendición de cuentas*, siempre que sea factible técnicamente. En estos mecanismos se incluirán su diseño y datos de entrenamiento" (21°). Asimismo, "*2. Las administraciones públicas, en el marco de sus*

---

acerca de los datos utilizados, su margen de error, su ámbito de aplicación y su carácter decisorio o no decisorio. La ley podrá regular las condiciones de transparencia y el acceso al código fuente, especialmente con objeto de verificar que no produce resultados discriminatorios."

[18] "c) Obtener una motivación comprensible en lenguaje natural de las decisiones que se adopten en el entorno digital, con justificación de las normas jurídicas relevantes, tecnología empleada, así como de los criterios de aplicación de las mismas al caso. El interesado tendrá derecho a que se motive o se explique la decisión administrativa cuando esta se separe del criterio propuesto por un sistema automatizado o inteligente."

[19] "5. Los entornos digitales de salud garantizarán, conforme a la legislación sectorial, la autonomía del paciente, la seguridad de la información, la transparencia sobre el uso de algoritmos, la accesibilidad y el pleno respeto de los derechos fundamentales del paciente y en particular su derecho a ser informado o renunciar a la información y a consentir en el tratamiento de sus datos personales con fines de investigación y en la cesión a terceros de tales datos cuando tal consentimiento sea requerido."

competencias en el ámbito de los algoritmos involucrados en procesos de toma de deci-siones, priorizarán la transparencia en el diseño y la implementación y la capacidad de interpretación de las decisiones adoptadas por los mismos."

3. Decreto 203/2021 para la Administración General del Estado

El Decreto 203/2021 da tímidos avances respecto de las actuaciones automatizadas. No obstante, las insuficiencias del artículo 41 Ley 40/2015 son palmarias y el artículo 13 Real Decreto 203/2021, de 30 de marzo, por el que se aprueba el Reglamento de actuación y funcionamiento del sector público por medios electrónicos en modo alguno las atempera. Así, para la AGE será precisa una resolución de autorización de las decisiones íntegramente automatizadas. Dicha resolución, expresando los recursos procedentes, se publicará en la sede de la AGE[20]. El contenido de la misma puede adivinarse en razón del artículo 11. 1º i), pues habrá de incluir una "relación actualizada de las actuaciones administrativas automatizadas vin-culadas a los servicios, procedimientos [...] Cada una se acompañará de la descripción de su diseño y funcionamiento, los mecanismos de rendición de cuentas y transparencia, así como los datos utilizados en su configura-ción y aprendizaje."[21] Asimismo, el artículo 13. 2º menciona genéricamente que la "resolución" "establecerá medidas adecuadas para salvaguardar los derechos y libertades y los intereses legítimos de las personas interesadas."

---

[20] Artículo 13. Actuación administrativa automatizada: "2. En el ámbito estatal la de-terminación de una actuación administrativa como automatizada se autorizará por resolución del titular del órgano administrativo competente por razón de la materia o del órgano ejecutivo competente del organismo o entidad de derecho público, se-gún corresponda, y se publicará en la sede electrónica o sede electrónica asociada. La resolución expresará los recursos que procedan contra la actuación, el órgano administrativo o judicial, en su caso, ante el que hubieran de presentarse y plazo para interponerlos, sin perjuicio de que las personas interesadas puedan ejercitar cual-quier otro que estimen oportuno y establecerá medidas adecuadas para salvaguardar los derechos y libertades y los intereses legítimos de las personas interesadas."

[21] "Artículo 11. Contenido y servicios de las sedes electrónicas y sedes asociadas. 1. Toda sede electrónica o sede electrónica asociada dispondrá del siguiente conte-nido mínimo a disposición de las personas interesadas: [...] h) Relación actuali-zada de los servicios, procedimientos y trámites disponibles
i) Relación actualizada de las actuaciones administrativas automatizadas vincula-das a los servicios, procedimientos y trámites descritos en la letra anterior. Cada una se acompañará de la descripción de su diseño y funcionamiento, los mecanis-mos de rendición de cuentas y transparencia, así como los datos utilizados en su configuración y aprendizaje."

4. Reglamento (UE) 2016/679, de 27 de abril de 2016 (de protección de datos)

La transparencia es un elemento esencial de la normativa de protección de datos. Además de la información general, cabe especialmente tener en cuenta la transparencia algorítmica específica por la combinación del artículo 22 para decisiones individuales automatizadas, incluida la elaboración de perfiles y los artículos 13 y 14 RGPD. Así se dispone la transparencia sobre la existencia de las decisiones e "información significativa sobre la lógica aplicada, así como la importancia y las consecuencias previstas de dicho tratamiento para el interesado"[22].

5. La primera regulación española de la inteligencia artificial: la Ley 1/2022 valenciana de transparencia (art. 16.1.l)

La Ley 1/2022, de 13 de abril, de la Generalitat, de Transparencia y Buen Gobierno de la Comunitat Valenciana en su artículo 16, sobre "Información de relevancia jurídica", dispone que:

1. Las administraciones públicas del artículo 3.2 deben publicar: […]

l) La relación de sistemas algorítmicos o de inteligencia artificial que tengan impacto en los procedimientos administrativos o la prestación de los servicios públicos con la descripción de manera comprensible de su diseño y funcionamiento, el nivel de riesgo que implican y el punto de contacto al que poder dirigirse en cada caso, de acuerdo con los principios de transparencia y explicabilidad.

Esta regulación se toma en el presente estudio como punto de partida para el análisis y propuestas sobre transparencia y registros públicos de algoritmos. Y hay que adelantar que interesará subrayar en la delimitación del ámbito de aplicación de este precepto, en particular, en:

— " sistemas algorítmicos o de inteligencia artificial"

— "que tengan impacto en los procedimientos administrativos o la prestación de los servicios públicos".

---

[22] Artículo 13. Información que deberá facilitarse cuando los datos personales se obtengan del interesado: "2 […] f) la existencia de decisiones automatizas, incluida la elaboración de perfiles, a que se refiere el artículo 22, apartados 1 y 4, y, al menos en tales casos, información significativa sobre la lógica aplicada, así como la importancia y las consecuencias previstas de dicho tratamiento para el interesado."
Lo mismo se reitera cuando los datos personales no se hayan obtenido del interesado en el artículo 14. 2. g).

7. Decreto-ley 2/2023, de 8 de marzo, de medidas urgentes de impulso a la inteligencia artificial en Extremadura

En 2023 se adoptó el Decreto-ley 2/2023, de 8 de marzo, de medidas urgentes de impulso a la inteligencia artificial en Extremadura. Del mismo procede en su caso destacar sus artículos 11 (Sistemas de inteligencia artificial en la toma de decisiones)[23] y, en particular, el artículo 12 (Garantías para la utilización de la inteligencia artificial en los procedimientos administrativos). Resulta especialmente interesante por cuanto parte de la premisa de la obligatoriedad de regular expresamente el impacto del uso de sistemas de IA con carácter general en la "prestación de los servicios públicos". Asimismo, la obligatoriedad de dejar "constancia" de "validaciones" sobre riesgos y cuestiones relevantes sobre los derechos.[24]

8. Ley "Rider", Estatuto de los trabajadores

En 2021 se aprobó la Ley 12/2021, de 28 de septiembre, por la que se modifica el texto refundido de la Ley del Estatuto de los Trabajadores,

---

[23]   El mismo no viene a aportar nada en concreto. Artículo 11. Sistemas de inteligencia artificial en la toma de decisiones. 1. La Administración pública autonómica podrá adoptar actos administrativos mediante sistemas de inteligencia artificial en el marco de un procedimiento administrativo, de acuerdo con los Derechos digitales de la ciudadanía en sus relaciones con las Administraciones Públicas, descritos en la Carta de Derechos Digitales del Gobierno de España y la Declaración Europea sobre los Derechos y Principios Digitales para la Década Digital (2023/C 23/01).
2. Para ello, además de los requisitos previstos en el artículo 41 de la Ley 40/2015, de 1 de octubre, de Régimen Jurídico del Sector Público, se dará la debida publicidad del mecanismo de decisión, de las prioridades asignadas en el procedimiento de evaluación y de la toma de decisiones, así como de todos los datos que puedan impactar en su contenido.

[24]   Artículo 12. Garantías para la utilización de la inteligencia artificial en los procedimientos administrativos.
1. Las normas que regulen los procedimientos administrativos harán referencia expresa al impacto del uso de sistemas de inteligencia artificial en la prestación de los servicios públicos que, en su caso, soporten la asistencia en la presentación de solicitudes, declaraciones responsables o comunicaciones, la comprobación o verificación de los requisitos de los interesados, así como la toma de decisiones.
2. En el Inventario de Información Administrativa, se dejará constancia sobre las validaciones realizadas por el órgano responsable de los procedimientos administrativos respecto del proceso lógico diseñado para la realización de los actos, los riesgos que implica y cualesquiera otros aspectos que garanticen los derechos de los interesados.

aprobado por el Real Decreto Legislativo 2/2015, de 23 de octubre, para garantizar los derechos laborales de las personas dedicadas al reparto en el ámbito de plataformas digitales. En razón de la misma, el artículo 64. 4° .d) dispone que el comité de empresa tendrá derecho a: "d) Ser informado por la empresa de los parámetros, reglas e instrucciones en los que se basan los algoritmos o sistemas de inteligencia artificial que afectan a la toma de decisiones que pueden incidir en las condiciones de trabajo, el acceso y mantenimiento del empleo, incluida la elaboración de perfiles."

9. *Regulación municipal de Barcelona*

La *Gaseta Municipal* de Barcelona, el 23 de diciembre de 2022 en "Otros anuncios — Normativa" publicó el "PROTOCOLO de Definición de metodologías de trabajo y protocolos para la implementación de sistemas algorítmicos de 15 de diciembre de Comisión"[25]. Este documento es una de las acciones previstas por la "Medida de gobierno de la estrategia municipal de algoritmos y datos para el impulso ético de la inteligencia artificial"[26] publicada en el 2021 por el Ayuntamiento de Barcelona, y tiene como finalidad crear un protocolo y una metodología de trabajo común en el Ayuntamiento de Barcelona para la contratación pública o la admisión de pruebas piloto. El mismo va acompañado del documento Protocolo "Definición de metodologías de trabajo y protocolos para la implementación de sistemas algorítmicos"[27]. Como ahí se afirma, la regulación de actuaciones automatizadas municipales el Ayuntamiento de Barcelona tiene como a antecedente el decreto de Comisión de Gobierno por el que se regulan las actuaciones administrativas automatizadas municipales aprobado en sesión de 22 de junio de 2022 y publicado en el BOPB de 23 de agosto de 2022.[28]

---

[25] Original en catalán. https://bcnroc.ajuntament.barcelona.cat/jspui/handle/11703/128042
Versión texto url https://bcnroc.ajuntament.barcelona.cat/jspui/bitstream/11703/128042/3/GM_2022-12-23_Protocol-IA.pdf.txt
[26] https://ajuntament.barcelona.cat/digital/sites/default/files/mesura_de_govern_intel_ligencia_artificial_castella_0.pdf
[27] https://ajuntament.barcelona.cat/digital/es/blog/protocolo-para-implantar-la-inteligencia-artificial-en-todos-los-servicios-municipales-con
[28] https://cido.diba.cat/normativa_local/13591771/regulacio-de-les-actuacions-administratives-automatitzades-municipals-ajuntament-de-barcelona

II. HAY QUE DAR INFORMACIÓN RESPECTO DE CUALQUIER SISTEMA AUTOMATIZADO QUE INCLUYA ALGORITMOS Y, POR SUPUESTO, SISTEMAS DE INTELIGENCIA ARTIFICIAL PÚBLICOS

Resulta de utilidad acudir a las definiciones del JCR de la Comisión Europea[29] de los siguientes conceptos: algoritmo, inteligencia artificial, automático/automatización/automatizado, autonomía/autónomo, sistema experto, aprendizaje automático, sistema de IA de autoaprendizaje/ aprendizaje autosupervisado[30]. Asimismo, es de interés aproximarse a los conceptos manejados en el Protocolo de Barcelona (Anexo I), dada la funcionalidad que tiene.

Algoritmo: Un algoritmo consiste en un conjunto de instrucciones o pasos utilizados para resolver un problema (por ejemplo,. no incluye los datos). El algoritmo puede ser abstracto e implementarse en diferentes lenguajes de programación y bibliotecas de software[31]. Por su parte para el Ayuntamiento de Barcelona:

"Algoritmo, en un sentido muy amplio: desde modelos de regresión y árboles de decisión que pueden realizar predicciones y agilizan procesos, hasta sistemas más complejos, como las redes neuronales y los modelos bayesianos, que funcionan con aprendizaje automático a medida que van realizando cálculos y predicciones avanzadas."

Inteligencia artificial: Un sistema de IA es un sistema basado en una máquina capaz de influir en el entorno produciendo un resultado (recomendaciones de predicción o decisiones) para un conjunto determinado de objetivos. Utiliza datos y entradas basados en máquinas y/o humanos para (i) percibir entornos reales y/o virtuales; (ii) abstraer estas percepciones en modelos mediante análisis de forma automática (por ejemplo, con aprendizaje automático) o manual; y (iii) utilizar la inferencia del modelo para formular opciones de resultados. Los sistemas IA están diseñados para funcionar con distintos niveles de autonomía.[32]

---

[29]   JRC-AI Watch, M. Estévez Almenzar y otros, *Glossary of human-centric artificial intelligence*, JRC-Unión Europea, 2022.

[30]   algorithm, artificial intelligence, automatic/automation/automated, autonomy/ autonomous, expert system, machine learning, self-learning ai system/ self-supervised learning.

[31]   JRC, *Glossary* ... cit.

[32]   OECD *AI Principles Overview* https://oecd.ai/en/a-iprinciples Los sistemas de inteligencia artificial (IA) son sistemas de software (y posiblemente también de

El Ayuntamiento de Barcelona maneja los siguientes conceptos:

Inteligencia artificial: disciplina científica que incluye diversos enfoques y técnicas como el aprendizaje automático (del que derivan el aprendizaje profundo y el aprendizaje por refuerzo), el razonamiento automático (que incluye la planificación, la programación, la representación y el razonamiento de conocimientos, la búsqueda y la optimización), y la robótica (que incluye el control, la percepción, los sensores y accionadores), así como la integración de todas las demás técnicas en sistemas "ciberfísicos". Según la definición del Consejo de Europa: "La IA es entendida como un conjunto de ciencias, teorías y técnicas, cuyo propósito es reproducir mediante una máquina las capacidades cognitivas de un ser humano".

Actuación Administrativa Automatizada: la actuación realizada íntegramente a través de medios electrónicos, en el marco de un procedimiento administrativo, en la que no haya intervenido de forma directa el personal al servicio del Ayuntamiento y que utiliza alguno de los sistemas de firma establecidos en la normativa administrativa de aplicación, sello electrónico o código seguro de verificación.

Automático/Automatización/Automatizado: Proceso o sistema que, en determinadas condiciones, funciona sin intervención humana.[33]

Autonomía/Autónomo: Autonomía: Capacidad de actuar en ausencia o con un bajo grado de influencia externa. e Autónomo: Agente dotado de autonomía

Sistemas inteligentes: algoritmos de decisión automatizada, capaces de tomar decisiones sin intervención humana. La única exigencia es que el algoritmo analice el escenario dado a partir de unos datos y tome una decisión en función de ese análisis.

Sistema experto: Programa informático interactivo que formula las mismas preguntas que un experto humano y, a partir de la información que

---

hardware) diseñados por humanos que, dado un objetivo complejo, actúan en la dimensión física o digital percibiendo su entorno mediante la adquisición de datos, interpretando los datos estructurados o no estructurados recopilados, razonando sobre el conocimiento o procesando la información y decidiendo la mejor acción o acciones a tomar para lograr el objetivo dado.
HLEG AI, *Assessment List for Trustworthy AI*: https://ec.europa.eu/newsroom/dae/document.cfm?doc_id=6834

[33] ISO/IEC DIS 22989(en)T. erms related to Artificial Intelligence. https://www.iso.org/obp/ui/fr/#iso:std:is-oiec:22989:dis:ed-1:v1:en

le proporciona el usuario, (intenta) dar la misma respuesta que daría el experto.[34]

Aprendizaje automático (machine learning): El aprendizaje automático es una rama de la inteligencia artificial (IA) y la informática que se centra en el desarrollo de sistemas capaces de aprender y adaptarse sin seguir instrucciones explícitas, imitando la forma en que aprenden los humanos y mejorando gradualmente su precisión mediante el uso de algoritmos y modelos estadísticos para analizar y extraer conclusiones a partir de patrones en los datos.

Sistema de IA de autoaprendizaje/Aprendizaje autosupervisado: Los sistemas de IA de autoaprendizaje (o aprendizaje autosupervisado) reconocen patrones en los datos de entrenamiento de forma autónoma, sin necesidad de supervisión[35].

1. *La definición de inteligencia artificial en el futuro Reglamento inteligencia artificial de la UE*

No es una tarea sencilla definir lo que es inteligencia artificial. Se han llegado a señalar más de 55 definiciones[36], ello puede tener incidencia desde perspectivas muy diversas como a los efectos de investigación, política e institucional, económica y de mercado. Debe tenerse en cuenta, además, que la "inteligencia artificial" atrae mucha inversión y muchos llamados sistemas de IA ciertamente no lo serán más que en el nombre.

Las dificultades para una definición de la IA son mayores cuando se trata de proyectar un régimen jurídico a un sistema de IA. Ello tiene objetivos políticos e institucionales claros y, al mismo tiempo se requiere la mayor seguridad jurídica posible. Pero además, en todos los casos, buscar una definición tiene la dificultad de que debe ser adaptativa para los necesarios cambios que la tecnología depara en el futuro.

Así las cosas, la Unión Europea ha seguido una evolución de conceptos por parte de la Comisión Europea en 2018, por el Alto Grupo de Expertos de la Comisión en 2019, por el Parlamento Europeo en 2020. Finalmente,

---

[34] Quinn, 1990 (Computational Disciplines) IEEE Global Initiative on Ethics of Autonomous and Intelligent Systems. https://standards.ieee.org/contnet/dam/ieee-standards/standards/web/documents/other/eadv2_glossary.p

[35] HLEG AI, *Assessment List … cit.*

[36] S. Samoili, y otros, AI Watch. *Defining Artificial Intelligence 2.0*, EUR 30873 EN, Publications Office of the European Union, Luxembourg, 2021, doi:10.2760/019901

la UE parece decantarse por concepto de la OCDE en 2019 buscando un mayor consenso internacional[37].

El futuro Reglamento busca una definición única de la IA con suficiente claridad y precisión, que dé seguridad jurídica. Asimismo, se pretende que sea funcional y lo más tecnológicamente neutra posible. De igual modo, se pretende una definición que resista al paso del tiempo lo mejor posible dada la dinamicidad tecnológica y del mercado. Para ello se faculta a la Comisión para que en el futuro adopte actos delegados.

La propuesta inicial de la Comisión en el RIA incluía una definición (art. 3. 1°) que, a su vez, remitía al anexo I. Sin embargo, en las últimas versiones se ha optado por incluir la definición sólo en el art. 3. 1°: "un sistema diseñado para funcionar con un cierto nivel de autonomía y que, basándose en datos e insumos proporcionados por máquinas y/o personas, infiere cómo lograr un conjunto determinado de objetivos definidos por el ser humano utilizando enfoques basados en el aprendizaje de máquinas y/o en la lógica y el conocimiento, y produce resultados generados por el sistema, como contenidos (sistemas de IA generativos), predicciones, recomendaciones o decisiones, que influyen en los entornos con los que interactúa el sistema de IA." De este modo, los humanos definen el conjunto de objetivos, no la forma de alcanzarlos y el sistema de IA encuentra un conjunto adecuado de pasos para lograr estos objetivos.

El elemento distintivo de la IA respecto de otros desarrollos de software y programación es esencialmente la capacidad de "inferir la manera de lograr un conjunto determinado de objetivos definidos por el ser humano mediante el aprendizaje, el razonamiento o la modelización" para así generar contenidos (como texto, vídeo o imágenes), así como predicciones, recomendaciones o decisiones. Así, los humanos definen el conjunto de objetivos, no la forma de alcanzarlos y el sistema de IA encuentra un conjunto adecuado de pasos para lograr estos objetivos. Hay que partir de que *no todo sistema informático que permite procesos o decisiones automatizados son*

---

[37] OECD, *Recommendation of the Council on Artificial Intelligence*, de 22 de mayo de 2019, OECD/LEGAL/0449, adopted by the OECD Council at Ministerial level on 22 May 2019, https://legalinstruments.oecd.org/en/instruments/OECD-LE-GAL-0449

— Sistema de IA : Un sistema de IA es un sistema basado en una máquina que puede, para un conjunto determinado de objetivos definidos por humanos, hacer predicciones, recomendaciones o decisiones que influyan en entornos reales o virtuales. Los sistemas de IA están diseñados para operar con diferentes niveles de autonomía.

automáticamente IA, aunque puedan razonar (b) o modelar matemáticamente (c). Y si el sistema de decisiones automatizadas que no es un Sistema de IA se utiliza para un caso de uso y finalidades de alto riesgo (anexo III), quedará también fuera de la aplicación del RIA.

La Comisión Europea[38] estima que sólo el 10% de las unidades de IA estarán sujetas a los requisitos reglamentarios (es decir, las identificadas como de "alto riesgo"). Y que el coste total de cumplimiento para la industria mundial de la IA se estima que oscila entre 1.600 millones de euros y 3.300 millones de euros en 2025.

2. Es positivo optar por dar transparencia a todo uso de sistemas automatizados, algorítmicos y, también, de inteligencia artificial en el sector público

Según se ha señalado, no es sencillo delimitar lo que es inteligencia artificial. Quien suscribe considera positivo el punto de partida de la ley valenciana. Y es que el ámbito sobre el que se proyecta la obligación de registros y publicación de información activa gira sobre el concepto de "sistemas algorítmicos o de inteligencia artificial". Así, a los efectos de abordar con homogéneamente buena parte de los problemas que se generan, la ley no se ha vinculado a los sistemas públicos que utilicen IA sino que gire sobre el uso público de algoritmos, esto es, sistemas informáticos que integren fórmulas más o menos complejas y las apliquen a los datos. En consecuencia, en el ámbito de aplicación de la ley valenciana hay que incluir como regla general, a los sistemas automatizados, aunque no sean de IA.

Y es que todos los sistemas automatizados o algorítmicos potencialmente pueden generar impactos y afecciones a los derechos de las personas u otros bienes e intereses protegibles[39]. Ahora bien, los riesgos serán mayores conforme el sistema sea más complejo y, especialmente, en razón de la autonomía del sistema propiamente de IA. Y, en particular, los riesgos se darán con los sistemas predictivos, así como los sistemas de autoaprendizaje y aprendizaje profundo por falta de explicabilidad, que será difícil justificar su uso público.

---

[38] Comisión Europea, A. Renda (project leader), *Study to Support an Impact Assessment of Regulatory Requirements for Artificial Intelligence in Europe. Final Report (D5),* abril 2021. https://op.europa.eu/es/publication-detail/-/publication/55538b70-a638-11eb-9585-01aa75ed71a1

[39] Para una visión general, M. A. Presno Linera, *Derechos fundamentales e inteligencia artificial,* Marcial Pons, Madrid, 2023.

Esta opción inclusiva que obliga a dar transparencia a todos los algoritmos va en la misma que la de la aplicación de la *ley rider,* esto es, mencionada obligación del artículo 64.4.d) Estatuto de los trabajadores. Así, su Guía de aplicación señala:

"la obligación de información a la representación legal de la plantilla no exige que la decisión sea íntegramente automatizada, incluyéndose también las decisiones semi-automatizadas con intervención humana.

El concepto de algoritmo usado por el artículo 64.4.d) ET no exige que la toma de decisión se realice sin intervención humana, sino que dichos algoritmos "afecten" a la toma de decisiones que "puedan incidir" sobre la persona trabajadora. Así, aunque se use el algoritmo como simple apoyo a la toma de decisiones por parte de la empresa, se aplicará el artículo 64.4.d) ET. Dicho en otras palabras, aunque el algoritmo no sea determinante para la decisión final tomada sobre la persona trabajadora, su mero uso, implica el nacimiento de los derechos de información de la representación legal de la plantilla."[40]

3. Dar transparencia no sólo al uso procedimientos administrativos, sino en general en la prestación de los servicios públicos. Los usos y procesos en los que se aplica la inteligencia artificial en la UE y EEUU

Como se ha señalado al inicio, el presupuesto de aplicación de la ley valenciana es respecto de los "sistemas algorítmicos o de inteligencia artificial que tengan impacto en los procedimientos administrativos o la prestación de los servicios públicos".

La voluntad es extraordinariamente clara: la aplicación no se ciñe ni al artículo 41 Ley 40/2015, ni al artículo 22 RGPD, es decir, la transparencia no se limita ni a las decisiones sólo automatizadas, realizadas íntegramente sin intervención humana, ni al criterio de particular impacto en la persona concreta.

Sin perjuicio de la precisión general que se ha hecho sobre el uso inclusivo que aquí se hace de la expresión "sistemas IA", hay que destacar de inicio el mejor estudio existente sobre casos de uso IA públicos, si en

---

40 Ministerio de Trabajo y Economía Social, *Información algorítmica en el ámbito laboral. Guía práctica y herramienta sobre la obligación empresarial de información sobre el uso de algoritmos en el ámbito laboral,* Gobierno de España, Mayo 2022, https://www.lamoncloa.gob.es/serviciosdeprensa/notasprensa/trabajo14/Documents/2022/100622-Guia_algoritmos.pdf

2020[41] fue de 240 casos de uso, son más de 600 en 2022[42] para la UE, entre los tipos de IA que se emplean en el sector público.

El uso de IA en la UE más habitual[43] es el de Servicios Públicos Generales (30%), después de Asuntos Económicos (18%), Salud (15%) y Orden Público y Seguridad (14%). Es similar al análisis difundido en 2020. Se echan de menos los usos en Protección Social (9%) y Protección Ambiental (4%). Hay ámbitos más habituales de subcontratación en los que no se detecta el uso de IA, como usos culturales o recreativos.

En el concepto de Servicios Públicos Generales se incluyen *chatbots* y asistentes virtuales tanto con el exterior como para acelerar procesos internos. También se dan usos para notificaciones, monitoreo, reconocimiento de varios tipos de espacios públicos por cámaras, micrófonos u otros sensores. Igualmente, gestión, detección y manejo de información errónea; clasificación, almacenamiento y búsqueda de documentos, videos o discursos grabados con extracción automática de metadatos e información. Igualmente aquí se incluyen varios tipos de detección de anomalías de datos o fraudes potenciales.

Desde el punto de vista del tipo de procesos o aplicaciones[44] y cómo se integra el uso de IA dentro del sector público, en el caso de la UE la mayor parte de casos se califican como Servicios Públicos y Compromiso con un 36%. Ahí se incluyen servicios o actividades de comunicación hacia ciudadanos y empresas. La mayoría están relacionados con la mejora del servicio, tanto a través de Personalización 13% como Integración 9%.

Por detrás con un 26% está el uso para el cumplimiento (*enforcement*): reconocimiento inteligente (por ejemplo, sistemas biométricos, videovigilancia y detección de objetos) con un 9%. También con un 9% servicios de y cumplimiento predictivo IA (por ejemplo, para identificar y clasificar cantidades sustanciales de datos históricos para determinar personas o lugares en riesgo). Ya por debajo, apoyos de procesos de inspección o auditorías de Apoyo (con 2%),

---

[41]   JRC, Misuraca, G. (2020): *AI Watch. Artificial Intelligence in public services. Overview of the use and impact of AI in public services in the EU,* Joint Research Centre, Unión Europea.

[42]   JRC, L. TANGI y otros (2022): *AI Watch European landscape on the use of Artificial Intelligence by the Public Sector,* JRC Science For Policy Report, Publications Office of the European Union, Luxembourg, 2022, p. 58 doi:10.2760/39336

[43]   Ibídem.

[44]   *Ibídem,* p. 42.

Con un 22% está el uso para la investigación de Análisis, Seguimiento e investigación normativa. Se incluyen técnicas para hacer predicciones (10%), análisis de información (7%) e uso para implementar políticas (6%).

El uso para la Gestión estrictamente Interna cuenta con un 16 %: Procesos de Apoyo financiero, recursos humanos, gestión de materiales, con un 9 %; Gestión Interna Procesos Primarios, como la evaluación de elegibilidad de un beneficio social, con un 8%. Sólo un 2% de usos son para la adjudicación de ayudas.

En algunos casos se ha cruzado el tipo de técnica de IA con las finalidades administrativas para la que se usa[45]. A este respecto se deriva que los sistemas de reconocimiento inteligente son muy populares para fines de seguridad y orden público (para descubrir el uso de teléfonos móviles en vehículos en Bélgica; declaraciones de valores erróneos en el servicio de aduanas en Francia; la predicción de accidentes de tráfico en carreteras de los Países Bajos, etc.). Los sistemas de personalización de servicios abundan en Servicios Públicos Generales, Salud y Protección Social, en muchos casos *chatbots* y sistemas de recomendación para salud, viajes o transporte. Las aplicaciones de Predicción y planificación e Integración de sistemas se usan más para predicciones en sectores económicos (por ejemplo, sistema de predicción del suministro requerido de camiones en Francia y el monitoreo inteligente de puentes en los Países Bajos).

En la educación lo más utilizado es el análisis de información y la predicción y planificación (en Portugal para planificar el flujo de estudiantes del sistema educativo, o la detección de las causas del abandono escolar prematuro en Suecia). En el sector ambiental se acude a sistemas para la predicción y planificación, la implementación de políticas de monitoreo y el reconocimiento digital (como el sistema para identificar especies de árboles forestales, tala de bosques y altura de los bosques en Estonia, o el sistema italiano que predice lluvia y sus impacto en la tierra).

Para EEUU se apuntan en general diversos usos públicos[46]

---

[45] *Ídem.*

[46] D. Freeman Engstrom y otros (2020): "Government by Algorithm: Artificial Intelligence in Federal Administrative Agencies. Report submitted to the Administrative conference of the United States", *NYU School of Law, Public Law Research Paper No. 20-54*, 122 págs, pp. 6-7.

-hacer cumplir los mandatos regulatorios (*enforcement*) centrados en la eficiencia del mercado, la seguridad en el lugar de trabajo, el cuidado de la salud y la protección del medio ambiente.

— Adjudicar subvenciones, ayudas o privilegios del gobierno, desde beneficios por discapacidad hasta derechos de propiedad intelectual.

— Monitoreo y análisis de riesgos para la salud y seguridad pública.

— Extraer información útil de los flujos de datos masivos del gobierno, desde las quejas de los consumidores hasta los patrones climáticos, y

— comunicarse con el público sobre sus derechos y obligaciones como beneficiarios de asistencia social, contribuyentes, solicitantes de asilo y dueños de negocios.

Por cuanto a la a la tecnología IA empleada[47] un 58% se categorizan como aprendizaje automático (*machine learning*), esto es, con la capacidad de aprender, decidir, predecir, adaptarse y reaccionar automáticamente a los cambios. Así sucede en el uso de IA para detección de fraude, mejora de la calidad de los documentos, predicciones basadas en los datos disponibles, automatización de tareas repetitivas con capacidad de adaptación. Se señala también que un 30% de uso son sistemas que infieren hechos a partir del conocimiento representado en varias formas de información y datos. Se trata de técnicas de razonamiento automatizado (enfoques lógicos/basados en el conocimiento, motores de inferencia y deducción, razonamiento simbólico, sistema experto, etc.). Estos sistemas se utilizan para describir el proceso de razonamiento sobre los datos y para brindar soluciones basadas en un conjunto de reglas simbólicas. Por ejemplo, el proyecto CityFlows (https://cityflows-project.eu/), donde la IA se utiliza para automatizar el análisis de flujos de multitudes en grandes espacios públicos en ciudades como Ámsterdam, Milán y Barcelona. Estas dos tecnologías más utilizadas se combinan con procesamiento del lenguaje natural o la visión artificial.

Asimismo, un 26% son tecnologías de IA de Planificación y Programación, se trata del diseño y ejecución de un conjunto de acciones para llevar a cabo alguna actividad, realizadas por agentes inteligentes, robots autónomos y vehículos no tripulados. Los ejemplos son herramientas de planificación y gestión utilizadas en el sector público para impuestos, recursos, empleo, atención médica, energía, materiales y muchos más.

---

[47]   *Ibídem*, pp. 36-37.

III. LA TRANSPARENCIA EN FUNCIÓN DEL IMPACTO, RIESGO Y RELEVANCIA JURÍDICA DE LOS SISTEMAS ALGORÍTMICOS PÚBLICOS. CRITERIOS A TENER EN CUENTA

1. *Una transparencia pública más intensa en razón del variable impacto y riesgo*

Aunque en principio todo ha de haber transparencia respecto de todo uso público que incorpore fórmulas y algoritmos, así como también cualquier actuación automatizada, la decisión sobre la aplicación de la ley y la intensidad de las garantías girará en razón del impacto del sistema en sobre los derechos, bienes e intereses en juego.

La necesidad de un registro así como la implantación e intensidad de las obligaciones de transparencia habrán de ser mayores a mayor impacto y riesgo por el uso de la IA. También habrá de ser mayor según la mayor opacidad y el tipo de algoritmo. Asimismo, a mayor participación, control y supervisión humana en las decisiones de la IA es posible exigir menor transparencia y explicabilidad del sistema de IA utilizada. De igual modo, y como principio, también mayor transparencia se ha de dar cuando haya un uso de algoritmos por el poder público.

Según las Directrices para el sector público de Países Bajos[48], el grado de exigencia de la explicabilidad y la transparencia depende de (1) el impacto del algoritmo en la decisión, el resultado y el ciudadano; (2) el grado de autonomía en la toma de decisiones (es decir, hasta qué punto se garantiza la participación humana); y (3) el tipo y la complejidad del algoritmo.

Se pueden afirmar como principio o planteamiento general que, a más impacto o potencialidad de daño de un sistema de IA en derechos e intereses, es precisa más transparencia.

---

[48] Directrices para el sector público, Ministerie van Justitie en Veiligheid (Ministerie van Justitie en Veiligheid), Rijksoverheid (Gobierno central), *Richtlijnen voor het toepassen van algoritmen door overheden in publieksvoorlichting over data-analyses* (*Pautas para la aplicación de algoritmos por parte de los gobiernos y educación pública sobre análisis de datos*), Directiva (Richtlijn), de 08-03-2021, https://www.rijksoverheid.nl/documenten/richtlijnen/2021/09/24/richtlijnen-voor-het-toepassen-van-algoritmen-door-overheden-in-publieksvoorlichting-over-data-analyses#:~:text=Rijksoverheid—,Richtlijnen%20voor%20het%20toepassen%20van%20algoritmen,en%20publieksvoorlichting%20over%20data%2Danalyses.&text=Doel%20van%20de%20richtlijnen%20is,de%20publieksvoorlichting%20daarbij%20door%20overheden

"Cuanto mayor es el impacto, más importante es la transparencia", "Cuanto mayor sea el impacto de los análisis de datos en los ciudadanos, más importante será la transparencia. Esto se aplica ciertamente en los casos en que tales análisis (pueden) conducir a conclusiones o decisiones."

Una buena muestra es la propia regulación de protección de datos respecto de las decisiones automatizadas (además de las garantías generales de protección de datos, el artículo 22 RGPD consagra garantías añadidas respecto de decisiones solo automatizadas y relevantes).

Es necesaria más transparencia a menor intervención, control o supervisión humana del sistema de IA.

Si un servicio público recurre a la transparencia en términos generales con respecto a sus análisis de datos, pero no divulga ciertos aspectos más detallados con vistas a los intereses de la investigación, por ejemplo, debe al menos compensar esa conducta con una supervisión interna y externa suficiente de esos aspectos[49].

También cabe aceptar como principio que, a mayor opacidad o complejidad del sistema de IA, mayor transparencia y, como se verá, mayor explicabilidad y otros contenidos del genérico de la transparencia serán requeridas.

En el caso del Reino Unido[50], se establece que la transparencia es particularmente relevante para aquellos sistemas que tienen una influencia significativa en un proceso de toma de decisiones con efecto público directo o indirecto, o. los que interactúan directamente con el público en general. No obstante, en Barcelona se ha ido por la vía más sencilla y expeditiva de excluir sus protocolos de transparencia a cualquier sistema algorítmico. Así, las garantías se reservan sólo a los sistemas de alto riesgo siguiendo el futuro RIA y en su caso se decidirá orgánicamente si las garantías se aplicarían sistemas IA de menor riesgo.[51]. Sin embargo, aquí se sostiene que hay que ir mucho más allá de la definición de sistemas IA y de "alto riesgo" del RIA. Hay que in-

---

49   *Ibídem*, pág. 29.
50   Gov.uk, "Algorithmic Transparency Recording Standard – Guidance for Public Sector Bodies". Disponible en: https://www.gov.uk/government/publications/guidance-for-organisations-using-the-algorithmic-transparency-recording-standard/algorithmic-transparency-recording-standard-guidance-for-public-sector-bodies
51   Así en "Protocolo", *Gaseta*, cit. Así, se afirma: "En ningún caso se trata de un protocolo de aplicación general a cualquier sistema algorítmico, sino que se desplegará de forma sistemática en las aplicaciones de los sistemas algorítmicos de alto riesgo, y los órganos de gobernanza de la IA ética del Ayuntamiento podrán decidir si

troducir, tener en cuenta y evaluar una serie de variables de impacto y riesgo y en razón de ellas y como consecuencia, aplicar las obligaciones de registros públicos y la publicidad de los algoritmos que va asociada a los mismos.

2. *El impacto en razón del concreto ámbito de actuación pública y los sistemas inteligencia artificial públicos de "alto riesgo" del futuro RIA*

Sin duda alguna, para considerar el impacto y la relevancia en los casos de personalización de servicios e información del sector público, habrá que analizar el concreto al ámbito de actuación, acceso a servicios o beneficios del que se trate[52]. Para valorar el impacto hay que tener especialmente en cuenta la finalidad del uso o propósito del sistema IA.

Para ello son un buen punto de partida los usos de IA públicos de "alto riesgo" del futuro RIA, siguiendo su artículo 6 combinado con los anexos II y III. Como señala el futuro RIA (Considerando 27), "la calificación «de alto riesgo» debe limitarse a aquellos sistemas de IA que tengan consecuencias perjudiciales importantes para la salud, la seguridad y los derechos fundamentales de las personas de la Unión, y dicha limitación reduce al mínimo cualquier posible restricción del comercio internacional, si la hubiera." La consideración de "alto riesgo" que ya se barajó en el Libro blanco IA de la UE 2020 y en la propuesta del Parlamento UE del mismo año, se ha concretado y mucho y ha pasado a ser el elemento esencial a determinar por cuanto implica la sujeción a todo un régimen de cumplimiento y conjunto de obligaciones.

El futuro RIA sigue un sistema dual de determinación de cuándo un sistema de IA es de alto riesgo. El primer conjunto de sistemas de alto riesgo es relativo a productos cubiertos por la legislación de armonización de la Unión enumerada en el anexo II o componentes de seguridad de éstos. Especialmente hay que tener en cuenta el uso de IA en dispositivos médicos, automóviles, maquinaria, así como el software independiente de dispositivos médicos. También los robots con fines de asistencia y cuidado personal o en el sector sanitario. De igual modo, cuando la IA se incorpora como componentes de seguridad de productos o sistemas en los sectores de aviación civil, vehículos agrícolas o forestales, equipos marinos, sistema

---

lo aplican también en aplicaciones de riesgo limitado y mínimo. Este riesgo será determinado por la Oficina Técnica de Inteligencia Artificial del IMI."

[52] En Adelante, se sigue en buena medida mi estudio, "Los usos de la IA en el sector público, su variable impacto y categorización jurídica" *Revista Canaria de Administración Pública*, nº 1, 2023.

ferroviario, vehículos de motor y sus remolques. Obviamente, todo lo anterior puede afectar al sector público.

En cualquier caso, el mayor interés para el sector público lo atrae el segundo bloque de cuáles son los sistemas IA de alto riesgo. El mismo viene definido por el artículo 6.3º RIA en combinación con el Anexo III. Se trata de sistemas IA utilizados no sólo de manera accesoria o meramente instrumental, sino de manera decisiva o sustantiva para las finalidades previstas del Anexo III. Nótese que no se requiere que la decisión sea exclusivamente o sólo automatizada, sino que no sea meramente instrumental. De este modo y sin duda considero que todos los sistemas que evalúan hechos y datos y sirven para iniciar investigaciones o actuaciones sí que quedarían incluidos, a diferencia de la situación actual.

Una parte muy importante del listado del Anexo III viene referido directamente a usos públicos de IA (especialmente policial, de seguridad y judicial) y en otros muchos casos, será muy habitual que los usuarios de estos sistemas de alto riesgo sean del sector público (administración prestacional, educación, empleo, emergencias, etc.). Así, se considera de alto riesgo el uso de sistemas de identificación biométrica en el contexto de la seguridad pública, el uso de sistemas de IA para la gestión y priorización de emergencias y fronteras, los usos relacionados con la aplicación policial y judicial de la ley: evaluación de riesgos individuales de delinquir y reincidir, evaluación de perfiles, pruebas y polígrafos, detección estado emocional, análisis de documentación. Asimismo, en el Anexo III del RIA se consideran de alto riesgo usos de IA pública para determinar la admisión y programas en el ámbito de la educación, evaluación y seguimiento de aprendizaje. También los sistemas relativos a los servicios de empleo y evaluación de rendimiento. Ya más próximo a la actividad administrativa, son de alto riesgo los sistemas de evaluación, concesión, revocación de prestaciones y servicios esenciales de asistencia pública. El presente estudio en buena medida deja fuera el ámbito de justicia y penitenciario que tantas particularidades —e impactos en derechos procesales— puede presentar, sin perjuicio de que se comparten muchas bases. Respecto de los casos de uso en 2020 eran más de 200 los relativos a la Administración de justicia en la UE[53]. Y respecto del reconocimiento facial y biométrico e IA, me remito a recientes estudios[54].

---

[53]   Comisión Europea-TRASYS International, *Study on the use of innovative technologies in the justice field. Final report*, Unión Europea, Luxemburgo, 2020.
[54]   "Sistemas de inteligencia artificial con reconocimiento facial y datos biométricos. Mejor regular bien que prohibir mal", en *El Cronista del Estado Social*, IUSTEL, *monográfico Inteligencia artificial*, nº 100, septiembre-octubre, 68-79; "Reconocimiento

En cualquier caso, se dice que un tercio de los sistemas de IA públicos serán de alto riesgo[55], mientras que sólo un 10% de los públicos y privados lo serían[56].Sin duda, podemos coincidir en que son de alto riesgo todos los que están en el listado del RIA. De hecho, muchos de ellos para el CEPD y el Supervisor deberían estar directamente prohibidos[57].

Como se ha adelantado, el Documento de Barcelona se vincula casi exclusivamente a la clasificación del futuro RIA. Así, expresamente se menciona la "Clasificación de riesgos propuesta por la Comisión Europea" y la Oficina Técnica del IMI hará la clasificación de cualquier sistema de IA licitado o impulsado por el Ayuntamiento de Barcelona sobre la base de "riesgo inaceptable"[58], "riesgo alto", señalando algunos ejemplos[59]

3.   *Más allá de los niveles de riesgo del futuro RIA. El impacto o relevancia y los efectos significativos del sistema inteligencia artificial*

Puede haber muchos otros usos y sistemas públicos de IA especialmente impactantes que no están en estos listados de alto riesgo del futuro RIA.

---

[55]   facial automatizado y sistemas de identificación biométrica bajo la regulación superpuesta de inteligencia artificial y protección de datos", en F. Balaguer y L. Cotino, *Derecho público de la inteligencia artificial*, F. Jiménez Abad-Marcial Pons, 2023, acceso
JRC, L. Tangi, y otros (2022): *AI Watch European landscape…cit.*, p. 58.

[56]   Comisión Europea, Renda A. (2021): *Study to Support an Impact Assessment of Regulatory Requirements for Artificial Intelligence in Europe. Final Report (D5)*, abril 2021.

[57]   CEPD-SEPD, *Dictamen conjunto 5/2021 sobre la propuesta de Reglamento del Parlamento Europeo y del Consejo por el que se establecen normas armonizadas en materia de inteligencia artificial (Ley de Inteligencia artificial)*. 2021

[58]   "Se prohibirán todos los sistemas de IA que se consideren una clara amenaza para la seguridad y los derechos de las personas, desde el social scoring de los gobiernos hasta los juguetes que utilicen asistencia de voz y que fomenten comportamientos peligrosos. Se prohibirán también los sistemas de identificación biométrica remota en espacios públicamente accesibles.".

[59]   Así, identificación biométrica remota; infraestructuras críticas (por ejemplo, el transporte); formación educativa o profesional (por ejemplo, la evaluación de los exámenes); componentes de seguridad de los productos (por ejemplo, la aplicación de la IA en la cirugía asistida por robots); la ocupación, la gestión de los trabajadores y el acceso al autoempleo (por ejemplo, software de clasificación de currículums para los procedimientos de contratación); servicios privados y públicos esenciales (por ejemplo, la cualificación de créditos que nieguen a la ciudadanía la oportunidad de obtener un préstamo); aplicación de la ley (por ejemplo, evaluación de la fiabilidad de las pruebas); la gestión de la migración, el asilo y el control de fronteras (por ejemplo, verificación de la autenticidad de los documentos de viaje) y administración de justicia y los procesos democráticos.

Llama muy poderosamente la atención, por ejemplo, que no se hayan incluido los sistemas para la persecución del fraude, blanqueo, impuestos, seguridad social, inspección de trabajo, sanción de tráfico o similares que pasan por ser especialmente conflictivos. Se trata de una opción a mi juicio inadmisible, dado el enorme avance de estos usos de IA pública y que tanto impacto generan con total opacidad[60].

Para evaluar el impacto hay que ver cada caso específico de uso y los concretos derechos en juego[61]. Así, por ejemplo, los errores, sesgos o posibles discriminaciones deben ser evaluados y determinarse hasta qué punto son asumibles por la organización. Como recuerda Zlotnik[62], hay que utilizar métricas de impacto y no sólo métricas de error. El impacto no es lo mismo que el error, dado que un 0,1% de errores de que una persona muera, se prorrogue su estancia en la cárcel, sea detenida o que se produzca un incidente en una central nuclear, nada tiene que ver con la posibilidad de que se le conceda erróneamente una ayuda escolar, se le priorice para una cita médica general o se le concedan entradas gratuitas para a una actividad cultural. De igual modo hay que tener en cuenta si los sesgos o errores se tienen "efectos sustancialmente más perjudiciales para un grupo protegido"[63]. De ahí que en el terreno de la robustez, exactitud y sesgos, no es fácil establecer apriorísticamente los umbrales asumibles o no, pero sí es posible exigir que se hayan analizado, determinado, evaluado y adoptado medidas al respecto.

Algunos criterios básicos sobre el impacto del uso de IA están establecidos normativamente y cabe proyectarlos también para los sistemas IA público. Así, el impacto o relevancia del uso puede ser muy variable. Un criterio consolidado legislativamente es el que la decisión automatizada o el sistema IA en nuestro caso público "produzca efectos jurídicos en él o le afecte

---

[60]   Entre otros, B. Olivares Olivares, "Law and Artificial Intelligence in the Spanish Tax Administration: the need of a specific regulation", *European Review of Digital Administration Law*, Vol. 1, 2020, pp. 227-235, también "Implicaciones de la normativa sobre protección de datos en el desarrollo de la inteligencia artificial por la administración tributaria: la gobernanza de los datos", en S. Moreno González, (dir.) y J. A. Gómez Requena, (coord.), *Nuevas tecnologías disruptivas y tributación*, Thomson Reuters-Arazandi, 2021, pp.180-205.

[61]   En España, sin duda cabe seguir, P. Simón Castellano, *La evaluación de impacto algorítmico en los derechos fundamentales*, Aranzadi, Cízur, 2023.

[62]   A. Zlotnik, "Inteligencia Artificial en las Administraciones Públicas: definiciones, evaluación de viabilidad de proyectos y áreas de aplicación", *Boletic*, núm. 84, 2019, 27-28.

[63]   STC 145/1991, FJ 2°; STC 128/1987, FJ 6°, ver voto particular a la STC 240/1999.

significativamente de modo similar" al individuo (art. 22 RGPD). Y acierta también la Ley 1/2022, de 13 de abril valenciana cuando un elemento esencial (para que deba o no hacerse publicidad activa de un sistema) es "que tengan impacto en los procedimientos administrativos o la prestación de los servicios públicos" (art. 16.1 l). Este concepto de "impacto", tan habitual en las evaluaciones de riesgos y en el contexto de la protección de datos, pasa a ser clave y, de hecho, del ámbito de la protección de datos hay que abogar a la generalización de este instrumento en formato multirriesgo no limitado a un derecho[64].

Por cuanto a los "efectos significativos" del artículo 22 RGDP, para el sector privado se consideran ejemplos típicos "la denegación automática de una solicitud de crédito en línea" o "los servicios de contratación en red en los que no medie intervención humana alguna" (considerando 71 RGDP). El Grupo del artículo 29, ahora CEPD incluye como "significativas" decisiones automatizadas de crédito, servicios sanitarios, oportunidades laborales o de acceso a la educación y, así lo será si se trata del sector público[65].

Podríamos pensar que el uso de la IA para la personalización y los llamados servicios 360° no tienen impacto o efectos jurídicos. No obstante, el artículo 20 de la Ley nº 13.709, de 14 de agosto de 2018 de protección de datos de Brasil incluye entre decisiones automatizadas quedan "incluidas las decisiones destinadas a definir su perfil personal, profesional, de consumo y de crédito o los aspectos de su personalidad". Es más, el G29 considera que el perfilado en la publicidad en línea sí que puede ser "significativo" y por tanto, las garantías del artículo 22 sí que serían aplicables en razón del "intrusismo" en el perfilado, las expectativas y deseos de las personas afectadas; la forma en que se presenta el anuncio; o el uso de conocimientos sobre las vulnerabilidades de los interesados."[66] Estos criterios también

---

[64] A. Mantelero, *Beyond Data. Human Rights, Ethical and Social Impact Assessment*, Springer, Information Technology and Law Series IT&LAW 36, 2022. Por mi parte, "Nuevo paradigma en la garantías de los derechos fundamentales y una nueva protección de datos frente al impacto social y colectivo de la inteligencia artificial", en L. Cotino Hueso, (editor), *Derechos y garantías ante la inteligencia artificial y las decisiones automatizadas*, Thompson-Reuters Aranzadi, FIADI (Federación Iberoamericana de Asociaciones de Derecho e Informática), Cizur.

[65] G29, *Directrices sobre decisiones individuales automatizadas y elaboración de perfiles a los efectos del Reglamento 2016/679.* 3 de octubre de 2017 y revisadas el 6 de febrero de 2018, pp. 24-25.

[66] *Ídem.*

podrían aplicarse para el sector público en los casos de personalización de información y servicios.

4. Usos públicos de inteligencia artificial para tomar decisiones individualizadas respecto de personas, decisiones internas administrativas o para la elaboración de políticas y su impacto colectivo.

Un elemento también decisivo para valorar el impacto y la capacidad de producir efectos jurídicos es el grado en el que la salida o decisión del sistema de IA público se individualice y aplique a una persona. En esta dirección el artículo L311-3-1 de la ley francesa[67] hace referencia a "una decisión individual" y en la guía del Etalab para su cumplimiento[68], se tiene en cuenta que "con ayuda de este tratamiento se adopten decisiones administrativas individuales con respecto a personas físicas o jurídicas, de derecho público o privado, designadas nominativamente".

Así, la incisión o impacto sobre personas será muy diferente si el sistema IA está enfocado a tomar decisiones sobre individuos o predecir su comportamiento o, por ejemplo, si en el ámbito G2G, está dedicado a tomar decisiones internas administrativas o a proponer políticas y regulaciones, con difícil individualización de las decisiones. Es claro que tiene menor impacto —y por su puesto la admisibilidad— el uso de IA para la mejora generalizada de sistemas Administrativos o configuración de servicios públicos.

En cualquier caso, en principio tiene mayor impacto una decisión IA que se individualice en una persona y más si se adopta la decisión directamente por el sistema. También impacta indudablemente el sistema IA que fundamenta la decisión de intervenir médicamente o no a una persona, o sirve para aprobar o no su examen. Ello tiene claramente más impacto que si el sistema propone la regulación y funcionamiento de los semáforos o la carencia de los autobuses de una línea de transporte.

Dicho lo anterior, la salida más fácil sería sostener que hay menor impacto si los sistemas IA se utilizan como base para elaborar políticas o configuración de servicios públicos. Sin embargo, no se puede ignorar el impacto estructural y masivo del uso de estos sistemas en decisiones generales

---

[67] Código de relaciones entre el público y la administración https://www.legifrance.
gouv.fr/codes/article_lc/LEGinteligencia artificialRTI000033205535

[68] Etalab, *Expliquer les algorithmes…. Cit.,* p. 8.

políticas o normativas[69]. También la Recomendación Unesco es llamativamente insistente en la necesidad de un enfoque colectivo. En esta dirección, respecto de la transparencia en Francia se hace referencia a que hay que explicar sus efectos, "explicando un resultado individual, pero también especificando los impactos generales y particulares"[70].

5. Usos masivos o perpetuadores de ilegalidad y la necesidad de "recalibrar" las garantías exigibles

A la hora de valorar el impacto, hay que tener muy en cuanta la potencialidad de que el uso de IA sea más o menos generalizable y masivo. De igual modo, al valorar el impacto, hay que tener en cuenta que un error o sesgo del sistema puede reforzar o perpetuar aplicaciones y resultados discriminatorios o sesgados en el futuro, pues los sistemas muy posiblemente acentuarán sus decisiones al nutrirse de nuevos datos cada vez más negativos para los sectores perjudicados.

Es por ello que para sistemas de IA públicos que en principio se aplican masivamente hay que "recalibrar" estos umbrales aceptables y las garantías aplicables. Y considero que en general hay que ser mucho menos tolerantes[71]. Para establecer el umbral de afectación del sesgo o diferencia algorítmica en un caso concreto, no sólo hay que tener en cuenta sólo la afectación de un sistema IA al concreto sujeto que se le ha aplicado, sino que habrá de ponderarse el peligro que supone un error o sesgo masivo en innumerables casos futuros, así como el beneficio significativo de evitar que se replique en miles o millones de decisiones. Además, si el error no se controla, analiza y en su caso se corrige, las decisiones erróneas pasarán a ser *big data* que alimentará a los futuros algoritmos, haciendo que el sesgo o la discriminación se cronifiquen. En consecuencia, en vez de considerar como relevantes diferencias de trato "muy elevadas", "considerablemente inferiores" o "muy superiores", habrán de bastar tasas de afectación mucho menores. Se seguiría así para el ámbito algorítmico la doctrina Sentencia TJUE 9 de febrero de 1997 C-167/97[72].

---

[69] "Nuevo paradigma en la garantías...cit.

[70] Etalab, *Expliquer les algorithmes... cit.* p. 9.

[71] D. K. Citron, "Technological Due Process", *85 Wash. U. L. Rev.* 2008, pp. 1249-1313, p. 1286

[72] A. Soriano Arnanz, "Decisiones automatizadas y discriminación: aproximación y propuestas generales", *Revista General de Derecho Administrativo* (Iustel, enero 2021) n° 56. Sobre el tema, mi trabajo, Discriminación, sesgos e igualdad de la inteligen-

6. La mayor o menor automatización de la actuación administrativa

6.1. Niveles de automatización de la actuación administrativa

Para determinar el mayor o menor riesgo del sistema de IA público y la posibilidad de que impacte en derechos, bienes o intereses jurídicos protegibles, son importantes los niveles de mayor o menor automatización e intervención o supervisión humana. Para ello, resultan útiles los estándares que se generaron en 2016 para el vehículo autónomo[73]: Nivel 0: Sin automatización de conducción; Nivel 1: Asistencia al conductor; Nivel 2: Automatización de conducción parcial; Nivel 3: Automatización de conducción condicional; Nivel 4: Alta automatización de conducción y Nivel 5: Automatización de conducción completa.

Sobre esta base, recientemente Roehl[74] ha afirmado seis niveles de automatización de la actuación administrativa: "automatización mínima"; "recuperación y tratamiento de datos"; cuando el sistema sugiere los "pasos procedimentales a seguir"; "decisiones asistidas"; "decisiones automatizadas", hasta el grado "decisiones autónomas" con sistemas dinámicos de machine learning no supervisado.

Tipo A: automatización mínima. El operador jurídico decide sobre todos los aspectos de expediente administrativo y recibe la asistencia de tecnologías como un procesador de texto. Utilizará una *check-list*, instrucciones, y otro tipo de estándares decisorios que no están volcados en algoritmos.

Tipo B: recuperación y tratamiento de datos. La decisión es compartida entre el operador jurídico y la tecnología. Ésta recaba, graba y presenta los datos relevantes para resolver el expediente. Por ejemplo, la concesión de becas al estudio requiere una tecnología que examine las solicitudes

---

cia artificial en el sector público", en E. Gamero (Dir.), *Inteligencia artificial y sector público: retos, límites y medios*, Tirant lo Blanch, Valencia.

[73] https://www.sae.org/news/2019/01/sae-updates-j3016-automated-driving-graphic y https://www.sae.org/standards/content/j3016_202104/

[74] U. Roehl, "Understanding Automated Decision-Making in the Public Sector: A Classification of Automated, Administrative Decision-Making", en Juell-Skielse, G. y otros (eds.), *Service Automation in the Public Sector. Progress in IS*. Springer, Cham, 35-63. Sigo directamente de L. Moral Soriano, L. (): "Inteligencia artificial y filosofía del derecho decisiones automatizadas, derecho administrativo y argumentación jurídica", en Llano Alonso F. H. (dir.), *Inteligencia artificial y filosofía del derecho*, Laborum, Madrid, 2022, p. 475-498.

y extraiga los datos relevantes de las bases de datos de la Administración Pública.

Tipo C: pasos procedimentales a seguir. Igualmente se produce una decisión compartida entre el operador y la tecnología. En este caso, la tecnología además de recuperar y seleccionar los datos relevantes, sugiere los siguientes pasos en el procedimiento. Por ejemplo, la tecnología utilizada en Estados Unidos para decidir las ayudas a los niños con discapacidad pertenece a esta categoría ya que el sistema evalúa las solicitudes: para los casos más sencillos se hace una recomendación automática de decisión, mientras que, para los casos más complejos, la tecnología sugiere que se evalúen directamente por el operador jurídico.

Tipo D: decisiones asistidas. La decisión es compartida entre el operador jurídico y la tecnología. Ésta recaba, graba y presenta algunos o todos los datos relevantes de un expediente y además sugiere un número limitado de soluciones o incluso una decisión específica. El ejemplo anterior sirve aquí también en tanto que la máquina propone o recomienda las decisiones posibles que puede adoptar el operador jurídico.

Tipo E: decisiones automatizadas. La tecnología, no el operador jurídico, es el autor principal de la decisión. Todos los aspectos se confían a la tecnología que opera automáticamente a partir de estadísticas y correlaciones, sin la asistencia del funcionario en el proceso de toma de decisión. Siguiendo el ejemplo de la concesión de becas, tras la recuperación y cruce de datos, el algoritmo decide la cuantía de la beca sin intervención del operador jurídico. Otro ejemplo lo ofrece la tecnología que identifica y notifica a los ciudadanos la deuda adquirida por haber recibido beneficios sociales indebidos; si el ciudadano no impugna la notificación en un determinado plazo, la tecnología comienza el procedimiento para la recuperación de la deuda. Algunos aspectos de estas decisiones automatizadas podrían incluso considerarse propias del siguiente tipo de tecnología.

Tipo F: Decisiones autónomas. De nuevo aquí el autor principal de la decisión es la tecnología. Todos los aspectos de la decisión administrativa se confían a la tecnología basadas en sistemas dinámicos de *machine learning* no supervisado, en los que el operador jurídico no interviene en el proceso de toma de decisión.

Ahora bien, pese a que esta escala pueda resultar útil, las posibles discusiones se centran en el grado en el que la decisión totalmente automatizada luego se integre en una decisión, actuación, proceso o procedimiento Administrativo. Así, puede haber decisiones totalmente autónomas que se integren más o menos en un proceso decisional Administrativo. También puede discutirse el hecho de que el sistema IA cuente con supervisión humana para verificar su correcto funcionamiento —como las obligaciones de supervisión del artículo 13 y otros RIA—. El funcionamiento es supervisado por humanos, pero puede ser para comprobar que en general es correcto, pero pese a que se dé dicha supervisión, se puede considerar que el sistema y sus decisiones siguen siendo completamente automatizadas. Habrá que determinar la supervisión real de la que se trate pues ello puede, por ejemplo, a determinar si es aplicable o no el actual artículo 41 Ley 40/2015. Asimismo, si se considera que el sistema IA público sí que está supervisado humanamente no es fácil considerar si son aplicables las especiales garantías del artículo 22 RGPD. Es decir, la supervisión que impone el RIA podría llevar a privar de las garantías por ejemplo de la explicación de la decisión "sólo" automatizada". Considero que en modo alguno ello debería ser así y en cualquier caso aplicarían las garantías exigibles de buena Administración y debido proceso para el sector público.

6.2. Mayor riesgo en decisiones "únicamente", "íntegramente" automatizadas, sin intervención directa humana o que no sean "accesorias" para la decisión humana

Cabe recordar que las especiales garantías del artículo 22 RGPD sólo se dan respecto de las decisiones "únicamente" automatizadas[75] (por todos Palma, 2022), en nuestro caso, del sector público. Igualmente, las escasas garantías del artículo 41. 1º LRJSP se reservan a "cualquier acto o actuación realizada íntegramente a través de medios electrónicos" y que "no haya intervenido de forma directa un empleado público". Hoy por hoy estos requisitos sirven para una peligrosa huida del Derecho, esto es, en tanto en cuanto se considera que hay intervención humana en la decisión administrativa que se adopte, no se aplicarían las especiales garantías que en su caso suponen estos preceptos. No obstante, el Grupo del artículo 29[76] ha puesto límites, consciente del seguimiento rutinario por los humanos del sistema automatizado. Para que no rijan estas especiales garantías la intervención humana ha de ser "significativa, en vez de ser únicamente un gesto simbólico" y llevada a cabo por "persona autorizada y competente". El estudio de impacto que debe hacerse ha de registrar el grado de intervención humana. La Carta de Derechos Digitales exige el estudio de

---

[75]   Por todos, A. Palma Ortigosa, *Decisiones automatizadas y protección de datos personales. Especial atención a los sistemas de inteligencia artificial*, Dykinson, 2022.

[76]   G29, *Directrices sobre decisiones individuales automatizadas...*cit. p. 23.

impacto también en las decisiones "semiautomatizadas" públicas (apartado XVIII. 4°).

El futuro RIA en sus versiones de 2022 de la Presidencia Francesa y especialmente la de la Presidencia Checa, para considerar si el sistema es de alto riesgo ha introducido en el artículo 6.3° que "la salida del sistema no es puramente accesoria con respecto a la acción o decisión pertinente que debe tomarse". Así pues, hay que valorar si la salida del sistema de IA público, por ejemplo, una propuesta de resolución, puede pasar a ser elemento sustancial para la decisión final que adopte el usuario de su sistema.

Acierta Huergo[77] cuando señala que los mayores riesgos se dan respecto de los sistemas predictivos por cuanto incluyen en la acción administrativa añadiendo un "contenido de elaboración propia". Por el contrario, otros sistemas tienen "un valor meramente auxiliar en la aplicación de la norma" y cabe ubicarlos en el ámbito de la actuación reglada. Valero[78] y Martín Delgado[79] hablaban de los sistemas automatizados de "baja intensidad" frente a los sistemas de "discrecionalidad política o discrecionalidad técnica no parametrizable". Afirmaban estos autores que estos últimos no eran posibles en la legislación española.

Sobre estas bases, considero que el peligro del uso de sistemas de IA públicos de menor a mayor pasaría por:

— los sistemas de uso meramente instrumental (procesadores, traductores, etc.);

— también meramente sería instrumental el uso de sistemas automatizados para actos reglados, siempre que el sistema se limite a seguir la decisión normativa.

— Más riesgos en el uso de IA pública en ámbitos de discrecionalidad técnica,

---

[77] A. J. Huergo Lora, "Una aproximación a los algoritmos desde el derecho administrativo", en A. J. Huergo Lora, (dir.), *La regulación de los algoritmos*, Aranzadi Thomson Reuters, Cízur, 2020, 65 y ss., 66 y 75 y ss.

[78] J. Valero Torrijos, *El régimen jurídico de la e-Administración. El uso de los medios informáticos y telemáticos en el procedimiento administrativo común*, 2.ª ed., Comares, Granada, 2007, pp. 74-75.

[79] I. Martín Delgado, "Naturaleza, concepto y régimen jurídico de la actuación administrativa automatizada", *Revista de administración pública*, n° 180, 2009, pp.353-386, en concreto, p. 368.

— y más si cabe en el uso para ámbitos de discrecionalidad política o discrecionalidad técnica no parametrizable.

— También podría añadirse a esta escala entre los niveles de mayor riesgo, las decisiones IA administrativas para la aplicación de conceptos jurídicos indeterminados.

Ahora bien, pese a la utilidad de estas escalas para valorar el riesgo, hay que insistir que desde el nivel más básico de sistemas automatizados y algorítmicos es más que posible que el sistema genere lesiones de derechos o intereses y vulneraciones de la legalidad. Basta una mala selección o calidad de datos o un mero error en un simple algoritmo o fórmula para que quede viciado e impacte en la decisión final que se adopte, pese a que sea formalmente humana.

IV. PARA CONCLUIR, UNA ESCALA DE USOS PÚBLICOS DE INTELIGENCIA ARTIFICIAL MÁS O MENOS IMPACTANTES A LOS QUE DAR TRANSPARENCIA

Así pues, se ha apostado por un concepto amplio e inclusivo de estos sistemas, reconociendo que todos los sistemas automatizados o algorítmicos pueden generar impactos en los derechos de las personas. Sin embargo, los riesgos aumentan con la complejidad y la autonomía de los sistemas de IA, especialmente en los casos de sistemas predictivos, autoaprendizaje y aprendizaje profundo, debido a su falta de explicabilidad. Se propone que el concepto de sistema algorítmico del que hay que dar transparencia se vincule a la evaluación del riesgo e impacto en los derechos y bienes en juego.

Como punto de partida, es de utilidad la categorización de los sistemas de IA pública como "alto riesgo" según el futuro RIA. Entre los usos de IA de alto riesgo se incluyen sistemas de identificación biométrica, gestión de emergencias y fronteras, aplicación policial y judicial de la ley, admisión y programas educativos, evaluación del rendimiento y servicios de empleo. Además, el uso público de dispositivos médicos, automóviles, maquinaria y robótica de asistencia y cuidado personal. Estos sistemas representan un tercio de los sistemas de IA públicos, mientras que solo el 10% de los sistemas públicos y privados se considerarían de alto riesgo.

Ahora bien, aunque debe darse transparencia a todos los sistemas de IA que son de alto riesgo en el futuro RIA, ni mucho menos están todos los que son no hay que limitarse a esos sistemas de "alto riesgo". Es por ello que se ha introducido una lista de variables de impacto a considerar para garantizar la transparencia en el uso de sistemas de inteligencia artificial por parte del sector público. Las principales variables son las siguientes:

Métricas de impacto y error: Es fundamental evaluar el desempeño de los sistemas de IA no solo en términos de métricas de error, sino también de métricas de impacto. Pequeños errores pueden tener consecuencias significativas en áreas críticas como la salud y la seguridad.

Consideración de los efectos en grupos protegidos: Es necesario analizar si los sesgos o errores en los sistemas de IA tienen efectos especialmente perjudiciales para ciertos grupos protegidos.

Impactos jurídicos y significativos: Los sistemas de IA en el sector público pueden tener consecuencias jurídicas o impactos significativos en los individuos. Se deben considerar cuidadosamente los sistemas que producen efectos jurídicos o afectan significativamente al individuo.

Personalización 360° de servicios e información: Aunque los sistemas de IA aparentemente no tengan impactos jurídicos o efectos significativos, es importante tener en cuenta que pueden definir perfiles personales, profesionales, de consumo y de crédito, lo cual puede tener un impacto significativo en la vida de los individuos.

Individualización de decisiones: El grado en que las decisiones de los sistemas de IA se individualizan y se aplican a una persona específica es crucial para evaluar su impacto.

Impacto estructural y colectivo: No se puede ignorar el impacto estructural y masivo del uso de los sistemas de IA en decisiones políticas o normativas generales.

Generalización y masividad: Es fundamental considerar el alcance de la aplicación de los sistemas de IA, ya que un error o sesgo en un sistema ampliamente utilizado puede tener consecuencias más graves que en uno de uso limitado.

Peligro de errores masivos: Un error en un sistema de IA puede replicarse en miles o millones de decisiones si no se controla adecuadamente. Por lo tanto, es crucial monitorear y corregir los errores para evitar su propagación a gran escala.

Perpetuación de sesgos: Si los errores no se controlan y corrigen, pueden convertirse en parte del "big data" utilizado para entrenar futuros algoritmos, lo que perpetuaría el sesgo o la discriminación.

Niveles de automatización e intervención humana: Es importante evaluar el grado de automatización de los sistemas de IA y la intervención o supervisión humana requerida. El nivel de intervención humana puede determinar si se aplican garantías especiales y si se consideran decisiones "únicamente" automatizadas.

Los criterios y parámetros que se han señalado pueden servir de base tanto a desarrollos normativos así como a recursos internos para la categorización del sistema automatizado o de IA público. A partir de esta categorización puede perfilarse el nivel y exigencias de transparencia que son precisas.

Dejando ahora al margen los usos vinculados a defensa y seguridad nacional, me permito escalar de mayor a menor impacto y riesgo, así como de atracción jurídica diversas categorizaciones de usos de IA públicos, a saber:

— Sistemas calificables como de alto riesgo por el futuro RIA.

— Sistemas que identifican o priorizan objetivos para la aplicación de la ley o para realizar inspecciones en el ámbito de infracciones penales, administrativas y persecución de ilicitudes y fraude, cada vez más habituales en ámbitos de seguridad, mercado y competencia, trabajo, salud, cuidado del medio ambiente, etc.

— Sistemas para la adjudicación de contratos, subvenciones, privilegios del gobierno.

— Sistemas IA para personalizar, priorizar o apoyar la prestación de servicios a los ciudadanos en salud, educación, empleo, servicios sociales, etc.

— Sistemas de extracción de información, investigación, recopilación, supervisión y el análisis de datos, para la elaboración de políticas, la toma de decisiones, monitoreo general y análisis de riesgos.

— Sistemas para la gestión de la organización interna, recursos humanos y las adquisiciones y la gestión de los recursos tecnológicos.

— Sistemas para interactuar y comunicarse con el público sobre sus derechos y obligaciones y su participación.

No coincido con Huergo[80] cuando afirma que los sistemas de selección de sujetos para ser inspeccionados "quedarían en un segundo plano y con una "irrelevancia jurídica casi total". Sin embargo, pese a que las normas

---

[80]   A. J. Huergo Lora, "Una aproximación a los algoritmos... cit. p. 77.

y jurisprudencia actuales en España parecen darle la razón, es momento de evitar esta huida del Derecho[81] y aplicar las necesarias garantías a estos sistemas automatizados que encienden las luces rojas determinando o guiando la actuación humana. Los falsos positivos y negativos pueden generar importantes lesiones de derechos y posibles discriminaciones. El caso judicializado más importante hasta la fecha de Países Bajos de SyRI[82], con mucho acierto determinó la nulidad del sistema que se utilizaba sólo en la fase de selección de alertas.

---

[81] En especial, sobre el tema, L. Cotino Hueso, "Hacia la transparencia 4.0: el uso de la inteligencia artificial y big data para la lucha contra el fraude y la corrupción y las (muchas) exigencias constitucionales", en C. Ramió (coord.), *Repensando la administración digital y la innovación pública*, Instituto Nacional de Administración Pública (INAP), Madrid, 2021. https://links.uv.es/FUW2pz6

[82] Sobre el tema, *ibídem.*

La información que hay que facilitar en los registros públicos de algoritmos y de inteligencia artificial

Lorenzo Cotino Hueso[1]
Catedrático de Derecho Constitucional de la Universitat de València. Valgrai

Alba Soriano Arnanz[2]
Profesora Ayudante Doctora en Universitat de València

El presente estudio se centra en la información que debe facilitarse de los sistemas algorítmicos empleados por las Administraciones públicas, con diferentes niveles de publicidad y transparencia. De nuevo se tiene el foco puesto en el primer registro público de algoritmos regulado en España, el caso valenciano regulado por la Ley 1/2022, de 13 de abril, de la Generalitat, de Transparencia y Buen Gobierno de la Comunitat Valenciana

[1]   cotino@uv.es. OdiseIA. El presente estudio es resultado de investigación del proyecto: "Derechos y garantías públicas frente a las decisiones automatizadas y el sesgo y discriminación algorítmicas" (PID2022-136439OB-I00); Retos "Derechos y garantías frente a las decisiones automatizadas... (RTI2018-097172-B-C21); "La regulación de la transformación digital …" grupo de investigación de excelencia Generalitat Valenciana "Algoritmic law" (Prometeo/2021/009, 2021-24); "Algorithmic Decisions and the Law: Opening the Black Box" (TED2021-131472A-I00) y "Transición digital de las Administraciones públicas e inteligencia artificial" (TED2021-132191B-I00) del Plan de Recuperación, Transformación y Resiliencia. Estancia Generalitat Valenciana CIAEST/2022/1. ELPIS: Análisis de datos para la toma de decisiones espaciales e inteligencia artificial para la administración, Grupo de Investigación en Derecho Público y TIC Universidad Católica de Colombia; MICINN prueba de concepto "Registro público de algoritmos" (Ref: PDC2022-133890-I00) 2022-2023

[2]   Este trabajo se ha realizado en el marco de los Proyectos de investigación «Digital economy regulation: equality guarantees provided by public powers and algorithmical tools» (PID2019-108745GB-I00) y «Algorithmical Law» (PROMETEU/2021/009), financiados respectivamente por el Ministerio de Ciencia e Innovación y por la Generalitat Valenciana y MICINN prueba de concepto "Registro público de algoritmos" (Ref: PDC2022-133890-I00) 2022-2023.

en su artículo 16. 1. l). Ahora bien, las propuestas realizadas parten, tanto del marco normativo vigente y aplicable en España así como de los modelos comparados de registros algorítmicos que, en los últimos años se han establecido en algunos Estados y ciudades europeas. Según se ha señalado como punto de partida, la transparencia debería ser mayor cuanto más complejo sea el sistema y cuanto más intervenga el sistema en la toma de la decisión que afecte a la ciudadanía. De igual modo, debe darse mayor transparencia en razón del impacto y riesgo del algoritmo o sistema IA.

Asimismo, estos criterios, referentes al impacto, grado de autonomía y tipo y complejidad del sistema son también útiles a la hora de decidir cuáles deben ser los sistemas algorítmicos que deben dotarse de transparencia con mayor urgencia y, por tanto, deben ser los primeros en ser incorporados al registro de algoritmos. En este sentido, cabe que nos refiramos a las directrices desarrolladas por el *Digital Forum Lab* de *Eurocities*. Dicha organización ha elaborado una propuesta de Registro de algoritmos para su implementación por parte de diferentes ciudades europeas y, entre la documentación que proporciona, establece los pasos a seguir en la creación del registro de algoritmos indicando, como segundo paso, la necesidad de fijar un orden a la hora de registrar sistemas algorítmicos. En este caso, los criterios señalados por *Eurocities* son, principalmente, el impacto del sistema sobre las personas, su riesgo y su nivel de explicabilidad (a menor explicabilidad, mayor transparencia)[3].

Se siguen a continuación los materiales de referencia de diversas autoridades especialmente extranjeras, así como las declaraciones y manifiestos que hemos hecho desde la Red DAIA[4], estudios previos sobre la transparencia algorítmica proyectados ahora en particular para el sector público[5],

---

[3] Algorithm Register, *Guidance for European Cities: Getting started with an Algorithm Register*. Disponible en: https://www.algorithmregister.org/guidance

[4] Desde la Red Derecho Administrativo de la IA (DAIA) desde 2019 hemos subrayado elementos básicos jurídicos respecto del uso de la IA en el sector público, entre ellos las cuestiones de transparencia, que sin duda constituyen un referente. Así en las Conclusiones de Toledo de 1 de abril de 2019 y la Declaración final de Valencia de 24 de octubre de 2019.

[5] En especial se sigue el trabajo L. Cotino Hueso, "Qué concreta transparencia e información de algoritmos e inteligencia artificial es la debida", Revista Española de la Transparencia, Núm. 16 (Primer semestre. Enero-junio 2023). acceso. Cabe en cualquier caso tener presente los estudios contenidos en la primera monografía en español sobre el tema, en L. Cotino Hueso y J. Castellanos (coords.), *Transparencia y explicabilidad de la inteligencia artificial*, Tirant lo Blanch, Valencia, 2022.

así como otros estudios de referencia con Boix[6] o, entre otros los de Gutié-rrez[7], Vestri[8] y Cerrillo[9].

I. EL NIVEL DE PROFUNDIDAD Y COMPRENSIBILIDAD DE LA INFORMACIÓN QUE SE OFRECE. LA INFORMACIÓN POR CAPAS

La información debe ir dirigida a diferentes niveles de conocimiento de usuario y ser adecuada a la finalidad que se persigue con la transparencia. Al tiempo no hay que olvidar que mucha transparencia puede generar problemas de privacidad, seguridad, confidencialidad y propiedad intelectual. E incluso puede ser contraproducente a la finalidad por cuanto se genere opacidad por exceso de información. Encontrar el balance adecuado para las finalidades que se persigan es la clave.

Por cuanto *a quién va dirigida la información*, las Directrices o "Pautas" para el uso de IA en Países Bajos por el sector público (en adelante Directrices para el sector público)[10] o la guía de transparencia algorítmica

---

[6]   A. Boix Palop y A. Soriano Arnanz, "Transparencia y control del uso de la inteligencia artificial por las administraciones públicas", F. Balaguer y L. Cotino, *Derecho público de la inteligencia artificial*, F. Jiménez Abad-Marcial Pons, 2023.

[7]   Posiblemente el trabajo más riguroso, aunando además los elementos técnicos esenciales de la cuestión, M. E. Gutiérrez David, "Administraciones inteligentes y acceso al código fuente y los algoritmos públicos. Conjurando riesgos de cajas negras decisionales", en *Derecom*, nº 31, págs. 19-105, ver págs. 55-56, 2021, http://www.derecom.com/derecom/

[8]   G. Vestri, "La inteligencia artificial ante el desafío de la transparencia algorítmica: Una aproximación desde la perspectiva jurídico-administrativa", *Revista Aragonesa de Administración Pública*, nº 56, Zaragoza, 2021, págs. 368-398.

[9]   A. Cerrillo i Martínez, "La transparencia de los algoritmos que utilizan las administraciones públicas", *Anuario de Transparencia Local*, n°. 3, 2020, págs. 41-78.

[10] Ministerie van Justitie en Veiligheid (Ministerie van Justitie en Veiligheid), Rijksoverheid (Gobierno central), *Richtlijnen voor het toepassen van algoritmen door overheden en publieksvoorlichting over data-analyses* (*Pautas para la aplicación de algoritmos por parte de los gobiernos y educación pública sobre análisis de datos*), Directiva (Richtlijn), de 08-03-2021,   https://www.rijksoverheid.nl/documenten/richtlijnen/2021/09/24/richtlijnen-voor-het-toepassen-van-algoritmen-door-overheden-en-publieksvoorlichting-over-data-analyses#:~:text=Rijksoverheid—,Richtlijnen%20voor%20het%20toepassen%20van%20algoritmen,en%20publieksvoorlichting%20over%20data%2Danalyses.&text=Doel%20van%20de%20richtlijnen%20is,de%20publieksvoorlichting%20daarbij%20door%20overheden

pública del ICO para el Reino Unido[11] sí que están concebidas para la obligación general de informar a todo el público. En el caso de autoridades de protección de datos, se trata bien de la información general obligatoria dirigida al público, o bien de las obligaciones más concretas respecto de los afectados, especialmente por decisiones algorítmicas. El Grupo Independiente de Expertos de Alto nivel sobre Inteligencia Artificial de la Comisión Europea (HLEG) aunque hace referencia a "usuarios"[12] no parece discernir el tipo de sujeto del que se trata por lo general, tampoco la Recomendación UNESCO 2021.

En estos casos los datos, información o contenidos en que consiste la transparencia y explicabilidad no necesariamente han de ser de un carácter básico o elemental dirigidos al conocimiento medio de la ciudadanía. De hecho, en muchos supuestos, habrá de facilitarse información de alto contenido técnico similar a la dirigida a usuarios (entendidos como las personas físicas o jurídicas que empleen sistemas de IA bajo su autoridad) o entidades supervisoras. Ello es así por cuanto la información de profundidad será la necesaria para poder ejercer derechos por parte del interesado en cuestión, así como por los colectivos o la sociedad civil. De igual modo, la comunidad científica juega un papel muy relevante en el acceso a la información algorítmica.

Que la información deba ir dirigida a diferentes niveles de conocimiento de usuario no es problema. Como es conocido especialmente en el ámbito de la protección de datos, la información debe estar estructurada en capas, de un nivel general más accesible y simple y una capa que permite

---

[11] ICO (Information Comissioner Office), *What do we need to do to ensure lawfulness, fairness, and transparency in AI systems?*, ICO, 2021, https://ico.org.uk/for-organisations/guide-to-data-protection/key-dp-themes/guidance-on-ai-and-data-protection/what-do-we-need-to-do-to-ensure-lawfulness-fairness-and-transparency-in-ai-systems/
Y de especial utilidad los estándares ICO (Information Comissioner Office), *Algorithmic transparency data standard,* ICO, 2021 (última versión julio 2022), https://www.gov.uk/government/collections/algorithmic-transparency-standard
También, de especial interés, ICO y Alan Turing Institute, *Explaining decisions made with Artificial Intelligence*, 2020, https://ico.org.uk/for-organisations/guide-to-data-protection/key-dp-themes/explaining-decisions-made-with-ai/

[12] HLEG, *Directrices éticas para una IA fiable*, 2019, pág. 10, https://op.europa.eu/es/publication-detail/-/publication/d3988569-0434-11ea-8c1f-01aa75ed71a1 ver HLEG AI, *Assessment List for Trustworthy AI*: https://ec.europa.eu/newsroom/dae/document.cfm?doc_id=6834

profundizar en el conocimiento[13]. Y ello debe replicarse respecto de la transparencia para el público de la IA y así se aprecia en las mejores prácticas internacionales respecto de la transparencia de la IA[14].

Resultan de especial interés las Directrices para el sector público neerlandés cuando se señala la importancia de un acceso global no segmentado o por silos a la información. Así, cabe "garantizar que los equipos tengan pleno acceso y conocimiento de la documentación, las decisiones y el código de los demás. Cuando las decisiones sobre las características, las especificaciones, el diseño, la construcción y las pruebas se reparten entre varios equipos, las diferencias de interpretación pueden pasar desapercibidas y no ser intencionadas durante el traspaso. La transparencia y la explicabilidad están entonces en riesgo"[15]. Estas afirmaciones de todo interés pueden valer tanto para la transparencia interna a especialistas (usuarios, entidades evaluadoras o supervisoras) como para el público, en particular para la comunidad de especialistas.

De cara a la información de los proveedores a los usuarios de sistemas, la propuesta de Reglamento de Inteligencia Artificial de la UE (RIA) señala que los sistemas han de ir acompañados de instrucciones con "información concisa, completa, correcta y clara que sea pertinente, accesible y comprensible para los usuarios" (art. 13. 2º RIA).

La lista de evaluación del HLEG, en su apartado de "comunicación" tiene en cuenta especialmente la naturaleza de los sujetos y su perspectiva. Así, incluye "si hay procesos que tengan en cuenta las opiniones de los usuarios y que utilicen dichas opiniones para adaptar el sistema"; "Si se informa hacia otras audiencias, hacia terceros o hacia el público en general." Y "Según el caso de uso, ¿ha tenido en cuenta la psicología humana y sus posibles limitaciones, como el riesgo de confusión, el sesgo de confirmación o la fatiga cognitiva?".

---

[13] En general puede seguirse, AEPD, *Guía para el cumplimiento del deber de Informar*, AEPD, 2018, págs. 5 y ss. https://www.aepd.es/es/media/guias/guia-modelo-clausula-informativa.pdf

[14] Así, las Directrices para el sector público de Países bajos para el caso de información sobre decisiones automatizadas se afirma que la información "está "estratificada" (Rijksoverheid, *voor het toepassen van algoritmen…* cit. pág. 32. Y especialmente, los estándares del ICO para el sector público están claramente estructurados en estos dos niveles (ICO (Information Comissioner Office), *Algorithmic transparency data standard*, ICO, 2021 (última versión julio 2022), https://www.gov.uk/government/collections/algorithmic-transparency-standard.)

[15] Rijksoverheid, *Richtlijnen voor het toepassen van algoritmen…* cit.

La información estructurada por capas es habitual en el ámbito de la protección de datos[16]. Y ello debe replicarse respecto de la transparencia para el público de la IA y así se aprecia en las mejores prácticas internacionales respecto de la transparencia de la IA. Las Directrices para el sector público de Países Bajos para el caso de información sobre decisiones automatizadas se detalla que "Ante todo, debe ser concisa y transparente, comprensible y de fácil acceso." De ello deriva que la información "está "estratificada", donde uno puede navegar rápidamente a los pasajes relevantes sin tener que desplazarse por toda la declaración de privacidad. "Comprensible" implica que un representante medio de la audiencia a la que se dirige debe ser capaz de entender la información. En este contexto, puede ser útil comprobar de vez en cuando con la audiencia real si esto es así, por ejemplo, mediante un panel de usuarios. "Fácilmente accesible" significa que uno necesita hacer poco esfuerzo para acceder a la información. Incluirlo en una *declaración de privacidad* en el propio sitio web con un enlace claro en la *página de inicio [… y además]* en un lenguaje claro y sencillo […] No debe dejar lugar a diferentes interpretaciones y, en cualquier caso, debe aportar claridad sobre el objetivo y la base jurídica de los análisis"[17].

También en el terreno concreto de la IA, los estándares del ICO para el sector público están claramente estructurados en estos dos niveles[18]. De igual modo, desde ahí se indica también que se ha de informar de cómo se puede obtener más información sobre la herramienta o cómo pueden hacer cuestiones, incluidas las opciones fuera de línea y una dirección de correo electrónico de contacto de la organización, el equipo o la persona de contacto responsable.

Por su parte, en el caso de Francia[19], las obligaciones de transparencia se definen en tres niveles:

A.   "Información general: publicar en línea las normas que definen las principales operaciones de tratamiento utilizadas en el ejercicio de sus funciones cuando constituyan la base de decisiones individuales,

---

[16]   En general puede seguirse, AEPD, *Guía para el cumplimiento del deber de informar, …* cit. págs. 5 y ss.

[17]   Así, las Directrices para el sector público de Países bajos para el caso de información sobre decisiones automatizadas se afirma que la información "está "estratificada" (Rijksoverheid, *Richtlijnen voor het toepassen van algoritmen… cit.* pág. 32.

[18]   ICO, *Algorithmic transparency data standard… cit.*

[19]   *Expliquer les algorithmes publics,* Etalab, 2022, p. 15https://guides.etalab.gouv.fr/pdf/guide-algorithmes.pdf

B. Información explícita: incluya una declaración en línea y en los documentos (avisos, notificaciones) en la que se especifiquen los fines del tratamiento, un recordatorio del derecho de acceso y los procedimientos para ejercer este derecho,

C. Información individual: a petición de la persona interesada, facilitar la siguiente información: la medida y el modo en que el tratamiento algorítmico contribuye a la toma de decisiones, los datos tratados y sus fuentes, los parámetros del tratamiento y su ponderación, aplicados a la situación del interesado, las operaciones realizadas por el tratamiento."

II. NORMATIVA DE REFERENCIA SOBRE LA INFORMACIÓN A FACILITAR

El *Decreto 203/2021 estatal*, en su artículo 11. 1° i) que impone la difusión en la sede electrónica: "descripción de su diseño y funcionamiento, los mecanismos de rendición de cuentas y transparencia, así como los datos utilizados en su configuración y aprendizaje"[20].

En el caso del *Estatuto de los Trabajadores* la ley simplemente prescribe que se ha de informar de "los parámetros, reglas e instrucciones en los que se basan los algoritmos o sistemas de inteligencia artificial". Y la Guía de implantación ha desarrollado esta información en cuatro grupos y ha desarrollado un listado de la información concreta a proporcionar[21], a saber: información general sobre el uso de algoritmos o sistemas de inteligencia artificial para tomar decisiones automatizadas[22]; información sobre la ló-

---

[20]   Para el ámbito tributario, cabe remitir a B. D. Olivares Olivares, en *Transparencia y aplicaciones informáticas en la Administración tributaria*", *Crónica Tributaria*, n.° 174, 2020, pp. 89-113. Disponible en: https://www.ief.es/docs/destacados/publicaciones/revistas/ct/174.pdf.
https://drive.google.com/file/d/1p1_fzP0e2ACIfVKdxce_DawVbLAkE4bt/view

[21]   Ministerio de Trabajo y Economía Social, *Información algorítmica en el ámbito laboral. Guía práctica y herramienta sobre la obligación empresarial de información sobre el uso de algoritmos en el ámbito laboral*, Gobierno de España, Mayo 2022, https://www.lamoncloa.gob.es/serviciosdeprensa/notasprensa/trabajo14/Documents/2022/100622-Guia_algoritmos.pdf

[22]   1. ¿La empresa utiliza o tiene previsto utilizar algoritmos y sistemas de decisión automatizada para la gestión de personas trabajadoras o candidatas? Sí
2. ¿La empresa utiliza algoritmos o sistemas de decisión automatizada para la elaboración de perfiles de las personas? Sí

gica y funcionamiento de cada algoritmo usado[23]; información sobre las consecuencias que pueden derivarse de la decisión automatizada o del uso

---

3. ¿Qué decisiones de gestión de personas son automatizadas mediante algoritmos o sistemas de inteligencia artificial? Selección de personas

4. ¿Qué tipo de tecnología utiliza el algoritmo?

a) ¿Genera un modelo de "caja negra"? Sí

b) ¿Es un algoritmo de aprendizaje continuo? Sí

c) ¿Quién ha desarrollado el modelo?

5. ¿Cuál es el software o producto utilizado por el algoritmo?

a) ¿Quién es la empresa suministradora?

b) ¿Se han realizado modificaciones o alteraciones del software en su instalación? Sí

c) En su caso, ¿de qué tipo y con qué finalidad?

d) ¿El software cuenta con algún tipo de certificación? Sí

6. ¿Existe intervención humana cualificada en el proceso de decisión? Sí

a) En su caso, ¿cuál es el grado de intervención de la persona en la adopción de la decisión final?

b) ¿Cuál es la competencia y autorización de la persona que interviene en el proceso de decisión?

c) ¿Cuál es su capacidad para modificar la decisión adoptada por el algoritmo?

[23]   1. En caso de elaboración de perfiles, ¿qué tipología de perfiles elabora el algoritmo?

a) Específicamente para la persona trabajadora o candidata, ¿a qué perfil ha sido asignada?

b) El perfil ¿ha sido usado o está previsto usarlo para una finalidad distinta?

2. ¿Cuáles son las variables que utiliza el algoritmo?

a) ¿Se han incluido como variables datos de carácter personal? Sí

b) ¿Qué tipología de datos de carácter personal son utilizados?

c) ¿Se han cumplido las obligaciones de información respecto del uso o, en su caso, reutilización de datos personales?

d) ¿Qué tipología de datos de carácter no personal son utilizados?

3. ¿Qué parámetros utiliza el algoritmo?

4. ¿Cuáles son las reglas e instrucciones que utiliza el algoritmo en el proceso de toma de decisión?

5. ¿Qué base de datos de entrenamiento y, en su caso, de validación se ha utilizado?

a) ¿Los datos de entrenamiento son adecuados, pertinentes y no excesivos? Sí

b) ¿Se han verificado estos extremos? En caso afirmativo, ¿quién ha realizado la verificación?

c) ¿Su utilización como datos de entrenamiento se corresponde con la finalidad para la que fueron obtenidos? Sí

d) En su caso, ¿qué tipo de patrones se han identificado en los datos de entrenamiento?

6. ¿Se han detectado errores o imprecisiones del algoritmo en la clasificación de las personas en los diferentes perfiles? Sí

a) ¿Cuál es el porcentaje aproximado de error?

del algoritmo[24] y otra información relevante para la representación legal de la plantilla[25]

Destaca la concreción de la *información a proporcionar en el caso del artículo 22 RGPD*[26] elaborada por la AEPD[27]. En el caso de que el interesado esté sometido a decisiones automatizadas o en los casos de elaboración de perfiles a los que hace referencia el artículo 22 del RGPD, un aspecto importante que se establece en el artículo 13.2.f del RGPD es que éste ha de "disponer de información significativa sobre la lógica aplicada" y "la importancia y las consecuencias previstas". Aunque dependerá del tipo de componente IA utilizado, un ejemplo de información que podría tener relevancia de cara al interesado según la AEPD, sería el detalle de los datos empleados y su importancia relativa, su calidad, los perfilados realizados y sus implicaciones, valores de precisión o error, la supervisión humana e información sobre las auditorías realizadas.

El futuro RIA para algunos sistemas de alto riesgo crea la "Base de datos de la UE para sistemas de IA de alto riesgo independientes" y la información de esta base de datos "será accesible para el público" (art. 60.2°). En dicha base de datos tienen que registrarse los sistemas de alto riesgo

---

b) ¿Cuáles son las métricas de rendimiento por perfil?

7. ¿Se han realizado o se prevé realizar auditorías o evaluaciones de impacto?

a) ¿Se realizan con medios propios o externos?

b) ¿Cuál ha sido el resultado de la auditoría y/o evaluación de impacto?

[24] 1. ¿Qué consecuencias pueden derivarse para las personas trabajadoras o candidatas de la decisión adoptada por el algoritmo o del perfil creado?

2. A la representación legal de la plantilla, ¿cuál es el impacto el algoritmo en materia de igualdad y no discriminación entre mujeres y hombres?

a) ¿Existe constancia de posibles problemas de sesgo?

b) ¿Se ha incluido el impacto del algoritmo en el diagnóstico previo a la elaboración de un Plan de Igualdad?

[25] ¿Se ha informado a las personas trabajadoras o candidatas respecto del uso de algoritmos para la toma de decisiones automatizadas?

[26] En particular por cuanto a la transparencia en razón de este derecho, cabe remitir al exhaustivo trabajo M. Medina Guerrero, "El derecho a conocer los algoritmos utilizados en la toma de decisiones. Aproximación desde la perspectiva del derecho fundamental a la protección de datos personales", en *Teoría y realidad constitucional*, nº 49, 2022, págs. 141-171, https://dialnet.unirioja.es/descarga/articulo/8450038.pdf También, A. Cerrillo i Martínez, "La transparencia de los algoritmos… cit. págs. 62 y ss.

[27] *Adecuación al RGPD de tratamientos que incorporan Inteligencia Artificial. Una introducción, de febrero* 2020, pág. 24. https://www.aepd.es/media/guias/adecuacion-rgpd-ia.pdf

del anexo III (art. 51 RIA) y todo el mundo puede acceder a información bastante básica que se detalla en el Anexo VIII. Este Anexo VIII incluye Información relativa a los operadores (en el momento del registro de los operadores (Parte I)[28] e Información relacionada con el sistema de IA de alto riesgo (Parte II)[29].

En España, como normas aplicables en este sentido cabe citar, por ejemplo, el artículo 16 de la Ley 1/2022, de 13 de abril, valenciana es relativamente laxa sobre qué información debe contener el registro de algoritmos. Así, será "la descripción de manera comprensible de su diseño y funcionamiento, el nivel de riesgo que implican y el punto de contacto al que poder dirigirse en cada caso, de acuerdo con los principios de transparencia y explicabilidad."

También podemos citar el caso del Ayuntamiento de Barcelona, que distingue entre "Transparencia del procedimiento"[30], "Transparencia técnica"[31] y

---

[28]   1. Nombre, dirección y datos de contacto del proveedor; 2. Cuando la presentación de la información sea realizada por otra persona en nombre del operador, el nombre, la dirección y los datos de contacto de esa persona.

[29]   2. Nombre, dirección y datos de contacto Nombre, dirección y datos de contacto del proveedor, del representante autorizado; 3. El nombre comercial del sistema de IA. Descripción de la finalidad prevista del sistema de IA; 4. Si el sistema de IA está en el mercado, o en servicio, retirado; 5. Caducidad del certificado, 7. 7. Estados miembros en los que el sistema de IA es o ha sido comercializado, puesto en servicio o disponible en la Unión; 8 copia de la declaración de conformidad; 9. Instrucciones electrónicas de uso y 10. Nombre, dirección y datos de contacto de los usuarios.

[30]   Transparencia del procedimiento: Se trata del suministro de información pública relativa al sistema algorítmico o al proceso seguido en el desarrollo y aplicación del mismo y de los datos utilizados en este contexto. En cualquier caso, la información suministrada debe ser suficiente para garantizar que, si surgen daños, se puede rastrear su causa, así como para garantizar la comprensión de las opciones y supuestos asumidos y las categorías de datos utilizadas en el desarrollo del sistema algorítmico. Debe incluir también la forma en que se da la intervención humana en el sistema algorítmico, la metodología utilizada para identificar los riesgos, los riesgos identificados y las medidas adoptadas para mitigarlos, así como las partes que han participado en el desarrollo del sistema algorítmico y sus funciones.

[31]   Transparencia técnica: Se trata del suministro de información por parte del proveedor al Ayuntamiento de Barcelona —respetando la propiedad intelectual— que permita comprender el funcionamiento técnico del sistema algorítmico. Esta información debe incluir la divulgación del código fuente del sistema, las especificaciones técnicas y los datos utilizados en el desarrollo del sistema, la información técnica sobre cómo se han obtenido los datos, el proceso de desarrollo utilizado,

"Explicabilidad"[32]. Ya de cara a la ciudadanía, "la transparencia en el procedimiento se centra también en proporcionar a la ciudadanía y otras partes interesadas información general sobre la utilización del sistema algorítmico". El establecimiento de un registro de algoritmos del Ayuntamiento de Barcelona, año, se basa en las directrices y principios del *Algorithm Transparency Standard* y la propuesta de registro de algoritmos elaborados por el *Eurocities Digital Forum Lab*[33].

Para los sistemas de "alto riesgo" según su propia clasificación, y "en la medida del posible" para el resto de sistemas, se afirma que "el Ayuntamiento de Barcelona será libre de divulgar la información facilitada por el proveedor relacionada con la transparencia del procedimiento. En cambio, la información relacionada con la transparencia técnica que facilitarán los proveedores no será de carácter público".

Así las cosas, en principio de cara a la ciudadanía se facilitaría la información sobre, sistema algorítmico, proceso seguido en el desarrollo y aplicación del mismo, los datos utilizados en este contexto, intervención humana, metodología utilizada para identificar los riesgos, riesgos identificados y las medidas adoptadas para mitigarlos y las partes que han participado en el desarrollo del sistema algorítmico y sus funciones.

Se afirma asimismo que "la información suministrada debe ser suficiente para garantizar que, si surgen daños, se puede rastrear su causa, así como para garantizar la comprensión de las opciones y supuestos asumidos y las categorías de datos utilizadas en el desarrollo del sistema algorítmico."

En otro apartado relativo a los "Espacios de transparencia", para todos los tipos de sistemas, se "pondrá a disposición de la ciudadanía y de todas las partes interesadas la información pública relacionada con los sistemas

---

la justificación del elección del modelo concreto y sus parámetros, así como la información sobre el rendimiento del sistema.

[32] Explicabilidad: Información sobre por qué un sistema algorítmico lleva a una decisión o resultado concreto. Esto incluirá una indicación clara de los factores clave que han llevado a un sistema algorítmico a un resultado concreto y los cambios que deben realizarse en los datos de entrada de cara a obtener un resultado diferente. Hacer que un sistema algorítmico sea explicable incluye proporcionar toda la información técnica y otra tipología necesaria para explicar a los espacios de participación o en procedimientos cómo los estudios de impacto, las auditorías algorítmicas o en procedimientos de impugnación, recurso u otros procedimientos judiciales, como se ha llegado a una decisión y ofrecer a la otra parte o cualquier parte interesada el acceso a la información y una protección jurídica satisfactoria.

[33] Algorithm Register, "Guidance for European Cities…", *cit.*

algorítmicos que licite en el Registro Público de Algoritmos que se creará a estos efectos." Y se afirma que "de forma preliminar y no restrictiva, se prevé que se publique la información básica sobre el sistema algorítmico"[34], estudios de impacto algorítmico llevados a término por el Consejo Asesor, Cláusulas Tipo por la Contratación de Sistemas de IA Fiables, informes de auditoría algorítmica, informe de balance final y mecanismos de comunicación ciudadana disponibles para tramitar peticiones de información o consultas, incidencias, quejas y sugerencias en relación al funcionamiento de los sistemas algorítmicos.

Además de la información en sí, destaca que se "facilitará la participación de la sociedad civil, empresas y entidades […] dando la oportunidad a todas las partes implicadas de debatir la aplicación de los sistemas algorítmicos y de conocer sus resultados" y "el IMI tendrán que informar sobre el desarrollo del sistema algorítmico y los miembros de los órganos podrán hacer preguntas sobre éste y debatirlos." Se trata sin duda de un aporte importante para implantar la participación en esta materia.[35]

Respecto de la "Auditoría y otros tipologías de inspección" y sólo para los sistemas de "riesgo alto", se afirma que "El Ayuntamiento de Barcelona tendrá derecho a difundir públicamente las conclusiones del informe en el Registro de Algoritmos."

En el marco de la estrategia de IA catalana, se ha creado el programa Salud/IA, insertándose dentro de este el Observatorio de IA en salud de Catalunya[36]. En este contexto se está creando actualmente un registro de algoritmos empleados en el ámbito de la salud. A diferencia de otros, ciertamente tiene una finalidad de facilitar la contratación y la colaboración público privada. Las personas responsables de los sistemas de IA deben rellenar un formulario que contiene información acerca del tipo de tecno-

---

[34] "finalidad del sistema algorítmico; área municipal que lo impulsa; actores implicados en las decisiones del sistema; alcance del sistema algorítmico; datos que se harán servir; incorporación de aprendizaje automático; política de utilización; calendario de aplicación; riesgos que podrían aparecer y estrategia de gestión de estos; legitimación de la finalidad en el caso de tratamiento de datos personales, previamente alineado en el RAT".

[35] Sobre el tema, J. Castellanos Claramunt, "Democracia, administración pública e inteligencia artificial desde una perspectiva política y jurídica", *Revista catalana de dret públic*, n°. 60, 2020, pp. 137-147.

[36] Salut/IA, *Observatorio de la IA en el ámbito de la salud*. Disponible en: https://iasalut. cat/es/observatori/

logía, nivel de automatización, ámbito de la salud en que se va a emplear[37], especialidad médica, funcionamiento y nivel de desarrollo. Hasta la fecha se han registrado 107 algoritmos, pero la información detallada todavía no se ha hecho pública.

III. INFORMACIÓN SOBRE LA EXISTENCIA, FINALIDAD, INCIDENCIA EN LAS DECISIONES PÚBLICAS, LA LÓGICA Y MOTIVACIÓN COMPRENSIBLE

1. *"Comunicación" de la existencia misma del sistema y su grado de incidencia en las decisiones públicas*

La premisa es la "comunicación" de la existencia del sistema IA público, esencialmente como "derecho a saber que [las personas] están interactuando con un sistema de IA" y para ello los sistemas de IA se deben identificar como tales a los humanos[38]. La comunicación se desdobla, en primer lugar, como un principio de "notificación cuando se interactúa con un sistema de IA" especialmente importante "cuando los sistemas de aprendizaje automático se utilizan en la esfera pública"[39]. En esta línea, los sistemas de alto riesgo del Anexo III del RAI deben estar en la "Base de datos de la UE para sistemas de IA de alto riesgo independientes" que "será accesible para el público" (arts.51 y 60.2°). Es muy preocupante que ni tan siquiera sepamos qué sistemas de IA existen e impactan en la actuación y prestación

---

[37] Así, se distingue atención primaria (50%), hospitalaria (20,91%), socio-sanitaria (6,36%), salud mental (8,18%) u otros (14,55%)

[38] HLEG, *Directrices éticas... cit.* N° 78: "Comunicación. Los sistemas de IA no deberían presentarse a sí mismos como humanos ante los usuarios; las personas tienen derecho a saber que están interactuando con un sistema de IA. Por lo tanto, los sistemas de IA deben ser identificables como tales. Además, cuando sea necesario, se debería ofrecer al usuario la posibilidad de decidir si prefiere interactuar con un sistema de IA o con otra persona, con el fin de garantizar el cumplimiento de los derechos fundamentales. Más allá de lo expuesto, se debería informar sobre las capacidades y limitaciones del sistema de IA a los profesionales o usuarios finales; dicha información debería proporcionarse de un modo adecuado según el caso de uso de que se trate y debería incluir información acerca del nivel de precisión del sistema de IA, así como de sus limitaciones."

[39] J. Fjeld, et. al., "Principled Artificial Intelligence: Mapping Consensus in Ethical and Rights-based Approaches to Principles for AI", Berkman Klein Center for Internet & Society Research at Harvard University. January, 2020, pág. 4, https://dash.harvard.edu/handle/1/42160420

de servicios así como en nuestros derechos[40]. Al menos en los casos en los que el sistema de IA trate datos personales considero que sería una obligación legal difundir estos tratamientos en razón del artículo 6 bis de la Ley 19/2013, de 9 de diciembre, de transparencia, respecto del inventario de actividades de tratamiento en aplicación del artículo 31 de la Ley orgánica 8/2018. Y hoy por hoy no se conoce un caso en el que se cumpla dicha obligación. Es casi imposible conocer los sistemas algorítmicos a través de anuncios en plataformas de contratación, ciertamente la función de transparencia de estas plataformas es otra y no hay homogeneidad alguna[41].

A nivel europeo se presentó un primer mapeo de sistemas públicos de IA[42], que ha sido completado recientemente[43]. En cualquier caso y pese a la utilidad de estos documentos, se trata esencialmente de los usos que el propio poder público quiere dar a conocer.

Las insuficiencias del artículo 41 de la Ley 40/2015 son palmarias y el artículo 13 del Decreto 203/2021 sólo las atempera pues está limitado a las decisiones automatizadas. De ahí la especial conveniencia de la regulación de registros de algoritmos y la publicidad activa.

---

[40]   Sobre el tema dedico parte del estudio en L. Cotino Hueso, "Hacia la transparencia 4.0: el uso de la inteligencia artificial y big data para la lucha contra el fraude y la corrupción y las (muchas) exigencias constitucionales", en Carles Ramió (coord.), *Repensando la administración digital y la innovación pública*, Instituto Nacional de Administración Pública (INAP), Madrid, 2021. https://links.uv.es/FUW2pz6

[41]   M.E., Gutiérrez David, "Administraciones inteligentes cit. ver págs. 29-30, 2021, http://www.derecom.com/derecom/

[42]   G. Misuraca, *AI Watch. Artificial Intelligence in public services. Overview of the use and impact of AI in public services in the EU*, Joint Research Centre, Unión Europea. 2020En línea https://publications.jrc.ec.europa.eu/repository/bitstream/JRC120399/jrc120399_misuraca-ai-watch_public-services_30062020_def.pdf

[43]   Cabe seguir AI Watch, *European landscape on the use of Artificial Intelligence by the Public Sector,* (L. Tangi, y otros) EUR 31088 EN, Publications Office of the European Union, Luxembourg, 2022, doi:10.2760/39336, https://publications.jrc.ec.europa.eu/repository/handle/JRC129301 También, European Commission, Joint Research Centre, *AI Watch, road to the adoption of artificial intelligence by the public sector: a handbook for policymakers, public administrations and relevant stakeholders,* Publications Office of the European Union, 2022, https://data.europa.eu/doi/10.2760/288757
Ver, van C. Noordt,, y Misuraca, G. (2022), "Artificial intelligence for the public sector: results of landscaping the use of AI in government across the European Union", *Government Information Quarterly,* 101714, https://doi.org/10.1016/j.giq.2022.101714

El ICO para el sector público señala la necesidad de informar sobre "cómo se integra la herramienta en el proceso y qué influencia tiene la herramienta en el proceso de toma de decisiones" [44].

Como se ha adelantado, la Carta de Derechos digitales en su apartado XVIII en concreto su punto 5° señala que "el poder público autor de una actividad en el entorno digital deberá identificar a los órganos responsables de la misma"[45]. Y es de interés que la letra b del apartado 6 de este XVIII, afirma como derecho la transparencia, que incluye entre otros elementos la obligación de informar "su carácter decisorio o no decisorio" del uso de IA público.

Precisamente desde DAIA quien suscribe propuso que este apartado 5° se completara[46]. En concreto, propuse que dicho apartado incluyera "De igual modo, en el caso de tratamientos automatizados o uso de sistemas de IA habrá de detallarse si se trata de una decisión plenamente automatizada. Igualmente se concretará en qué medida el sistema o tratamiento utilizado en las diversas fases de la actuación predetermina el contenido de actuaciones administrativas, como pueda ser el caso de actuaciones de contratación, adjudicación de ayudas o subvenciones, excepto en las actuaciones plenamente regladas". Asimismo, se propuso añadir otra letra relativa a esta cuestión, entre los derechos que se reconocen: "x) En el caso de que la decisión administrativa adoptada reproduzca esencialmente la propuesta del sistema automatizado o inteligente, o de IA, habrá de garantizarse que el interesado conozca dicha situación para poder ejercer sus derechos."

Esta información como se ha señalado debería —según se propuso para la Carta detallar el grado de automatización de la decisión y concretarlo "en el marco de la actuación administrativa *en todas sus fases, incluidas las fases información y actuaciones previas"*.[47]

2. *Transparencia sobre la finalidad prevista del sistema inteligencia artificial*

Además de la información sobre la existencia misma del sistema de IA y relacionado con el grado de incidencia, resulta esencial la información

---

[44] ICO, *Algorithmic transparency data standard...* cit.

[45] Ver mi estudio sobre dicho apartado XVIII "Derechos ante la Administración digital y la inteligencia artificial" en L. Cotino Hueso, (editor), *La Carta de Derechos Digitales*, Tirant Lo Blanch, Valencia, 2022.

[46] Red DAIA, *Aportación a consulta de derechos digitales de julio*, 2020 https://www.dropbox.com/s/w9xlb64o1zemaca/DAIACONSULTAvenviada.pdf?dl=0

[47] OdiseIA (L. Cotino Hueso, coord.), *Documento propuestas mejora Carta Derechos Digitales*, diciembre 2021, https://links.uv.es/Twqnt2U

sobre para qué sirve, esto es, detallar los fines, generales y concretos, del modelo y en su caso la prioridad de los mismos[48].

Si el sector público trata datos personales, según el artículo 13 RGPD hay que facilitar al público información sobre "c) los fines del tratamiento a que se destinan los datos personales y la base jurídica del tratamiento". Habrá que facilitar información respecto de las finalidades "explícitas" y con suficiente grado de concreción respecto del tratamiento de datos[49]. Deben evitarse prácticas tales como incluir finalidades demasiado genéricas o inespecíficas, que puedan conducir a tratamientos ulteriores que excedan las expectativas razonables del interesado. Si además el sector público adopta decisiones esencialmente automatizadas con impacto en las personas (art. 22 RGPD), las autoridades de protección de datos señalan que es obligatorio informar *por qué es necesario ese tratamiento y cuál es su legitimación*, a saber: por qué realiza análisis de datos (cuál es su finalidad y qué se hace con los resultados); por qué el uso del análisis de datos es proporcionado, y no había mejores alternativas para lograr el objetivo. Asimismo, cuál es la base legal para realizar estos análisis[50]. También, en clave de protección de datos, debe haber detalle del tratamiento, los perfilados realizados, cómo se elaboran, su pertinencia para el proceso de decisiones automatizadas y cómo se utilizan para una decisión relativa al interesado[51], así como su impacto consecuencias del análisis para los ciudadanos afectados[52]. De nuevo cabe recordar que el proveedor (encargado) habrá de facilitar al usuario del sistema (responsable de protección de datos) información suficiente para que pueda cumplir sus obligaciones de transparencia de protección de datos (art. 13 RIA).

---

[48]   Así M.E., Gutiérrez David, "Administraciones inteligentes y acceso…cit. págs. 55-56

[49]   AEPD *Guía para el cumplimiento del deber de informar*, 7.2 Epígrafe "Finalidad", pp. 10 y ss. https://www.aepd.es/es/media/guias/guia-modelo-clausula-informativa.pdf

[50]   Ministerie van Binnenlandse Zaken en Koninkrijksrelaties (Ministerio del Interior y Relaciones del Reino), *Impact Assessment. Mensenrechten en Algoritmes (Evaluación de impacto. Derechos humanos y algoritmos)*, julio, 2021, apartado, 2B.4 https://www.rijksoverheid.nl/binaries/rijksoverheid/documenten/rapporten/2021/02/25/impact-assessment-mensenrechten-en-algoritmes/IAMA.pdf

[51]   En la concreción de la información y garantías específicas en razón del artículo 22 RGPD, Grupo del Artículo 29, *Directrices sobre decisiones automatizadas de 6 de febrero de 2018*, https://www.aepd.es/sites/default/files/2019-12/wp251rev01-es.pdf . Destaca la concreción de la AEPD, *Adecuación al RGPD de tratamientos que incorporan Inteligencia Artificial. Una introducción*, de febrero 2020, pág. 22. https://www.aepd.es/media/guias/adecuacion-rgpd-ia.pdf

[52]   Directrices para el sector público, Rijksoverheid, *Richtlijnen voor het toepassen van algoritmen…* cit.

En términos del RIA, el proveedor debe valorar cuál es el "rendimiento" del sistema, esto es "la capacidad de un sistema de IA para lograr su objetivo", art. 3. 18. Cabe remitir al artículo 13. 3° RIA sobre la información de la finalidad entre el proveedor y el usuario —que sería en su caso la Administración. Y hay que recordar que el usuario del sistema debe poder contar con información suficiente por parte de su proveedor de IA para cumplir obligaciones, como, por ejemplo, cumplir con la transparencia obligatoria de protección de datos entre el usuario —Administración— y los administrados sobre los que se tratan datos. Más allá de los usuarios, cabe recordar que el proveedor en la base de datos pública debe exponer "La descripción de la finalidad prevista del sistema de IA", (art. 60.2°, art. 51 RIA, Anexo VIII. 5°).

Ya en concreto para el sector público, el ICO señala que se debe informar sobre el alcance de la herramienta, para qué ha sido diseñada y para qué no está destinada. Se incluye "describir para qué se ha diseñado y para qué no se ha diseñado la herramienta, incluidos los fines para los que las personas pueden pensar erróneamente que se utilizará la herramienta" (2.1). Igualmente, "proporcionar una lista de beneficios: valor por dinero, eficiencia o facilidad para el individuo" (2.2). De igual modo, el ICO requiere que se explique "qué problema está tratando de resolver con la herramienta y cómo está resolviendo el problema" y "su justificación o justificación para usar la herramienta". Resulta también muy relevante el grado de detalle para que se facilite información sobre "con qué frecuencia se usa la herramienta"[53].

Es de interés seguir la regulación francesa. El artículo 6 de la Ley n° 2016-1321 (*sur la république numérique,* art. 312-1-3) obliga a "publicar en línea las reglas que definan los principales procesos algorítmicos utilizados en el ejercicio de sus funciones cuando constituyan la base de decisiones individuales". En este sentido, el Etalab francés además de la finalidad del tratamiento en la mención explícita[54], respecto del inventario de algoritmos señala que hay que informar "si se toma una decisión administrativa, ¿cuál es el objetivo de este algoritmo?"; "¿Cómo y cuándo interviene el algoritmo en la toma de decisiones? Para realizar estas tareas, ¿en qué mo-

---

[53] "Por ejemplo, la cantidad de decisiones tomadas por mes o la cantidad de ciudadanos que interactúan con la herramienta (2.5)". ICO, *Algorithmic transparency data standard… cit.*)

[54] Etalab, *Expliquer les algorithmes publics,* cit. p. 15

mento entra el algoritmo en el proceso de decisión? ¿Cuál es el proceso completo y de qué parte o partes se encarga el algoritmo?"[55].

3. Información de por qué existe el sistema inteligencia artificial y explicación de que no había mejores alternativas

Resulta de interés destacar que las exigencias de la transparencia, al menos en el ámbito público, parecen exigir también dar explicaciones sobre "cómo y bajo qué criterios" se han adoptado decisiones sobre el uso de sistemas algorítmicos por las instituciones públicas. Y, de especial interés, "por qué dicha implementación tecnológica innovadora es la mejor alternativa frente a otras soluciones". Se requiere también que se "enumere las alternativas no algorítmicas que consideró, si esto se aplica a su proyecto, o una descripción de su proceso de toma de decisiones antes de presentar la herramienta (2.3)"[56].

Se trataría de información valiosa que queda estrechamente ligada al principio de proporcionalidad como alternatividad tanto en general para el poder público como en especial cuando haya restricciones o impactos en derechos fundamentales. Es decir, se parte de los peligros que implica el uso de algoritmos públicos y sobre esta base se requiere que, al menos, se hayan valorado alternativas para no utilizar un sistema de IA. Ello puede especialmente ser importante en los casos en los que se opte por el uso de sistemas de IA intrínsecamente opacos y, en particular, por el poder público.

En una línea similar y para el sector público o privado, el caso de sistemas de IA que traten con datos personales, la AEPD apunta en su lista de evaluación de auditoría que "Teniendo en cuenta criterios de eficiencia, calidad y precisión del componente IA, se ha elegido el modelo más adecuado (usando criterios de simplicidad e inteligibilidad), entre varios componentes concurrentes, y desde el punto de vista de su codificación para facilitar la legibilidad, comprensión de su lógica, la coherencia interna y la explicabilidad"[57]. En esta línea, las Directrices para el sector público de Países Bajos[58] también

---

[55]   *Ibídem*, p. 18.

[56]   ICO, *Algorithmic transparency data standard...* cit. detallando la información de segundo nivel.

[57]   AEPD, *Requisitos para Auditorías de Tratamientos que incluyan IA*, 2021, págs. 15-16 https://www.aepd.es/es/media/guias/requisitos-auditorias-tratamientos-incluyan-ia.pdf

[58]   Directrices para el sector público, Rijksoverheid, *Richtlijnen voor het toepassen van algoritmen...* cit.

señalan que se facilite información de por qué se realiza análisis de datos y, por lo que más interesa, "por qué el uso del análisis de datos es proporcionado, y no había mejores alternativas para lograr el objetivo".

En Países Bajos incluso se señala la información sobre la "justificación del modelo seleccionado en términos de rendimiento/interpretabilidad (en particular, si se trata de modelos de caja negra) frente a otros más interpretables u otras alternativas tecnológicas que permitan alcanzar los mismos fines establecidos por la organización; los parámetros del modelo"[59]. Sin duda que preparar y facilitar esta información es muy importante, que también se puede vincular a los análisis de proporcionalidad en la alternatividad en la elección del sistema y de los algoritmos concretos. En particular, con respecto a la información sobre alternativas tecnológicas, conviene destacar que sería conveniente ir elaborando un listado de mejores técnicas disponibles para los diferentes posibles usos de la IA en el ámbito público de manera paralela a la incorporación de sistemas algorítmicos al registro[60].

4. Sobre el fundamento y lógica del sistema inteligencia artificial y su incidencia en la toma de decisiones y la transparencia

La Unesco en su Recomendación (nº 39) apunta que se dé "acceso a los factores, la lógica y las técnicas que produjeron el resultado" de un sistema de IA y, en general, "cómo se llega a los procesos de toma de decisiones automatizados y de aprendizaje automático"[61]. Concreta Gutiérrez respecto del fundamento y lógica del modelo que debe haber transparencia sobre las inferencias, patrones o correlaciones que justifican por qué unos datos de entrada generan unos resultados concretos, explicadas de forma inteligible, sencilla y no técnica[62]. El presupuesto de la información laboral en la *ley rider* —art. 64.4.d) Estatuto es respecto de los algoritmos o IA "que afectan a la toma de decisiones que pueden incidir en las condiciones de

---

[59] Ministerie van Binnenlandse, *Impact Assessment… cit.*

[60] A. Soriano Arnanz, *Data protection of the prevention of algorithmic discrimination. Protecting from discrimination and other harms caused by algorithms through privacy in the EU: possibilities, shortcomings and proposals*, Thomson Reuters – Aranzadi, 2021, pp. 283-284.

[61] J. Fjeld, et. al., "Principled Artificial Intelligence… cit. "Notification when AI Makes a Decision about an Individual Regular Reporting Requirement".

[62] M.E., Gutiérrez David, "Administraciones inteligentes y acceso…cit. pág. 69.

trabajo, el acceso y mantenimiento del empleo, incluida la elaboración de perfiles"[63]. Y en la Ley 1/2022, de 13 de abril basta que tengan impacto.

El RGPD en sus artículos 13 y 14 relacionados con el artículo 22 impone la información sobre la lógica del sistema, a la que se ha hecho referencia. En 2018 G29, luego revisado por el Comité Europeo de Protección de datos, detalló algo que la información que debe facilitarse[64]. En 2020 la AEPD lo perfiló más para la IA en España, matizando en todo caso que "dependerá del tipo de componente IA utilizado". Para el sector público, las Directrices para el sector público de Países Bajos también han detallado la información a facilitar[65] así como en Alemania las del Comisionado Federal para la Protección de Datos[66]. Más adelante se conectan estas exigencias

---

[63]   A este respecto, Ministerio de Trabajo y Economía Social, *Información algorítmica en el ámbito laboral. Guía práctica y herramienta sobre la obligación empresarial de información sobre el uso de algoritmos en el ámbito laboral*, Gobierno de España, Mayo 2022, https://www.lamoncloa.gob.es/serviciosdeprensa/notasprensa/trabajo14/Documents/2022/100622-Guia_algoritmos.pdf

[64]   Grupo del Artículo 29, *Directrices sobre decisiones automatizadas …* cit. pág. 35 detalla que la información que debe facilitarse es sobre:
– las categorías de datos que se han utilizado o se utilizarán en la elaboración de perfiles o el proceso de toma de decisiones; —por qué estas categorías se consideran pertinentes;-cómo se elaboran los perfiles utilizados en el proceso de decisiones automatizadas, incluidas las estadísticas utilizadas en el análisis; —por qué este perfil es pertinente para el proceso de decisiones automatizadas; y cómo se utiliza para una decisión relativa al interesado. También se recomienda informar en general respecto de toda decisión automatizada, aunque no sean las protegidas por el artículo 22 y este derecho, *Ibídem*, pág. 27.

[65]   Rijksoverheid, *Richtlijnen voor het toepassen van algoritmen…* cit. se debe informar sobre "qué hace el análisis de datos; por qué realiza análisis de datos (cuál es su finalidad y qué se hace con los resultados); por qué el uso del análisis de datos es proporcionado, y no había mejores alternativas para lograr el objetivo; cuáles son las posibles consecuencias del análisis para los ciudadanos afectados y cómo se han tenido en cuenta las posibles repercusiones en los derechos fundamentales; posible aplicación del *aprendizaje automático* y su explicación; cuál es la base legal para realizar estos análisis; qué fuentes de datos de qué organizaciones se utilizan para este fin, y cuál es su calidad; qué persona de la organización gubernamental es responsable del análisis; el papel de terceros en estos análisis; con qué organizaciones (públicas o privadas), si las hay, se comparten los datos fuente y/o los resultados de los análisis y sobre qué base; qué garantía de calidad se lleva a cabo (qué riesgos se identifican y qué medidas se toman contra ellos, y cómo se comprueban); cómo se produce la intervención humana entre el análisis y una posible decisión, y qué marcos de evaluación existen."

[66]   Se sigue el documento sobre la transparencia de la administración a la hora de utilizar algoritmos del Comisionado Federal para la Protección de Datos y Libertad

con las obligaciones de motivación en lenguaje natural de las decisiones públicas.

De este modo, la transparencia alcanza a los perfilados realizados y sus implicaciones[67]; cómo se elaboran los perfiles utilizados en el proceso de decisiones automatizadas, incluidas las estadísticas utilizadas en el análisis; por qué este perfil es pertinente para el proceso de decisiones automatizadas; y cómo se utiliza para una decisión relativa al interesado[68]. En el estudio de impacto IA de Países Bajos[69] se añade la posible aplicación del *aprendizaje automático* y su explicación; cuáles son las posibles consecuencias del análisis para los ciudadanos afectados y cómo se han tenido en cuenta las posibles repercusiones en los derechos fundamentales. La autoridad alemana señala la información sobre "la lógica contenida en el mismo, en particular las fórmulas de cálculo utilizadas, incluida la ponderación de los datos de entrada, información sobre el conocimiento especializado subyacente y la configuración individual por parte del usuario y el alcance de las decisiones basadas en ellas y el posible impacto de los procedimientos"[70].

5. *Transparencia y motivación comprensible de las decisiones públicas con inteligencia artificial*

Un tema absolutamente esencial en relación con el uso de sistemas automatizados por parte de las Administraciones públicas es la necesidad de motivar las decisiones tomadas con base en los análisis efectuados por estas herramientas. La necesidad de motivar gran parte de los actos administrativos provoca la obligación de dotar de un mínimo de transparencia a una parte muy significativa de las decisiones públicas automatizadas. Esto puede suponer un problema en aquellos casos en los que los sistemas empleados sean especialmente complejos. Por ello, resulta necesario requerir un mayor grado de explicabilidad de los algoritmos empleados por las Administraciones públicas en aras a asegurar que las personas interesadas en procedimientos en los que intervenga una herramienta de IA puedan

---

de Información, "Transparenz der Verwaltung beim Einsatz von Algorithmen für gelebten Grundrechtsschutz unabdingbar", en *36 Konferenz der Informationsfreiheitsbeauftragten in Deutschland*, págs. 3-4, https://www.datenschutzzentrum.de/uploads/informationsfreiheit/2018_Positionspapier-Transparenz-von-Algorithmen.pdf

[67] AEPD, *Adecuación al RGPD … cit.* pág. 23.
[68] Grupo del Artículo 29, *Directrices sobre decisiones automatizadas …* cit.
[69] Ministerie van Binnenlandse, *Impact Assessment… cit.*
[70] Comisionado Federal para la Protección de Datos y Libertad de Información, "Transparenz der Verwaltung … cit. págs. 3-4.

defender, de manera efectiva, sus derechos e intereses legítimos. En esta motivación o explicación proporcionada, debe hacerse constar que el sistema ha superado los correspondientes procesos de evaluación. Asimismo, deben necesariamente motivarse aquellas decisiones en los que una persona decida separarse del criterio fijado por la herramienta algorítmica. En este sentido como se ha referido en capítulo anterior es acertado el XVIII 6 c) de la Carta de Derechos Digitales de 2021. Para el sector público cabe tener en cuenta especialmente el artículo 35 Ley 39/2015 que obliga a motivar prácticamente todos los actos administrativos, siendo además exigencia constitucional en todo acto limitativo de derechos e intereses (art. 9.3 CE en conexión con el art. 24 CE). Y ello puede conectar con las exigencias de explicabilidad del artículo 22 RGPD. La Agencia de Derechos fundamentales de la UE ubica la obligación de motivación algorítmica en el derecho a la buena Administración[71].

La exigencia de motivación administrativa es variable en razón de la naturaleza de la actuación administrativa, así como de la intensidad de impacto en los derechos e intereses de los interesados. Sería importante una regulación específica para el sector público siguiendo algunas orientaciones Gutiérrez[72] o Ponce[73].

---

[71]   FRA, *Artificial Intelligence and Fundamental Rights*, Agencia de los Derechos Fundamentales de la Unión Europea, 2020, p.81, https://fra.europa.eu/sites/default/files/fra_uploads/fra-2020-artificial-intelligence_en.pdf

[72]   Y desde OdiseIA, E. Gutiérrez David proponía añadir que "En particular, la motivación contendrá una referencia sucinta al modelo o modelos algorítmicos concretos implementado, a la tipología de datos de entrenamiento y datos de validación empleados, a las variables y parámetros aplicados por el modelo, al porcentaje de aciertos y errores resultantes de la validación del modelo o modelos empleados y a las herramientas complementarias de explicación del modelo si éste se caracteriza por su baja interpretabilidad, y en su caso, a la fase o fases del procedimiento o actividad material concreta en que dicho modelo o modelos han sido aplicados." En L. Cotino Hueso (coord.), *Comentarios y propuestas de modificación a la Carta de Derechos Digitales*, OdiseIA, Consulta pública, diciembre 2020 https://www.dropbox.com/s/6kydkk18eb950k7/consultaOdiseIAv6.pdf?dl=0

[73]   En la consulta para la Carta, desde DAIA Ponce propuso que se añadiera que "Dicha motivación deberá ser suficiente para permitir la defensa de los derechos afectados y comprobar la buena administración desarrollada, incluyendo: información sobre el tipo de uso de Inteligencia Artificial, las variables usadas, su ponderación en la decisión final y la manera como deberían haber cambiado para que la persona obtuviera un resultado distinto; el código fuente, siempre que sea legalmente posible, justificando en su caso la imposibilidad jurídica de su inclusión. A. Cerrillo y otros, *Carta de Derechos digitales y sector público...cit.*

En el ámbito comparado cabe destacar la sentencia del Consejo de Estado italiano núm. 8472 de 13 de diciembre de 2019 exige el *"pleno conocimiento del módulo utilizado y de los criterios aplicados"*, así como que "este conocimiento del algoritmo debe garantizarse en todos los aspectos: desde sus autores hasta el procedimiento utilizado para su elaboración, el mecanismo de decisión, las prioridades asignadas en el procedimiento de evaluación y toma de decisiones y los datos seleccionados como relevantes (…) a fin de poder verificar que los criterios, condiciones y resultados del procedimiento robótico cumplen con las prescripciones y las finalidades establecidas por la ley o por la propia administración sobre dicho procedimiento y para que queden claras —y, por lo tanto, sean cuestionables— las modalidades y reglas a partir de las que se haya programado"[74]. Las decisiones en Italia ciertamente han sido diversas.

En Francia el artículo 4 de la Ley n ° 2016-1321 del 7 de octubre de 2016 para una República digital (*sur la république numérique*) ha regulado los elementos básicos de las decisiones algorítmicas administrativas. Y los mismos han sido desarrollados Decreto del 16 de marzo de 2017[75]. El Consejo Constitucional ha revisado dicha legislación en su Decisión N ° 2018-765 DC, 12 de junio de 2018 (n° 70) y somete a tres condiciones el "mero uso de un algoritmo para basar una decisión administrativa individual", la primera de ellas directamente relacionada con la transparencia algorítmica: la decisión explícitamente ha de señalar que ha sido adoptada sobre la base de un algoritmo, bajo sanción de nulidad por incumplimiento. Y a petición del interesado deben comunicarse las principales características de la implementación del algoritmo. El Reglamento francés precisa que se ha de detallar el grado y modo de contribución del procesamiento algorítmico a la toma de decisiones; los datos procesados y sus fuentes; los parámetros de tratamiento y, en su caso, su ponderación, aplicados a la situación de la persona interesada y las operaciones realizadas por el tratamiento. Asimismo, cabe recordar que el artículo 6 de la Ley obliga a publicar en línea las reglas que definen los principales tratamientos algorítmicos utilizados en

---

[74] A. Cerrillo Martínez, ¿Son fiables las decisiones de las Administraciones públicas adoptadas por algoritmos?, *European Review of Digital Administration & Law* Volume 1 – Issue 1-2 – 2020, DOI: 10.4399/97888255389603, págs., 18-36, ver 31 y ss.

[75] *Decreto Nº 2017-330, de 14 de marzo de 2017, relativo a los derechos de las personas que sean objeto de decisiones individuales adoptadas sobre el fundamento de un tratamiento algorítmico* https://www.legifrance.gouv.fr/jorf/id/JORFTEXT000034194929#:~:-text=Le%20d%C3%A9cret%20pr%C3%A9cise%20les%20modalit%-C3%A9s,en%20application%20des%20articles%20R.

sus decisiones[76]. El artículo R311-3-1-1 del mencionado *Decreto* impone que decisión administrativa individual deberá contener una "mención explícita" de la "finalidad perseguida por el tratamiento algorítmico". El ETALAB (2022) en agosto ha concretado estas obligaciones y la información de esta mención y pone el ejemplo de cómo cumplirlo: "Esta decisión se tomó sobre la base de un tratamiento algorítmico. Este tratamiento permite *[mencione la finalidad, por ejemplo, calcular el importe del impuesto adeudado]* y cuyas reglas se definen aquí *[Enlace a las reglas que definen el tratamiento algorítmico principal utilizado en la ejecución de las tareas de la administración cuando son la base de decisiones individuales, cf. L. 312-1-3 de la CRPA]*. En aplicación de los artículos R. 311-3-1-1 y R. 311-3-1-2 del código de relaciones entre el público y la administración, usted puede solicitar la comunicación de las normas que definen este tratamiento y su aplicación en su caso a *[Nombre de la administración, señas]*. En caso de no recibir respuesta en el plazo de un mes a partir de la recepción de su solicitud por nuestros servicios, dispone de un plazo de dos meses para remitir el asunto a la Comisión de Acceso a los Documentos Administrativos (CADA), de conformidad con los procedimientos descritos en el sitio web www.cada.fr."

IV. TRANSPARENCIA SOBRE LOS DATOS DE ENTRENAMIENTO, DE ENTRADA Y LOS INFERIDOS POR EL SISTEMA Y SUS ESPECIFICACIONES TÉCNICAS

1. *Transparencia sobre los datos del sistema de inteligencia artificial (de entrenamiento, de entrada y los inferidos por el sistema)*

También es esencial la transparencia de los datos de entrenamiento del sistema de IA, así como los datos de entrada para su funcionamiento, validación y prueba. Esta información incide directamente en la calidad y robustez del sistema, así como respecto de la posibilidad de controlar sesgos, errores o posibles discriminaciones.

Si el sector público trata datos personales, cuando los datos personales no se hayan obtenido del interesado se ha de facilitar información sobre "las categorías de datos personales de que se trate" (artículo 14.1º d) y "la

---

[76]   Las otras dos condiciones son que (2º) la decisión debe ser recurrible administrativamente. Y (3º) el Consejo Constitucional confirma la prohibición específica de decisiones exclusivamente automatizadas si incluyen el uso de datos especialmente protegidos. Es más, el nuevo artículo 10.1º Loi nº 78-17 de 6 de enero de 1978 prohíbe las decisiones semiautomatizadas en el ámbito de la justicia.

fuente de la que proceden los datos personales y, en su caso, si proceden de fuentes de acceso público" (artículo 14.2° f). Como señala la AEPD también ha de haber "especial indicación de los datos especialmente protegidos"[77]. También la AEPD en su Guía de Auditoría de IA señala que hay que evaluar si "el origen de los datos está documentado y existe un mecanismo para informar" y "Las características de los datos usados para entrenar al componente IA están identificadas, documentadas y adecuadamente justificadas."[78] Y si además el sistema IA público adopta decisiones automatizadas con datos personales (art. 22 RGPD) hay que informar con detalle de los datos empleados para la toma de decisión, más allá de la categoría, y en particular información sobre los plazos de uso de los datos (su antigüedad) (AEPD)[79]: qué fuentes de datos de qué organizaciones se utilizan para este fin, y cuál es su calidad (Países Bajos), las categorías de datos que se han utilizado o se utilizarán en la elaboración de perfiles o el proceso de toma de decisiones y por qué estas categorías se consideran pertinentes (G29) [80]. La importancia relativa que cada uno de ellos tiene en la toma de decisión y la calidad de los datos de entrenamiento y el tipo de patrones utilizados.

Mención aparte merece el tema de los *datos inferidos*, esto es, los datos, información o conocimiento sobre una persona física que se infieren u obtienen a partir de tratar sus datos, por lo general con sistemas automatizados y de IA. Se trata de una cuestión con cierta complejidad que aconseja una mejor regulación o criterios, pero siempre partiendo de que se tratará de datos personales sobre los que habrá que informar, sin perjuicio de posibles límites —regulados por ley— en razón de la Constitución y del artículo 23 RGPD.

La obligación de información sobre los datos procederá también del RIA. Así, la relevancia de los datos empleados en el proceso de entrenamiento, validación y prueba del sistema se refleja en el artículo 10 RIA, pues este establece una serie de directrices generales referidas al tratamiento de los datos, haciendo especial hincapié, entre otras cuestiones, en la necesidad de atender a posibles sesgos, la necesidad de formular supuestos pertinentes y la posibilidad de tratar categorías especiales de datos siempre que dicho tratamiento se haga con la finalidad de proteger los derechos fundamentales de las personas físicas. Respecto de los sistemas de alto riesgo, el artículo 13 del futuro RIA obliga a los proveedores a in-

---

[77] AEPD, *Guía para el cumplimiento del deber de informar*, ... cit. pág. 15.
[78] AEPD, *Requisitos para Auditorías ... cit.* págs. 15-16.
[79] AEPD, *Adecuación al RGPD ... cit.* pág. 23.
[80] Grupo del Artículo 29, *Directrices sobre decisiones automatizadas ...* cit.

formar a los usuarios de "especificaciones relativas a los datos de entrada, o cualquier otra información pertinente en relación con los conjuntos de datos de entrenamiento, validación y prueba usados, teniendo en cuenta la finalidad prevista del sistema de IA". De cara a las entidades de evaluación y a las autoridades supervisoras, el RIA impone a los proveedores de sistemas que quede claramente documentada una "descripción detallada" respecto de los datos de entrenamiento, validación y prueba[81].

En Reino Unido, el ICO de manera bastante precisa detalla para el sector público que ha de haber transparencia sobre los datos[82]. Las Directrices para el sector público de Países Bajos entran en mayor detalle. Así, requiere que se documente y registre datos de entrada y su uso efectivo y relevancia[83], se describa la calidad de los datos y cómo se examinó[84]. De igual modo que se describa, registre y documenten las decisiones sobre

---

[81]   "d) sobre datos […] así como los conjuntos de datos de entrenamiento utilizados, incluida la información acerca de la procedencia de dichos conjuntos de datos, su alcance y sus características principales; cómo se obtuvieron y seleccionaron los datos; los procedimientos de etiquetado (p. ej., para el aprendizaje supervisado), las metodologías de depuración de datos (p. ej., la detección de anomalías);", también sobre "g) datos de validación y prueba empleados y sus características principales" (Anexo IV. 1).

[82]   ICO, *Algorithmic transparency data standard…* cit. Así, : — el nombre de los conjuntos de datos que utilizó, si corresponde (4.1); una descripción general de los datos utilizados para entrenar y ejecutar la herramienta, incluida — una descripción de las categorías que se usaron para entrenar, probar u operar el modelo, por ejemplo, 'edad', 'dirección', etc. (4.2); la URL de los conjuntos de datos que ha utilizado, si está disponible (4.3); cómo y por qué recopila datos, o cómo y por qué los datos fueron recopilados originalmente por otra persona (4.4); los acuerdos de intercambio de datos que tiene vigentes (4.5); detalles sobre quién tiene o tendrá acceso a estos datos y durante cuánto tiempo se almacenan y en qué circunstancias (4.6)

[83]   Directrices para el sector público, Rijksoverheid, *Richtlijnen voor het toepassen van algoritmen…* cit. Se afirma "Registre los datos de entrada (datos/conjuntos de datos de origen) utilizados y utilice sólo los datos necesarios. Documente y registre esto: La documentación técnica especifica las fuentes de datos utilizadas. — Se han definido los datos de entrada (datos fuente/conjuntos de datos) que se utilizan. — Los datos utilizados son relevantes. — Los datos utilizados y su relevancia están documentados."

[84]   *Ibídem* "Describa la calidad de la(s) fuente(s) de datos utilizada(s) y si la(s) fuente(s) de datos es(son) de calidad suficiente para el propósito para el que se utiliza. En una "inmersión profunda en los datos" y también durante la anterior contención del riesgo, se examinó y explicó a fondo la calidad de las fuentes de datos. La documentación técnica también describe cómo se examinó la calidad de los datos. Sólo se incluyen en el modelo fuentes de datos de suficiente calidad."

la inclusión o no de determinados datos por su calidad o suficiencia[85]. En Francia, el Etalab (2022: 19) en su guía para los registros de algoritmo detalla la información sobre "datos procesados", "Fuente de los datos": "Quién proporciona los datos (el usuario, otra administración, etc.)? ¿Cómo se proporcionan (un archivo, una API, etc.)? [...]" o "Cómo se recogen los datos procesados".

La escasa regulación para el sector público en España respecto de los sistemas automatizados sí que impone difundir información sobre "los datos utilizados en su configuración y aprendizaje" (artículo 13 del Decreto 203/2021 y en conexión con éste y respecto de la publicidad en sede electrónica, el artículo 11. 1. *l*). Señala Gutiérrez al respecto de los datos utilizados por el modelo de IA que debe detallarse también la preparación de los datos, esto es, la selección, ampliación, depuración y eliminación de datos redundantes o erróneos, combinación de datos de varias fuentes, determinación de variables relevantes, tratamiento de datos no estructurados, partición de los *datasets* en datos de entrenamiento, de prueba y validación del modelo. Y en la línea de lo anterior, la verificación de la calidad de los datos (fiabilidad de las fuentes de procedencia, representatividad de los datos, ausencia o minimización de los sesgos, actualización de los datos).

2. *Transparencia sobre la tipología y especificaciones técnicas del sistema inteligencia artificial y, en su caso, sobre el código fuente*

La transparencia sobre los elementos y especificaciones técnicas del sistema de IA en principio, habría de estar más reservada y accesible a los usuarios del sistema IA, por ejemplo, a la Administración que contrata un desarrollo o sistema algorítmico, así como para organismos de verificación y autoridades supervisoras. Además, también en principio, estas especificaciones técnicas del sistema, en principio, quedarían lejos del entendimiento y comprensión por el público en general e incluso por los afectados por los sistemas de IA. Es así que puede tener especial sentido la información por niveles o capas de profundidad según se ha adelantado.

No obstante, pese a que la ciudadanía media no tenga capacidades de entender e interpretar la información técnica sobre un sistema de IA, es bien

---

[85]   *Ibídem,* "Registre las suposiciones/elecciones utilizadas. No se trata de hacer transparentes todos los supuestos durante la programación, sino de las decisiones que se tomaron: por ejemplo, no incluir ciertos datos en el análisis porque su calidad era insuficiente o porque un conjunto de datos no contiene datos suficientes para llevar a cabo un análisis estadístico."

posible que en la sociedad civil existan expertos que potencialmente puedan analizar los datos e información. De igual modo, no hay que obviar el papel de la comunidad científica, en muchos supuestos aliada con la sociedad civil. De la misma manera, en el caso de interesados o afectados por las decisiones de IA, la defensa de sus derechos e intereses se hará pasar en muchas ocasiones por el análisis de la información que se les facilite por especialistas. Así las cosas, sin perjuicio de que hay datos o información que ha de quedar reservada a usuarios o autoridades, especialmente para proteger los derechos de los proveedores, no hay que excluir la facilitación o liberación de información y datos técnicos sobre el sistema de IA para el público en general.

Los sistemas automatizados que adopten decisiones en el sector público únicamente han de informar en sede electrónica con una "descripción de su diseño y funcionamiento" arts. 13 y 11. 1. *l*) Decreto 203/2021). Poco más aporta la Ley 1/2022, de 13 de abril, valenciana que exige la publicidad activa de una "descripción de manera comprensible de su diseño y funcionamiento, el nivel de riesgo que implican […] de acuerdo con los principios de transparencia y explicabilidad" (art. 16 l).

Desde diferentes organismos extranjeros concretan la información a facilitar del tipo de modelos y algoritmos, sus módulos, grado de madurez, métricas o sistema de entrenamiento[86]. En Países Bajos en sus diversos documentos se incluye transparencia sobre el método de análisis utilizado y se mida su precisión[87]. También sobre cómo se entrena el algoritmo[88]. El

---

[86] En Países Bajos se detalla "la identificación del modelo algorítmico utilizado": Los tipos de algoritmos seleccionados para generar el modelo a partir de los datos (e.g. modelos de regresión, árboles de decisión, bosques aleatorios, redes neuronales […] y los hiperparámetros seleccionados con carácter previo al entrenamiento del modelo; las métricas de rendimiento utilizadas para la validación del modelo y análisis de errores de entrenamiento y de generalización según el modelo utilizado." justificación del modelo seleccionado en términos de rendimiento/interpretabilidad (en particular, si se trata de modelos de caja negra) frente a otros más interpretables u otras alternativas tecnológicas que permitan alcanzar los mismos fines establecidos por la organización; los parámetros del modelo. Ministerie van Binnenlandse, *Impact Assessment… cit.*
Respecto del tipo de algoritmo el ICO para el sector público indica la publicación del "tipo de modelo, por ejemplo, un sistema experto o una red neuronal profunda (2.4)" ICO, *Algorithmic transparency data standard… cit.*

[87] La documentación técnica describe el método o métodos utilizados
Se explicó el método de análisis utilizado.
Se midió y describió la precisión del método analítico. Directrices para el sector público, Rijksoverheid, *Richtlijnen voor het toepassen van algoritmen… cit.*

[88] Ministerie van Binnenlandse, *Impact Assessment… cit.*

ICO para el sector público también requiere que se facilite información sobre el grado de madurez del sistema, esto es, si la herramienta está en la etapa de idea, diseño, desarrollo, producción o retirada, incluida la fecha y hora en que se creó y cualquier actualización[89]. Y hay que añadir se exige que se "organice el código en módulos que puedan ser evaluados por separado y combinados"[90]. También en Francia se detalla qué información técnica hay que facilitar[91].

El acceso al "código fuente" del sistema IA puede ser especialmente conflictivo, e incluso inútil. Cerrillo[92] recuerda que el acceso al código fuente del algoritmo no conlleva necesariamente que el algoritmo sea más transparente y, en particular, que se pueda conocer cómo funciona o cómo ha llegado a un determinado resultado, tampoco que la información pueda ser comprendida por cualquier persona. Por lo que la difusión del código fuente debería ir acompañada de una descripción del algoritmo en lenguaje natural comprensible por cualquier persona. La Recomendación UNESCO lo reserva para supuestos especiales en los que se "puede requerir también que se compartan códigos o conjuntos de datos." Unesco (nº 39). La propuesta de normativa de la ELI regula las reservas al acceso al código fuente[93]. Respecto del acceso al código fuente, el programa o software

---

[89]   ICO, *Algorithmic transparency data standard...* cit.

[90]   Hay un script "principal" en el que se llaman todos los códigos. Por ejemplo, para cada fuente de datos hay un código en el que se preparan los datos.
El código está organizado en módulos.
Cada módulo puede evaluarse por separado y combinarse. Directrices para el sector público, Rijksoverheid, *Richtlijnen voor het toepassen van algoritmen... cit.*

[91]   El Etalab *Expliquer les algorithmes publics, ... cit.* p. 19) francés para el registro de algoritmos dedica un apartado sobre "Información sobre el funcionamiento interno del algoritmo" (4.2.4), con indicación de "Tipo de algoritmo", "si se trata de un sistema de reglas (las reglas de cálculo están codificadas por personas) o de un algoritmo basado en aprendizaje automático." "Detalle las operaciones técnicas realizadas por el algoritmo. Esta categoría puede ser simple o compleja, según el tipo de algoritmo utilizado", así como "enlaces a repositorios de código fuente o un diagrama de flujo".

[92]   A. Cerrillo i Martínez, "La transparencia de los algoritmos que utilizan las administraciones públicas", *Anuario de Transparencia Local*, nº. 3, 2020, págs. 41-78, pág. 68.

[93]   Su artículo 8.3º propuesto, señala que "El acceso al código fuente y a los conjuntos de datos de formación y ensayo podrá limitarse o restringirse totalmente cuando sea necesario para salvaguardar los intereses y derechos legítimos de la autoridad de ejecución, del proveedor del sistema o de terceros." European Law Institute (ELI), *Model Rules on Impact Assessment of Algorithmic Decision-Making Systems Used by Public Administration*, European Law Institute, Universidad de Viena, 2022,   https://www.europeanlawinstitute.eu/fileadmin/user_upload/p_eli/Pu-

que en su caso acompaña al sistema IA, cabe remitir a la rica experiencia comparada especialmente de Francia e Italia que recientemente ha analizado Gutiérrez[94]. La guía del Etalab hace referencia a la posible remisión al código fuente.

V. INFORMACIÓN SOBRE EVALUACIONES DE IMPACTO, MEDIDAS Y MITIGACIONES DE RIESGOS, SUPERVISIÓN HUMANA Y AUDITORÍAS

Otra información que puede ser esencial es la relativa a las garantías del sistema de IA. Así, en general la Recomendación Unesco (nº 39) apunta la transparencia "sobre la existencia o no de garantías adecuadas (como medidas de seguridad o de equidad)." En su caso, habrá de informarse de la existencia de instrumentos de análisis de riesgos realizados, como puedan ser los relativos a la protección de datos, análisis de riesgos, estudios de impacto. Por ejemplo, se afirma para el caso de Barcelona que hay que informar de la metodología utilizada para identificar los riesgos, los riesgos identificados y las medidas adoptadas para mitigarlos. Se obliga a difundir a la ciudadanía "Los estudios de impacto algorítmico llevados a término por el Consejo Asesor (sólo de los sistemas que acaben siendo licitados)". También los "informes de auditoría algorítmica".

Respecto de las *evaluaciones de impacto,* desde la Recomendación UNESCO 2021 se afirma el principio de la transparencia de las evaluaciones de impacto (nº 51 y 53). Así, se afirma que "deberían aplicarse protocolos de transparencia ejecutables, que correspondan al acceso a la información, incluida la información de interés público en poder de entidades privadas" (nº 51) y en concreto, "las evaluaciones del impacto ético deberían ser transparentes y abiertas al público, cuando proceda" (nº 53). El ICO para el sector público señala que se facilite información sobre los estudios de impacto que se hayan realizado (de protección de datos, algorítmica, ética, igualdad) y que se detalle nombre, descripción, fecha, y enlace a la evaluación o un resumen, si está disponible[95]. No obstante, puede haber límites a

---

blications/ELI_Model_Rules_on_Impact_Assessment_of_ADMSs_Used_by_Public_Administration.pdf

[94]   M.E., Gutiérrez David, "Acceso al código fuente y a los algoritmos de las Administraciones inteligentes. Lecciones a partir de experiencias comparadas", en L. Cotino Hueso y J. Castellanos (coords.), *Transparencia y explicabilidad… cit.*

[95]   El nombre de la evaluación (5.1); una descripción de la evaluación de impacto realizada (5.2); la fecha en que completó la evaluación (5.3); un enlace a la eva-

esta publicidad como recoge el *European Law Institute*[96]. El punto de partida es que se justifique la no publicidad de estos instrumentos.

Respecto de *las medidas y mitigaciones frente a riesgos*, también el ICO apunta que se dé "una descripción detallada de los riesgos comunes para su herramienta, que incluya: los nombres de los riesgos comunes (5.5); una descripción de cada riesgo identificado (5.6)[97]. Y que se "proporcione una descripción detallada de las acciones que ha tomado para mitigar los riesgos" (5.7) [98].

En este apartado de garantías, cabe incluir *la información sobre supervisión humana y auditorías*. Así, siguiendo al ICO, se deben dar detalles específicos sobre cuándo y cómo un ser humano revisa o verifica la decisión automatizada (2.7). Hay que explicar "cómo los humanos tienen la supervisión de la herramienta, incluyendo: cuánta información proporciona la herramienta al tomador de decisiones y cuál es la información (3.2); las decisiones que toman los humanos en el proceso general, incluidas las opciones para los humanos que revisan la herramienta (3.3); capacitación que deben tomar las personas que implementan y usan la herramienta, si esto se aplica a su proyecto (3.4). También el registro holandés de algoritmos incluye, para cada sistema cuya información se publica, apartados referentes al sistema de control, el nivel de intervención humana y el análisis de riesgos y evaluaciones de impacto realizadas. Y vinculado a las garantías frente a decisiones algorítmicas, la supervisión *ex post* que implica informar sobre el "proceso de apelación y revisión. Describa cómo permite que los miembros del público revisen o apelen una decisión. (3.5)"[99]. En el caso del artículo 22 RGPD respecto de decisiones IA con tratamientos de datos personales con IA, las autoridades incluyen la obligación de dar información sobre la "existencia o no de supervisión humana cualificada"[100]. y "La referencia

---

luación o un resumen de la evaluación, si está disponible (5.4). ICO (Information Comissioner Office), *Algorithmic transparency data standard...* cit.

[96] En su artículo 8. 1° menciona la "confidencialidad de los datos y la información relativa o perteneciente a las personas y entidades implicadas en el proceso de evaluación" (art. 8.1°). ELI, *Model Rules ... cit.*

[97] Y señala como ejemplo: "daño potencial de la herramienta que se usa de una manera para la que no fue diseñada o construida; creación de resultados sesgados, incluso a través de datos de entrenamiento que no son representativos o contienen sesgos; arbitrariedad y funcionalidad, como la herramienta que proporciona decisiones injustas o incorrectas".

[98] ICO, *Algorithmic transparency data standard...* cit.

[99] ICO, *Algorithmic transparency data standard...* cit.

[100] AEPD, *Adecuación al RGPD ... cit.* pág. 23.

a auditorías, especialmente sobre las posibles desviaciones de los resultados de las inferencias, así como la certificación o certificaciones realizadas sobre el sistema de IA. En el caso de sistemas adaptativos o evolutivos, la última auditoría realizada."

VI. INFORMACIÓN SOBRE RESPONSABLES, PROVEEDORES Y USUARIOS, CONTRATACIÓN DEL SISTEMA Y PUNTO DE CONTACTO

En el caso de que el sistema algorítmico o de IA trate datos personales, el artículo 13 RGPD obliga a facilitar información sobre "a) la identidad y los datos de contacto del responsable y, en su caso, de su representante; b) los datos de contacto del delegado de protección de datos, en su caso;" Y, también, "e) los destinatarios o las categorías de destinatarios de los datos personales, en su caso;". En principio, el "usuario" del sistema de IA público que trata datos personales será el "responsable" del tratamiento de datos, mientras que el proveedor o desarrollador del sistema de IA en principio será un encargado del tratamiento. Así, en principio, por normativa de protección de datos, habrá de informarse de la identidad del usuario del sistema —la Administración— y no del desarrollador o proveedor. Ello será así siempre que el desarrollador o proveedor del sistema de IA no haga un tratamiento con esos datos personales para sus finalidades propias, pues sería también responsable del tratamiento y también habría de informar en razón del RGPD. En la misma dirección, si el usuario del sistema IA público, que es el responsable de protección de datos, comunica datos personales a un tercero (como, por ejemplo, datos inferidos por el sistema IA relacionados con el afectado), debe facilitarse la información del destinatario.

Por otra parte, el RGPD obliga a facilitar "los datos de contacto del delegado de protección de datos, en su caso". Se trata únicamente de los datos de contacto, no necesariamente la identidad de la persona física o jurídica que ocupe estos datos, sin perjuicio de que se pueda facilitar en razón de tratarse de información difundible.

Es posible que otras normativas obliguen también a difundir información del responsable del sistema. Así sucede, por ejemplo, con el Decreto 220/2014, de 12 de diciembre, del Consell, por el que se aprueba el Reglamento de Administración Electrónica de la Comunitat Valenciana. Su artículo 6. 2º reconoce el derecho "a conocer el órgano o unidad que tenga encomendada la responsabilidad del correcto funcionamiento de las aplicaciones, programas y comunicaciones realizadas por medios electrónicos"[101]. Y no hay que olvidar obligaciones de aprobación previa de sistemas (art. 96), en su caso con órdenes o resoluciones que pueden tener su publicidad (art. 78. 1°). Asimismo, está regulado el "catálogo de sistemas de información y aplicaciones aprobadas de la Generalitat", que es un instrumento de información "facilitará información tanto funcional como técnica de sus elementos catalogados", especialmente con relación a la posible "reutilización del software de la Generalitat", lo cual puede ser relevante.[102] Sería de interés valorar en estos casos la publicidad de los referidos informes preceptivos, a salvo de motivos de limitación de acceso a los mismos. Cabría recomendar en estos casos la publicidad activa del órgano o unidad competente, esto es que tenga encomendada la responsabilidad del correcto funcionamiento de las aplicaciones. Asimismo, que se difunda igualmente el "órgano que debe ser considerado responsable a los efectos de impugnación" (art. 78. 2°).

Finalmente cabe recordar que la reciente Ley 1/2022, de 13 de abril, valenciana que impone la publicidad activa en el portal de transparencia sobre algoritmo y sistemas IA obliga a informar de "el punto de contacto al que poder dirigirse en cada caso, de acuerdo con los principios de transparencia y explicabilidad" (art. 16 l).

---

[101]   "2. Además, los ciudadanos tienen, en relación con la utilización de los medios electrónicos en la actividad administrativa, y en los términos previstos en el presente decreto, los siguientes derechos: […]
d) Derecho a conocer el órgano o unidad que tenga encomendada la responsabilidad del correcto funcionamiento de las aplicaciones, programas y comunicaciones realizadas por medios electrónicos."

[102]   Artículo 95. El catálogo de sistemas de información y aplicaciones aprobadas de la Generalitat
1. El órgano directivo con competencias horizontales en materia de tecnologías de la información y las comunicaciones de la Generalitat definirá, creará y gestionará el catálogo de sistemas de información y aplicaciones de la Generalitat, incluyendo las conocidas como apps. Dicho catálogo facilitará información tanto funcional como técnica de sus elementos catalogados.
2. Una utilidad fundamental del catálogo será facilitar la reutilización del software de la Generalitat. A tal efecto, el catálogo nacerá como un instrumento de uso interno, a disposición de los departamentos y organismos de la Generalitat y las administraciones locales valencianas. En su momento, el órgano competente en materia de tecnologías de la información y las comunicaciones establecerá una política de publicación externa de la totalidad o de un subconjunto del catálogo a los efectos de reutilización por otras administraciones.

Desde el punto de vista del futuro RIA cabe recordar que la información del proveedor del sistema IA de alto riesgo de uso público y del usuario (posiblemente la Administración), habrá de constar en la base de datos pública del RIA (arts. 51, 60.2º y Anexo VIII RIA). Se tratará de informar sobre quién es la entidad que ha desarrollado o es el proveedor del sistema de IA de alto riesgo de uso público. La Administración bien puede ser el proveedor o, en su caso, quien haga uso del sistema desarrollado. Cabe recordar que en el caso de la IA, los consumidores o "usuarios" no son las personas interesadas o afectadas, que son normalmente personas físicas o jurídicas a cuyos derechos impacta el uso de la IA por los usuarios.

Para el caso del uso público de IA, el ICO (2021; 2022) ha concretado la información que se ha dar respecto de los sujetos y para todo el público en su guía de transparencia algorítmica pública del ICO para el Reino Unido: quién es responsable de implementar su herramienta, la organización, el equipo responsable, el propietario principal, proveedor externo o cualquier tercero involucrado. Se ha de informar también si la herramienta ha sido desarrollada externamente. Incluso hay que identificar el número de Registro Mercantil de su proveedor externo y el papel desarrollado y los términos de su acceso a cualquier dato del gobierno. En Francia el Etalab impone informar sobre "la administración responsable de la decisión" (2022: 15) en la mención explícita obligatoria y para el registro de algoritmos: Nombre de la administración Dirección/departamento responsable; Contacto en la administración de que se trate (2022: 18).

Lo anterior queda conectado con los probables *supuestos de contratación de los algoritmos públicos*. En los referentes sobre ética de la IA se afirma como principio en el ámbito de la transparencia a la "contratación pública abierta" [103]. *Access Now* recomienda que: "Cuando un organismo gubernamental pretenda adquirir un sistema de IA o sus componentes, la contratación debe realizarse de forma abierta y transparente, de acuerdo con las normas de contratación pública. Esto incluye la publicación del propósito del sistema, los objetivos, los parámetros y otra información para facilitar la comprensión del público. La contratación debe incluir un periodo para los comentarios del público, y los Estados deben ponerse en contacto con los grupos potencialmente afectados cuando sea pertinente para garantizar la oportunidad de hacer aportaciones"[104]. El tema de la contratación por el

---

[103] J. Fjeld, et. al., "Principled Artificial Intelligence… cit.
[104] Access Now, "Human Rights in the Age of Artificial Intelligence", Access Now, 2018, nº 9, pág. https://www.accessnow.org/cms/assets/uploads/2018/11/AI-and-Human-Rights.pdf

sector público de sistemas de IA bien merece un análisis jurídico detalla-do[105] y no procede ahora entrar en detalle de las obligaciones de transparencia en el ámbito de la contratación pública proyectada a la innovación y en particular a sistemas de IA. No obstante, siguiendo a Gutiérrez, cabe ahora referir que procedería dar información sobre cómo se han adquirido e implementado esos sistemas de decisión algorítmica (mediante desarrollos *in house* o mediante licitación)[106]. Igualmente, sería preciso lograr vías para poder hacer un seguimiento de las contrataciones públicas de sistemas algorítmicos o de IA, pues hoy por hoy es una labor casi imposible.

VI. LÍMITES

En la guía del gobierno del Reino Unido sobre transparencia algorítmi-ca[107] se detallan las tres razones principales que justifican la no publicación de parte de la información referente a los sistemas de inteligencia artificial: riesgos de ciberseguridad, protección de los derechos de propiedad intelectual y la eficacia operativa y evitación de "trampas". En este sentido se afirma que puede justificarse la limitación de la información que se publica sobre el sistema en aquellos casos en que proporcionar demasiada información sobre cómo funciona una herramienta algorítmica, o los detalles de los conjuntos de datos en los que se basa, podría comprometer la eficacia operativa de la herramienta. Por ejemplo, un usuario malintencionado podría modificar su comportamiento para evitar activar una alerta de fraude. En todo caso el informe insiste en que resulta necesario publicar toda la información que sea posible y limitar la información no publicada a aquellos elementos cuya ocultación sea necesaria para evitar los riesgos indicados. Asimismo, cuando se omita la publicación de parte de la información, debe indicarse las razones por las que la transparencia se encuentra limitada.

---

[105] Para ello, entre otros G. Vestri, "Sistemas de inteligencia artificial en la contratación pública: entre códigos fuente y datos abiertos", *Actualidad administrativa*, Nº 12, 2021. También, J. Miranzo Díaz, "Inteligencia artificial y contratación pública", en I. Martín (Dir.), *Administración electrónica, transparencia y contratación pública*, INAP, 2020, págs. 105-142.

[106] M.E., Gutiérrez David, "Administraciones inteligentes y acceso al código fuente… cit. pág. 48.

[107] Gov.uk, "Algorithmic Transparency Recording Standard – Guidance for Public Sector Bodies", *cit.*

No es posible en este estudio adentrarse en el terreno de los límites a la transparencia algorítmica. Como punto de partida, potencialmente de forma voluntaria las administraciones pueden dar difusión activa a toda la información algorítmica "cuyo conocimiento sea relevante para garantizar la transparencia de su actividad relacionada con el funcionamiento y control de la actuación pública". (art. 5. 1º Ley 19/2013). En todo caso, "serán de aplicación, en su caso, los límites al derecho de acceso a la información pública previstos en el artículo 14 y, especialmente, el derivado de la protección de datos de carácter personal, regulado en el artículo 15." (art. 5. 3º Ley 19/2013). En principio, en todos los casos de uso público de IA, ya sean desarrollos propios o de desarrollos para el sector público, se tratará de información pública (art. 13 Ley 19/2013, "contenidos […] cualquiera que sea su formato o soporte […] elaborados o adquiridos en el ejercicio de sus funciones"). No obstante, puedan concurrir causas de inadmisión (art. 18) o límites aplicables (arts. 14 y 15). Es por ello aconsejable que la legislación regule las obligaciones de publicidad activa y habilite o esclarezca qué información debe difundirse proactivamente, aclarando posibles dudas que puedan surgir. Resultará especialmente aconsejable que la transparencia incluya los motivos por los que se considera que una información concreta de por qué no debe ser difundida Sobre el tema cabe seguir, Boix (2022), Gutiérrez (2021), Cerrillo (2020 a), Vestri (2021 b y 2022). Las autoridades en su caso judiciales también podrán requerir información cuando se considere preciso, sin perjuicio de las fórmulas de secreto y reserva que puedan concurrir. Cabe señalar que —en ocasiones lamentablemente— no es extraño que las autoridades públicas consideren esta información algorítmica materia clasificada, por lo que concurrirá la normativa de secretos oficiales y se hará mucho más complejo el acceso a esta información[108].

---

[108]   Me remito a la investigación coordinada por el equipo liderado por Lucía Martínez Garay Universidad de Valencia-Amnistía Internacional sobre sistemas IA públicos del ámbito policial y penitenciario. En concreto, derechos de acceso ejercidos por uno de los miembros del equipo frente a la Guardia Civil (Exp. Transp. nº 062893) y los Mossos d'Esquadra (19 de noviembre de 2021, respuesta 18 de enero de 2022). En el caso de la Guardia Civil, se afirma que estos sistemas de identificación biométrica quedan afectados por Acuerdo del Consejo de Ministros de 28 de noviembre de 1986, ampliado por Acuerdos de 17 de marzo y 29 de julio de 1994, otorga el carácter de "Reservado" a aquella información relativa a "las plantillas de personal y medios y de equipo de las Unidades". En el caso de solicitud de información sobre Sistema Automático de Identificación Biométrica (ABIS) (nº expediente: 001-062892, la denegación es en razón del artículo 14 Ley 19/2013.

VII. RESUMEN COMPARADO DE LA INFORMACIÓN PROPORCIONADA EN LOS REGISTROS ALGORÍTMICOS YA ESTABLECIDOS O PROPUESTOS

ALGORITHMIC TRANSPARENCY STANDARD	ICO	ÁMSTERDAM Y HELSINKI	PAÍSES BAJOS	OBSERVATORIO IA EN SALUD (CATALUÑA)	GUÍA ETALAB FRANCIA
INFORMACIÓN BÁSICA	**INFORMACIÓN GENERAL**	**VISIÓN GENERAL**	**INFORMACIÓN GENERAL**	**DATOS BÁSICOS DEL ALGORITMO**	**SOBRE LA ADMINISTRACIÓN**
Nombre del algoritmo	Nombre del algoritmo	Objetivo principal al que contribuye el algoritmo	Nombre el algoritmo	Nombre del algoritmo	Nombre de la administración responsable
Descripción corta	Descripción breve	¿Cómo se está utilizando?	Organización responsable	Procedimiento en el que se enfoca el algoritmo	Dirección/servicio
Organización responsable	Página web	¿En qué casos se utiliza?	Departamento	Qué tecnologías utiliza el algoritmo	Contacto
Departamento	E-mail de contacto	¿Sobre quién tiene impacto?	Descripción corta	Responsables del algoritmo	Fecha de actualización de la información
E-mail de contacto	**PROPIEDAD Y RESPONSABILIDAD**	¿Cuáles son los impactos esperados?	Tipo de algoritmo	Correo electrónico de los responsables	**ALGORITMO Y DECISIÓN TOMADA**
Número de teléfono de contacto	Administración	¿Cómo funciona el sistema a un alto nivel?	Dominio en el que se despliega el algoritmo	Teléfono de contacto de los responsables	Nombre del algoritmo
Nombre de contacto	Órgano y, en su caso, servicio o equipo concreto responsable	**RENDICIÓN DE CUENTAS**	Enlace a web de publicación	¿Algoritmo asociado a algún proyecto?	Contexto global
Área geográfica	Persona responsable dentro del órgano	Organizaciones responsables	Estado	Desarrolladores del algoritmo	Finalidad algoritmo
Dominio	Participación de proveedores externos e identificación	Departamentos responsables	**APLICACIÓN**	Correo electrónico de los desarrolladores	Cómo interviene el algoritmo en la decisión

ALGORITHMIC TRANSPARENCY STANDARD	ICO	AMSTERDAM Y HELSINKI	PAÍSES BAJOS	OBSERVATORIO IA EN SALUD (CATALUÑA)	GUÍA ETALAB FRANCIA
Página web	Nivel de intervención del proveedor externo	Persona, email y teléfono de contacto	Objetivo	Teléfono de contacto de los desarrolladores	Cuando interviene el algoritmo en la decisión
Estado	Tipo de procedimiento de contratación pública	Socios y proveedores externos que intervienen	Impacto	¿Otra entidad involucrada?	Nivel de automatización de la decisión
Observaciones	Régimen de acceso a datos de los proveedores externos	CONJUNTO DE DATOS	Proporcionalidad	¿Algún centro de investigación involucrado?	Fundamentos jurídicos
ÁMBITO DE APLICACIÓN Y CONTROL	DESCRIPCIÓN Y JUSTIFICACIÓN	Nombre del conjunto de datos	Proceso de toma de decisiones	Propiedad del algoritmo	Recursos relacionados
Proceso de toma de decisiones	Descripción detallada	Descripción de la información representada en el conjunto de datos	LEGAL	Propiedad intelectual del algoritmo	IMPACTO DE LA DECISIÓN
Objetivos	Ámbito de aplicación	PROCESAMIENTO DE DATOS	Organismo autorizado para el despliegue del algoritmo	Derechos por el uso del algoritmo	Número de decisiones administrativas tomadas por año
Impacto	Beneficios de la utilización del sistema	Arquitectura modelo del sistema	Base legal	¿Algún proveedor externo involucrado?	Alcance de la decisión
Riesgos y medidas	Explicación de cómo se llevaba el proceso a cabo anteriormente	Comportamiento de sistema	Evaluación de impacto en los derechos humanos (IAMA)	ÁMBITO DE APLICACIÓN, OBJETIVOS E IMPACTO	Público afectado por la decisión
Categoría de riesgo (nivel de riesgo)	Alternativas consideradas	NO DISCRIMINACIÓN	Evaluación de impacto de protección de datos (DPIA)	Ámbito de actuación del algoritmo	Recursos relacionados
Proporcionalidad	PROCEDIMIENTO DE TOMA DE DECISIONES	¿Cómo se interpreta el sesgo injusto en el contexto del sistema?	Procedimiento de reclamación	Objetivo principal	FUNCIONAMIENTO INTERNO DEL ALGORITMO

ALGORITHMIC TRANSPARENCY STANDARD	ICO	ÁMSTERDAM Y HELSINKI	PAÍSES BAJOS	OBSERVARTORIO IA EN SALUD (CATALUÑA)	GUÍA ETALAB FRANCIA
Base legal	Forma en la que el algoritmo se integra en el procedimiento	¿Qué medidas existen para comprobar el sesgo?	**METADATOS**	Objetivos específicos	Datos tratados
Más información	Información proporcionada por el algoritmo en el marco del procedimiento	¿Es el sistema diseñado e implantado teniendo en cuenta la accesibilidad del servicio para personas con discapacidades?	Enlace a la web del registro de origen	Nivel de automatización	Fuente de los datos
DATOS	Nivel de intervención y supervisión humana	Implicación de las personas afectadas por el sistema en el diseño y desarrollo	E-mail de contacto	**ÁMBITO DE APLICACIÓN**	Modo de recolección de los datos
Datos de entrenamiento	Formación específica proporcionada las personas que emplean el sistema	**SUPERVISIÓN HUMANA**	Área geográfica	Descripción del uso del algoritmo	Tipo de algoritmo
Fuente de los datos	Sistema de recursos, revisión y quejas	Capacidad y soporte para la intervención humana en el diseño y desarrollo del sistema, ciclos de decisión, y en el seguimiento del funcionamiento del sistema	Idioma	Explicación a alto nivel del funcionamiento tecnológico del sistema	Operaciones efectuadas por el algoritmo
Sesgo de los datos	**ESPECIFICACIONES TÉCNICAS Y DATOS**	Competencias necesarias para la supervisión	**ÁMBITO DE APLICACIÓN**	Especialidad médica a la que se aplica el algoritmo	Recursos relacionados

ALGORITHMIC TRANSPARENCY STANDARD	ICO	AMSTERDAM Y HELSINKI	PAÍSES BAJOS	OBSERVATORIO IA EN SALUD (CATALUÑA)	GUÍA ETALAB FRANCIA
Conexión con otras fuentes	Método usado por el sistema	Entrenamiento disponible para adquirir las competencias necesarias	Descripción larga	¿Algoritmo asociado a algún diagnóstico?	
Descripción de la evaluación de impacto de la protección de datos (DPIA)	Frecuencia de uso	**RIESGOS**	Uso de los registros base	Colectivo beneficiado	
Enlace al DPIA	Fase de desarrollo	Compensaciones clave entre riesgos y beneficios	Fuentes de datos	**NIVEL DE MADUREZ DEL ALGORITMO**	
ALGORITMO	Actuaciones necesarias para su mantenimiento	Nivel de riesgo	Métodos y modelos utilizados por el algoritmo	Fase del algoritmo	
Tipo de algoritmo	Rendimiento del sistema: incluyendo precisión, número de veces que una persona se ha apartado de la decisión recomendada y recursos contra las decisiones del sistema que han sido estimados	Métodos de gestión de los riesgos	**SUPERVISIÓN**	Nivel de madurez del algoritmo	
Explicación del funcionamiento	Arquitectura del sistema	Riesgos identificados	Monitorización	¿Está implementado el algoritmo?	
Métodos y modelos	Fuente de los datos de entrenamiento y funcionamiento	Medidas implementadas para mitigar los riesgos	Intervención humana	¿Es un proyecto en activo?	

ALGORITHMIC TRANSPARENCY STANDARD	ICO	ÁMSTERDAM Y HELSINKI	PAÍSES BAJOS	OBSERVARTORIO IA EN SALUD (CATALUÑA)	GUÍA ETALAB FRANCIA
Comportamiento del algoritmo	Descripción de los datos de entrenamiento y funcionamiento	Evaluaciones de impacto en la privacidad	Riesgos	¿Cuándo se ha iniciado?	
Alternativas consideradas	En su caso, página web donde se encuentran los datos	Evaluaciones de impacto en derechos humanos			
Enlace a la información central del producto (el algoritmo)	Forma en que se recogieron los datos	Otra evaluación de riesgos asociados a los métodos aplicados			
Enlace al código fuente	Procesos de limpieza de los datos	**EXPLICABILIDAD**			
Enlace a la página del producto	Análisis del nivel de integridad y representatividad de los datos	Razones que llevaron al resultado concreto con la aplicación del algoritmo			
Evaluación del impacto del algoritmo	Acceso y almacenamiento de datos por parte del proveedor del sistema	**REFERENCIAS**			
Enlace a la evaluación del impacto del algoritmo	**RIESGOS MITIGACIÓN I EVALUACIONES DE IMPACTO**	Referencias a documentación adicional : políticas de privacidad, contratos, informes de auditoría...			
SUPERVISIÓN	Evaluación de impacto: resumen y enlace de acceso a la evaluación completa				

ALGORITHMIC TRANSPARENCY STANDARD	ICO	ÁMSTERDAM Y HELSINKI	PAÍSES BAJOS	OBSERVARTORIO IA EN SALUD (CATALUÑA)	GUÍA ETALAB FRANCIA
Monitorización del comportamiento	Explicación de los riesgos y estrategias de mitigación				
Tipo de uso del algoritmo					
Intervención humana					
Procedimientos de reclamación					
Retroceso (posibilidad de anular los efectos de la aplicación del algoritmo)					
Metadatos					
Versión del estándar utilizado					
Identificador único					
Idioma					
Fecha de publicación					
Fecha de la última actualización					
Fecha de revisión del registro					
Nota sobre la revisión (revisión ordinaria, cambios en la ley…)					
Palabras clave					

Gobernanza pública en materia algorítmica: una propuesta de formulación de los registros públicos

ADRIÁN PALMA ORTIGOSA[1]
Prof. Ayudante Doctor de Derecho Administrativo
Universitat de València

JORGE CASTELLANOS CLARAMUNT[2]
Prof. Ayudante Doctor de Derecho Constitucional
Universitat de València

I. INTRODUCCIÓN

En la era digital, la gobernanza pública enfrenta nuevos desafíos debido a la creciente presencia y uso de algoritmos en la toma de decisiones. Estos algoritmos, utilizados en una variedad de sectores y áreas de gobierno, pueden tener un impacto significativo en la vida de los ciudadanos. Por lo tanto, es fundamental establecer una sólida gobernanza en materia algorítmica para garantizar la transparencia, la responsabilidad y la equidad en el

---

[1] Este trabajo se ha realizado en el marco de los siguientes proyectos de investigación: "Algorithmical Law" (PROMETEO/2021/009) Financiado por la Generalitat Valenciana. De igual modo, MICINN "Derechos y garantías públicas frente a las decisiones automatizadas y el sesgo y discriminación algorítmicas" (PID2022-136439OB-I00); MICINN Retos "Derechos y garantías frente a las decisiones automatizadas en entornos de inteligencia artificial, IoT, big data y robótica" (PID2019-108710RB-I00). MICINN prueba de concepto "Registro público de algoritmos" (Ref: PDC2022-133890-I00) 2022-2023

[2] Este trabajo se ha realizado en el marco del proyecto de investigación de grupos emergentes CIGE/2021/123 "Garantías, límites constitucionales y perspectiva ética ante la transformación digital: Big data, inteligencia artificial y robótica" de la Conselleria de Innovación, Universidad, Ciencia y Sociedad digital de la Generalitat Valenciana. Asimismo, también con base en el proyecto "Derechos y garantías públicas frente a las decisiones automatizadas y el sesgo y discriminación algorítmicas" (PID2022-136439OB-I00) y MICINN Retos "Derechos y garantías frente a las decisiones automatizadas en entornos de inteligencia artificial, IoT, big data y robótica" (PID2019-108710RB-I00).

uso de dichos algoritmos. En este contexto, surge la necesidad de formular registros públicos que permitan la supervisión y evaluación de los algoritmos utilizados por las entidades gubernamentales.

La cuestión de fondo, aquello que barniza cualquier actividad pública y la dota de carácter democrático, es la posibilidad de que los ciudadanos accedan al reducto participativo en el que se sostienen las decisiones de carácter público. Y a nadie se le escapa que cuando hablamos de materia algorítmica la posibilidad de que los ciudadanos tengan un acceso privilegiado a la toma de decisiones se difumina. Y eso incide en la necesidad de que aquellos que puedan tener una mayor aproximación a la materia se vean en la posibilidad de acceder a la información para poder fiscalizar, siquiera sucintamente, la labor pública. Resulta determinante, en este sentido, que haya un repositorio o listado de algoritmos a los que se pueda acceder para poder desenredar la maraña tecnológica que distancia a los ciudadanos de la toma de decisiones cuando de materia relacionada con la inteligencia artificial se trata. Por ello, quizás no se haya incidido suficiente en el hecho de que aparejar el uso de estas nuevas tecnologías a una perspectiva ligada a la transparencia resulta crucial para el efectivo desarrollo democrático de las sociedades. Y es que sin información pública no hay posibilidades reales de participación ni de tramitación individual de los hechos que acaecen en el desarrollo de las sociedades.

Con lo presentado *supra* no se exige un conocimiento exhaustivo de cuestiones relacionadas con la inteligencia artificial al conjunto de la ciudadanía, ni es realista ni exigible, pero sí lo es que haya una posibilidad de acceso a la información de la que depende su día a día. El modo en el que se traduzca esa información y llegue a la ciudadanía va a ser relevante en el conjunto democrático, y para ello existen figuras expertas que pueden desarrollar esa labor fiscalizadora del día a día en la agenda pública. Solo el hecho de que exista un registro de algoritmos, siguiendo la lógica expuesta, redunda en una mejora democrática porque habilita al ciudadano a poder exigir respuestas en el modo en el que se desempeña la labor pública. El registro, en este caso, y podríamos aventurarnos a que en muchos más, es una exigencia democrática porque la transparencia debe prevalecer sobre la opacidad en la gestión pública. Ampararse en una intrincada madeja de complicaciones técnicas para presentar la información a la ciudadanía representa una dimisión del carácter democrático que deben ostentar las sociedades de manera que la mera existencia del registro crea cauces de oportunidad de una más y mejor democracia. Del mismo modo, *a sensu contrario*, desligar la obligación democrática de transparencia del progreso tecnológico nos aboca a una realidad futura compleja y, cuando menos, preocupante, en la medida en que se genera una telaraña de paternalismo público en la que se toman decisiones, en principio, por el bien de la ciudadanía, pero sin capacidad alguna de reflexión o debate amparándose en el hecho de la complejidad del sistema y en las diversas y subyacentes dificultades de índole jurídica y técnica que operan. Ese planteamiento conduce a un escenario lúgubre desde un prisma democrático porque se reducen libertades y la capacidad de participación en los asuntos públicos, pilar sobre el que se edifica cualquier entramado democrático que se precie de serlo.

Esta es la base sobre la que se asienta la necesidad de que una buena gobernanza en materia algorítmica se configure a través de los registros públicos que abarquen esa disciplina[3]. Se trata, por tanto, en nuestra opinión, de un primer nivel de transparencia que, indudablemente, se deberá acompañar de otros instrumentos y medidas. El modo de desarrollar ese registro presenta indudables complicaciones técnicas, tanto de orden jurídico como estrictamente tecnológicas, pero eso no ha de hacer desfallecer en el intento de generar bases democráticas en el desarrollo de la inteligencia artificial desde un punto de vista público.

En última instancia, la implementación de registros públicos en materia algorítmica contribuye a fortalecer la transparencia y la responsabilidad en el uso de algoritmos en la administración pública. Al hacerlo, se protegen y promueven los derechos de los ciudadanos, se reduce el riesgo de discriminación y se asegura que los algoritmos sean herramientas efectivas para el bienestar colectivo.

El despliegue de registros de algoritmos públicos hasta la fecha ha tenido un marcado carácter local. En este sentido, un número relevante de ayuntamientos de diferentes ciudades europeas ya están adoptando esta vertiente de transparencia algorítmica[4]. El modelo de algoritmos público

---

[3]   Una aproximación sobre las diferentes obligaciones de transparencia algorítmica, entre ellas, **con** relación a los registros públicos, puede consultarse en: L. Cotino Hueso, "Qué concreta transparencia e información de algoritmos e inteligencia artificial es la debida", *Revista Española de Transparencia*, núm. 16, 2023, pp. 17-63. También en: A. Soriano Arnanz, "Decisiones automatizadas: problemas y soluciones jurídicas. más allá de la protección de datos", *Revista de Derecho Público: Teoría y Método,* vol. 3, 2021. p.119. A su vez en: E. Benítez Palma, "Mucho ruido y pocas nueces: algunas consideraciones sobre los registros públicos de algoritmos", en G. Vestri (dir) *Disrupción tecnológica en la administración pública retos*, Aranzadi, Cízur Menor (Navarra), 2022, pp. 93 a 94.

[4]   Destacamos por ejemplo los registros públicos que se han implantado o se implementarán a través de la red Eurocities y que lo integran diferentes ciudades

que proponemos en las siguientes páginas busca ir más allá de su implementación en el ámbito local[5], resultando perfectamente escalable a cualquier Administración Pública independientemente del ámbito territorial donde éstas ejerzan sus competencias.

II. REGISTROS PÚBLICOS EN MATERIA ALGORÍTMICA

1. Contenido de los registros públicos

Los registros públicos en materia algorítmica son bases de datos accesibles al público que contienen información detallada sobre los algoritmos utilizados por las entidades gubernamentales en la toma de decisiones. Estos registros proporcionan transparencia y permiten una supervisión efectiva por parte de los ciudadanos, investigadores y expertos en la materia.

Debemos indicar, *prima facie,* que los registros públicos en materia algorítmica ofrecen numerosos beneficios ya que promueven la transparencia y la rendición de cuentas al permitir que los ciudadanos comprendan cómo se toman las decisiones basadas en algoritmos. Además, fomentan la confianza en los procesos de toma de decisiones automatizados y ayudan a detectar y corregir posibles sesgos o discriminación algorítmica[6]. Asimismo, los registros públicos también facilitan la investigación independiente y la mejora continua de los algoritmos utilizados.

Los registros públicos deben incluir información completa y actualizada sobre los algoritmos, como su propósito, descripción técnica, datos utilizados, métricas de rendimiento, metodología de entrenamiento y validación, así como los criterios utilizados para la toma de decisiones. Además, resulta crucial proporcionar detalles sobre la implementación y gobernanza de los

---

europeas. Estas son: Ámsterdam, Barcelona, Bolonia, Bruselas, Eindhoven, Mannheim, Rotterdam y Sofia. Para más información véase su página web: https://www.algorithmregister.org/

[5] En Francia otras ciudades también han implementado un registro de algoritmos. Estas ciudades son: Antibes Juan-les-Pins: https://www.antibes-juanlespins.com/administration/acces-aux-documents-administratifs

Nantes-Métropole : https://data.nantesmetropole.fr/pages/algorithmes_nantes_metropole/

[6] La doctrina ya ha desarrollado de manera profusa los problemas discriminatorios que puede generar para la sociedad y los colectivos más desfavorecidos el uso de sistemas algorítmicos en la toma de decisiones automatizadas. Por todos, véase: A. Soriano Arnanz, *Data protection for the prevention of algorithmic discrimination*, Thomson Reuters Aranzadi, Pamplona, 2021.

algoritmos, incluyendo las salvaguardias y medidas de seguridad adoptadas para proteger la privacidad y la confidencialidad de los datos.

En la Unión Europea, el futuro Reglamento Europeo de Inteligencia Artificial, en adelante AIact, obliga a los desarrolladores/proveedores de sistemas de IA de alto riesgo a registrarse en una base de datos europea de algoritmos donde deberán facilitar cierta información algorítmica, si bien, dicha información es bastante limitada[7].

2. *Proceso de formulación de los registros públicos*

Las obligaciones de publicidad activa y el ejercicio del derecho de acceso paulatinamente obligarán a las Administraciones públicas a elaborar un registro de los diferentes algoritmos que, en su caso, puedan quedar afectados por el ámbito de aplicación de sus leyes de transparencia. De ahí que en este apartado se indiquen aquellas recomendaciones que consideramos necesarias para implementar un registro de algoritmos y las medidas de gobernanza de éste.

Existen algunos textos legales en nuestro país que imponen determinados deberes de transparencia algorítmica a las Administraciones Públicas que podrían traducirse en el despliegue de dichos registros públicos. Así, a nivel autonómico cabe destacar la Ley de la Comunidad Valenciana de transparencia, la cual obliga a las AAPP de ésta región a desplegar toda una serie de medidas de publicidad activa algorítmica[8]. Por otro lado, y de forma más laxa, a nivel estatal, la Ley 15/2022 habla de la necesidad de desplegar sistemas de IA que apuesten por la transparencia algorítmica[9]. Precisamente, y tomando como referencia esta norma estatal, Extremadura también ha apostado por dicha transparencia en el marco de sus competencias[10].

---

[7] Véase el artículo 60 y el Anexo VIII de la Propuesta de Reglamento del Parlamento Europeo y del Consejo por el que se establecen normas armonizadas en materia de inteligencia artificial (Reglamento de Inteligencia Artificial) y se modifican determinados actos legislativos de la Unión. La versión de la propuesta consultada es del 6 de diciembre de 2022.

[8] Véase el artículo 16.1.l) de la Ley 1/2022, de 13 de abril, de Transparencia y Buen Gobierno de la Comunitat Valenciana.

[9] Artículo 23.1 de la Ley 15/2022, de 12 de julio, integral para la igualdad de trato y la no discriminación.

[10] Artículos 10.3 y 11.2 del Decreto-ley 2/2023, de 8 de marzo, de medidas urgentes de impulso a la inteligencia artificial en Extremadura.

La formulación de los registros públicos en materia algorítmica debe seguir un proceso riguroso y participativo. Este proceso puede involucrar la colaboración entre entidades gubernamentales, expertos en algoritmos, representantes de la sociedad civil y grupos de interés relevantes. Por este motivo resulta esencial establecer estándares claros y criterios de inclusión en los registros, así como mecanismos para la actualización y revisión periódica de la información contenida.

Teniendo en cuenta que actualmente las Administraciones públicas ya están utilizando algoritmos a los que potencialmente les pueden afectar los desarrollos normativos en materia de transparencia y, especialmente, en la transparencia algorítmica, se indicará un procedimiento distinto para registrar los algoritmos que se utilizan y otro procedimiento para aquellos algoritmos respecto de los que aún no se dispone de ello, pero que en un futuro deberán estar integrados en tal registro.

Para facilitar el funcionamiento eficiente del registro público de algoritmos, se proponen dos órganos administrativos: la Oficina de Registro de Algoritmos (ORA) y el Consejo del Registro Público de Algoritmos (CRAP). Analizaremos, a continuación, las funciones, composición y responsabilidades de estos órganos.

Respecto de la Oficina de Registro de Algoritmos (en adelante, ORA), esta desempeñará un papel crucial en el registro y es responsable de diversas funciones, entre ellas la búsqueda de algoritmos, el registro, la recuperación de información de las unidades administrativas pertinentes y la asistencia al CRAP en la aplicación de las medidas asignadas. La ORA estaría formada por personal de la Administración pertinente y expertos en materia de transparencia.

En cuanto al Consejo del Registro Público de Algoritmos (en adelante, CRAP), este tendría encomendadas importantes responsabilidades, entre ellas la evaluación de riesgos, la definición de la información algorítmica a publicar o la resolución de consultas de la ORA. En lo relativo a su composición, debe incluirse a representantes de universidades, organizaciones de la sociedad civil y empresas tecnológicas. El CRAP estaría presidido por el responsable público con competencias en transparencia, y el director o directora general con competencias en transparencia, actuando como secretario del CRAP el delegado de protección de datos (en adelante, DPO) de la Administración correspondiente.

Hemos indicado anteriormente que para que sea operativo el registro público de algoritmos debe diferenciarse entre dos fuentes algorítmicas diferenciadas: por un lado, aquellos algoritmos que ya se están empleando por las Administraciones públicas y, de otro, aquellos que se incorporarían una vez creado y formado el registro con la información actual.

Analizaremos, en primer lugar, los algoritmos que ya se estén empleando por la Administración pública correspondiente. Así es fácil colegir que la primera medida a desarrollar por las Administraciones públicas será la de recopilación y obtención de información de dichos algoritmos. Dado el vasto conjunto de tipos y diversidad de posibles algoritmos que podrían necesitar ser incluidos en el registro, presentamos a continuación una serie completa de acciones para agilizar esta tarea. Dichas acciones se concretarían en la búsqueda de potenciales algoritmos; la solicitud de información sobre los algoritmos; la evaluación y asignación del riesgo algorítmico; y, en último lugar, el hecho mismo de incorporarlos al registro de algoritmos.

Respecto de la tarea de buscar los posibles algoritmos que se estén utilizando actualmente por parte de las Administraciones públicas y que puedan estar sujetos a las obligaciones de publicidad activa, esta sería responsabilidad de la ORA. Proponemos dos métodos para facilitar esta búsqueda, siendo la primera la búsqueda automática, que se puede llevar a cabo a través de diversas acciones:

- Verificar los Registros de Actividades de Tratamientos (en adelante, RAT) de datos personales para detectar cualquier mención a algoritmos o sistemas de IA[11]. Aunque esta información puede no estar explícitamente indicada en los RAT, la descripción de los diferentes tratamientos de datos de carácter personales que se llevan a cabo podría dar indicios de su uso.

- Utilizar conocimientos internos: la ORA puede contar con un catálogo interno o información sobre algunos algoritmos que se están utilizando.

- Revisar normativas, circulares e informes: realizar un seguimiento de los diferentes instrumentos legales utilizados en la Administra-

---

[11] Recordemos que el Reglamento Europeo en su artículo 30 contempla el instrumento del Registro de Actividades de Tratamiento de Datos personales y que el artículo 31.2 de la Ley Orgánica 3/2018, de 5 de diciembre, de Protección de Datos Personales y garantía de los derechos digitales, en adelante LOPD de 2018 obliga a las Administraciones Públicas a publicar a través de medios electrónicos un inventario de las actividades de tratamiento que llevan a cabo. La información contenida en esos registros puede ayudar a indagar potenciales usos de sistemas automatizados.

ción pública pertinente para buscar posibles menciones al uso de sistemas automatizados, algoritmos, etc.

- Consultar el catálogo de sistemas de información y aplicaciones aprobadas por la Administración pública de que se trate.

El segundo de los métodos propuesto consistiría en solicitar ayuda y/o información a otros órganos y unidades administrativas, cuestión que se puede llevar a cabo a través de diversas acciones, como enviar correos electrónicos a las diferentes unidades para informarles; emitir órdenes directas a través de los distintos órganos centrales para que se pongan en contacto con la ORA y comuniquen la existencia de sistemas algorítmicos; utilizar canales internos de información entre administraciones; colaborar con el órgano directivo encargado de la administración electrónica, si lo hubiere, para centralizar las solicitudes de información o proporcionar datos sobre el uso de sistemas automatizados. Todos estos mecanismos requieren la coordinación de una figura administrativa de suficiente enjundia para poder solicitar, reunir y clasificar toda la información recabada, centralizando así en una figura concreta todas las tareas derivadas de las solicitudes de información y coordinando el envío de la misma.

Superada la tarea inicial de búsqueda, a continuación cabe acometer la tarea relativa a la solicitud de información algorítmica. Así, una vez que se hayan recopilado los diferentes algoritmos y sistemas de inteligencia artificial que potencialmente puedan resultar afectados por las obligaciones de publicidad activa, el siguiente paso es que la ORA envíe a cada una de las unidades u órganos administrativos o personal responsable de los algoritmos una solicitud con un contenido mínimo.

Dentro de los elementos de información algorítmica que deben incluirse en la solicitud, se consideran imprescindibles los siguientes aspectos:

- La finalidad del sistema algorítmico: se debe especificar claramente el propósito para el cual se utilizará el sistema algorítmico. Esto implica describir detalladamente qué tipo de análisis, procesamiento o toma de decisiones se llevará a cabo mediante el algoritmo.

- El alcance del sistema algorítmico: resulta fundamental definir el ámbito de aplicación del sistema algorítmico, lo que implica identificar las áreas o actividades concretas en las que se utilizará el algoritmo y las decisiones o resultados que se esperan obtener.

- Los datos que se utilizarán: se deben especificar los datos que se utilizarán como entrada para el sistema algorítmico, y esto incluye tanto los datos personales como otros tipos de información relevantes para el funcionamiento del algoritmo.

- La política de utilización: se debe describir la política o normativa que rige el uso del sistema algorítmico, estableciendo las reglas, procedimientos y criterios que se seguirán para garantizar un uso adecuado, ético y legal del algoritmo.

- Los principales riesgos de inexactitudes, sesgos o daños a comunidades específicas: se deben identificar y analizar los posibles riesgos asociados a la precisión, imparcialidad o potenciales daños que el sistema algorítmico pueda ocasionar a comunidades específicas, considerando así la posibilidad de que existan sesgos discriminatorios o exclusiones involuntarias que puedan surgir como resultado del algoritmo.

- Las medidas de mitigación de riesgos: se deben proponer y describir las medidas que se implementarán para mitigar los riesgos identificados. Esto puede incluir acciones como pruebas y validaciones periódicas, ajustes en el diseño del algoritmo, revisiones independientes y auditorías de impacto, entre otras medidas para garantizar la precisión y equidad del sistema.

- Los posibles intereses y/o bienes jurídicos afectados al publicar cierta información sobre el sistema algorítmico: es fundamental evaluar los posibles intereses o bienes jurídicos que podrían verse afectados si se revela cierta información sobre el sistema algorítmico, por lo que deben incluirse consideraciones como la protección de la privacidad, la propiedad intelectual, la seguridad nacional o cualquier otro interés legítimo que deba tenerse en cuenta al decidir qué información puede ser divulgada.

La solicitud de información algorítmica debe ser exhaustiva con el fin de permitir al CRAP evaluar adecuadamente los riesgos asociados a los algoritmos y determinar si el nivel de transparencia algorítmica propuesto es adecuado o si podría perjudicar otros intereses o bienes jurídicos en juego.

Igualmente, es responsabilidad de la ORA llevar a cabo todos los trámites administrativos necesarios para asegurar que las unidades, órganos o responsables de los sistemas algorítmicos inicialmente identificados respondan de manera oportuna a la solicitud de información algorítmica requerida. Esto implica llevar a cabo una serie de gestiones para obtener la colaboración de dichas entidades. De este modo, la ORA deberá establecer una comunicación clara y efectiva con las unidades u órganos pertinentes, asegurándose de que se les informe adecuadamente sobre la necesidad de proporcionar la información algorítmica solicitada.

Asimismo, la ORA deberá seguir los procedimientos administrativos correspondientes para solicitar y obtener los datos necesarios. Esto puede incluir la presentación de requerimientos formales, el seguimiento de los plazos establecidos y la gestión de cualquier documentación adicional que se requiera para respaldar la solicitud. En esta línea, es clave que la ORA mantenga una actitud proactiva y diligente en este proceso, haciendo un seguimiento regular de las solicitudes y asegurándose de que se obtenga la información algorítmica necesaria en tiempo y forma. En caso de que haya retrasos o dificultades para obtener la información, la ORA deberá tomar las medidas adecuadas, como recordatorios o solicitudes adicionales, para garantizar la respuesta oportuna de las entidades involucradas.

Todo ello conduce a afirmar que la ORA asuma la responsabilidad de llevar a cabo todos los trámites administrativos necesarios para garantizar que las unidades, órganos o responsables de los sistemas algorítmicos proporcionen la información algorítmica requerida, siendo esta información fundamental para que el CRAP pueda evaluar los riesgos y determinar el nivel adecuado de transparencia algorítmica, sin comprometer otros intereses o bienes jurídicos en juego.

La tercera de las fases es la concerniente a la evaluación y asignación del riesgo algorítmico. Por tanto, una vez recopilada la información algorítmica de los distintos sistemas automatizados por parte de la ORA, el siguiente paso consiste en enviar las solicitudes con la información recopilada al CRAP. Y, a medida que el CRAP vaya recibiendo la información algorítmica de cada sistema, se encargará de llevar a cabo la evaluación de riesgos. Este proceso implica analizar los posibles riesgos que podrían afectar los derechos y libertades de las personas y grupos en relación con la implementación de la herramienta algorítmica objeto de evaluación.

El CRAP tiene la responsabilidad de asignar a cada sistema algorítmico un nivel de riesgo específico, que puede ser alto, medio o bajo. Al llevar a cabo la evaluación y asignación del riesgo, es posible que el CRAP requiera información adicional por parte de los responsables de dichos algoritmos con el fin de realizar un análisis preciso de los riesgos involucrados. En estas tareas, la ORA puede colaborar gestionando las comunicaciones entre el CRAP y los responsables de los sistemas algorítmicos.

Debemos resaltar la relevancia del hecho de que el objetivo principal del CRAP es identificar y comprender los posibles riesgos asociados a los sistemas algorítmicos, así como establecer medidas adecuadas para mitigar dichos riesgos. Esta evaluación se lleva a cabo de manera rigurosa y exhaustiva, utilizando la información recopilada por la ORA como base para el análisis y tomando en consideración todos los factores relevantes. Y, al finalizar el proceso de evaluación de riesgos, el CRAP proporcionará una clasificación específica para cada sistema algorítmico evaluado, lo que permitirá tener una visión clara de los niveles de riesgo asociados. Esta información resultará fundamental para tomar decisiones informadas sobre las medidas de transparencia y protección que deben implementarse en relación con cada sistema algorítmico en particular.

Obviamente debemos insertarnos con mayor claridad en qué se entiende por riesgo alto, medio o bajo cuando de materia algorítmica estamos hablando. La propuesta que se presenta en este trabajo trata de clarificar esta cuestión de la siguiente manera:

En relación a la mencionada evaluación, hacemos referencia a lo que consideramos de alto riesgo. A continuación, resumimos los siguientes sistemas que entran en esta categoría:

(1) Sistemas calificados como de alto riesgo por el futuro RIA: estos son los sistemas que, según la futura regulación europea, han sido identificados como poseedores de un riesgo significativo en términos de impacto social, ético o legal[12].

(2) Sistemas que identifican o priorizan objetivos para la aplicación de la ley o para llevar a cabo inspecciones en el ámbito de infracciones penales, administrativas y persecución de ilícitos y fraudes[13]. Estos sistemas son cada vez más comunes en áreas de seguridad, mercado y competencia, trabajo, salud, cuidado del medio ambiente, entre otros.

(3) Sistemas utilizados para la adjudicación de contratos, subvenciones y privilegios gubernamentales. Estos sistemas desempeñan un papel

---

[12]   Véase las finalidades consideradas de alto riesgo descritas en el artículo 6 y los Anexos II y III de la Propuesta de Reglamento del Parlamento Europeo y del Consejo por el que se establecen normas armonizadas en materia de inteligencia artificial (Reglamento de Inteligencia Artificial) y se modifican determinados actos legislativos de la Unión.

[13]   Sobre el uso de algoritmos predictivos para decidir la iniciación de un procedimiento administrativo véase en: A.J. Huergo Lora, "Una aproximación a los algoritmos desde el derecho administrativo", en A.J. Huergo Lora (dir), *La regulación de los algoritmos*, Aranzadi, Navarra, 2020.

crucial en la toma de decisiones relacionadas con la asignación de recursos públicos y, por lo tanto, se consideran de alto riesgo.

(4) Sistemas de inteligencia artificial utilizados para personalizar, priorizar o apoyar la prestación de servicios a los ciudadanos en áreas como salud, educación, empleo, servicios sociales, entre otros[14]. Debido a su impacto directo en la vida de las personas, estos sistemas deben ser evaluados cuidadosamente.

(5) Sistemas utilizados para la extracción de información, investigación, recopilación, supervisión y análisis de datos, con el propósito de elaborar políticas, tomar decisiones, realizar monitoreo general y análisis de riesgos. Estos sistemas tienen un impacto significativo en la gobernanza y deben ser considerados de alto riesgo.

(6) Sistemas utilizados para la gestión de la organización interna, los recursos humanos y las adquisiciones, así como para la gestión de los recursos tecnológicos. Dado su papel central en la administración interna, estos sistemas deben evaluarse de manera minuciosa.

(7) Sistemas utilizados para interactuar y comunicarse con el público en relación a sus derechos, obligaciones y participación en diferentes ámbitos[15]. Estos sistemas, al tener un impacto directo en la relación entre los ciudadanos y las instituciones, deben considerarse de alto riesgo.

En cualquier caso, hay que tener en cuenta que estos sistemas son solo una muestra de aquellos que se consideran de alto riesgo y que cada uno

---

[14] Sobre la personalización de los servicios por parte de las Administraciones Públicas véase: C. Velasco Rico, "Personalización, proactividad e inteligencia artificial. ¿Un nuevo paradigma para la prestación electrónica de servicios públicos?", *IDP. Revista d'Internet, Dret i Política*, núm. 30, 2020. En el mismo sentido, pero respecto a la lucha contra la corrupción, podemos encontrar el trabajo realizado por O. Capdeferro Villagrasa y J. Ponce Solé, "Nudging e inteligencia artificial contra la corrupción en el sector público: posibilidades y riesgos", *Revista digital de Derecho Administrativo*, Universidad Externado de Colombia, núm. 28, 2022, pp. 225-258.

[15] Aquí pueden entrar en juego el uso de chatbots u aplicaciones similares que se utilizan por parte de las Administraciones Públicas en sus comunicaciones con la ciudadanía. Recordemos que el RAI obliga a las organizaciones que utilicen estos sistemas a informar a las personas que interactúen con los mismos de que están hablando/comunicándose con una máquina. Véase el artículo 52. 1 del RAI. Sobre los usos de estas aplicaciones en la Administración Pública, véase: A. Cerrillo i Martínez, "Robots, asistentes virtuales y automatización de las administraciones públicas", *Revista galega de administración pública*, vol. 1, núm. 61, 2021, pp. 279-282.

de ellos requiere una evaluación detallada y personalizada para determinar los riesgos específicos asociados y las medidas de transparencia y protección adecuadas que deben implementarse.

Con base en el nivel de riesgo determinado por el CRAP, en este caso *alto,* se tomarán diversas acciones, entre las que se incluyen las siguientes:

- El sistema se incluirá en el registro de algoritmos públicos, dentro del listado de sistemas automatizados considerados de alto riesgo. Esta medida garantiza la transparencia y el acceso a la información sobre dichos algoritmos.

- Se exigirá el cumplimiento de las obligaciones de publicidad activa establecidas por la normativa correspondiente, si así lo exigiera. Esto implica que se deberán proporcionar de manera proactiva detalles sobre el funcionamiento y los efectos del algoritmo al público en general.

- En caso de que corresponda según la normativa aplicable, se requerirá un informe por parte del Delegado de Protección de Datos (DPD) que evalúe el impacto en la protección de datos personales[16]. Esto se realiza para garantizar que se cumpla con las normas de privacidad y se protejan los datos de las personas involucradas.

- Se elaborará un informe detallado que contenga, al menos, los siguientes elementos:

  — Un análisis de los posibles riesgos identificados en relación con el sistema algorítmico. Se examinarán los riesgos potenciales para los derechos y libertades de las personas afectadas.

  — Una indicación de los intereses o bienes jurídicos legítimos que podrían limitar la divulgación activa de información sobre el sistema algorítmico[17]. En algunos casos, puede existir un funda-

---

[16] La relevancia de los datos en el uso de estos sistemas es esencial. Cuando se traten datos personales, los informes indicados reflejarán y ayudarán a detectar los riesgos que se pueden generar por el tratamiento de esos datos personales en el contexto específico. Sobre las implicaciones legales del uso de sistemas de inteligencia artificial en la normativa de protección de datos véase: A. Palma Ortigosa, *Decisiones automatizadas y protección de datos personales. Especial atención a los sistemas de inteligencia artificial,* Dykinson, Madrid, 2022.

[17] Por ejemplo, en la detección del fraude, en A. Todolí Signes, "Retos legales del uso del *big data* en la selección de sujetos a investigar por la Inspección de Trabajo y de la Seguridad Social", *Revista Galega de Administración Pública,* núm. 59, 2020, p. 324.

mento legal o razones válidas para restringir la divulgación de ciertos aspectos del algoritmo[18].

— Una justificación clara y fundamentada de las limitaciones en las obligaciones de publicidad activa, en consonancia con los límites establecidos en la normativa autonómica. Esto implica explicar por qué se considera necesario restringir la divulgación de cierta información y cómo se cumple con las disposiciones legales correspondientes.

Por su parte, la categoría de riesgo algorítmico *medio* incluiría aquellos algoritmos que generen dudas acerca de si deben considerarse de alto riesgo o no. Para determinar esta clasificación, será necesario contar con un informe técnico independiente que examine en detalle los elementos del algoritmo y concluya que su implementación no conlleva un riesgo potencial para los derechos de los ciudadanos. Si, tras el análisis de la información relacionada con el algoritmo y el informe técnico correspondiente, no se puede establecer de manera clara una clasificación de alto riesgo, se incluirá en esta categoría como medida de seguridad jurídica. No obstante, se podrá realizar una revisión posterior que permita reclasificarlo como riesgo algorítmico bajo.

La elaboración de este informe deberá ser asignada a personal técnico especializado, quienes deberán llevar a cabo el análisis de manera rigurosa y precisa. Además, el informe deberá ser supervisado y aprobado por el CRAP para garantizar la calidad y objetividad del proceso de evaluación. A este respecto, es fundamental contar con este enfoque detallado y con el respaldo de expertos técnicos para evaluar adecuadamente el riesgo algorítmico medio. Al realizar una evaluación minuciosa de los algoritmos en esta categoría, se busca asegurar que se tomen las medidas necesarias para proteger los derechos de los ciudadanos y evitar riesgos innecesarios. Además, se fomenta la transparencia y la confianza en los sistemas algorítmicos, ya que se respalda la toma de decisiones con análisis técnicos imparciales y especializados.

---

[18]   Existe un importante debate entre aquellos que apuestan por la plena transparencia hasta los que en su caso consideran que hay ciertos límites legítimos para la plena transparencia algorítmica. Este debate se plasma de forma resumida en A. Boix Palop, "Los algoritmos son reglamentos: La necesidad de extender las garantías propias de las normas reglamentarias a los programas empleados por la Administración para la adopción de decisiones", *Revista de Derecho Público: Teoría y Método*, vol. 1, Madrid, 2020, pp. 254 a 261.

Como es lógico, a los algoritmos calificados de riesgo medio se le aparejarán unas acciones menos exhaustivas que las detalladas para el riesgo alto. Así, en este caso las actuaciones a desarrollar comprenderían que el sistema se incorporara al registro de algoritmos públicos dentro del listado de sistemas automatizados de riesgo medio, con el consiguiente seguimiento de los potenciales riesgos detectados, y no se exigirá el cumplimiento de las obligaciones de publicidad activa que pueda exigir la normativa correspondiente.

La categoría de riesgo algorítmico *bajo* comprende todos aquellos algoritmos que, debido a los riesgos que plantean para los derechos y libertades de los ciudadanos, no generan dudas acerca de su impacto reducido o nulo. En esta categoría se incluyen aquellos algoritmos que, tras una evaluación exhaustiva, se determina que tienen un impacto mínimo o insignificante en los derechos y libertades de las personas. Estos algoritmos no representan un riesgo significativo para la privacidad, la igualdad, la no discriminación u otros derechos fundamentales.

La clasificación de riesgo algorítmico bajo implica que estos algoritmos no requieren de una atención y supervisión exhaustivas debido a su escaso impacto en los derechos de los ciudadanos. No obstante, se debe llevar a cabo una evaluación rigurosa y precisa para asegurar que el riesgo es efectivamente bajo y no se pasa por alto ningún elemento relevante.

La inclusión de esta categoría permite concentrar los esfuerzos y recursos en aquellos algoritmos que presentan un mayor riesgo y requieren una atención prioritaria. Al identificar los algoritmos con un impacto reducido o nulo, se agiliza el proceso de evaluación y se focalizan los recursos en aquellos casos que verdaderamente requieren una atención más detallada.

Asimismo, no se explicita ninguna actuación detallada ante esta categoría, pese a que quepa resaltar que esta clasificación no implique una exención total de responsabilidad o una falta de seguimiento continuo. Aunque se considere de riesgo algorítmico bajo, se debe realizar un monitoreo periódico para garantizar que se mantenga su impacto reducido en los derechos y libertades de los ciudadanos, y en caso de identificar cambios significativos, se puede reconsiderar su clasificación y asignarle un nivel de riesgo diferente.

Como es natural, la última fase es la relativa al registro propiamente dicho. Así, una vez que el CRAP ha determinado el nivel de riesgo de los algoritmos, la ORA asumirá la responsabilidad de realizar las acciones pertinentes para registrar dichos algoritmos en el registro correspondiente, además de cumplir con las obligaciones de publicidad activa establecidas por la normativa.

Si el nivel de riesgo asignado por el CRAP es medio o alto, se implementarán las obligaciones de publicidad activa de manera más rigurosa y exhaustiva. Esto implica que se llevarán a cabo las acciones necesarias para garantizar la divulgación proactiva de información sobre los algoritmos en cuestión.

La ORA se encargará de realizar las tareas de publicidad activa, que pueden incluir la divulgación de detalles sobre el funcionamiento, los efectos y los riesgos asociados a los algoritmos registrados. Obviamente, la intensidad y el alcance de las obligaciones de publicidad activa variarán dependiendo del nivel de riesgo asignado. En el caso de los algoritmos de riesgo alto, se requerirá una divulgación más amplia y detallada para garantizar que se comprenda plenamente su impacto potencial.

El objetivo principal de estas actuaciones es asegurar la transparencia en el uso de algoritmos y promover la confianza de la ciudadanía en el ámbito de la toma de decisiones automatizadas. Dando cumplimiento a las obligaciones de publicidad activa, se busca facilitar el acceso a la información relevante y permitir que las personas afectadas comprendan cómo se utilizan los algoritmos en su interacción con las administraciones públicas.

Como ya se apuntó *supra*, este proceso es operativo para la generación de un registro público de algoritmos que ya se estén empleando por la pertinente Administración pública. Así, además de abordar los algoritmos ya utilizados por la Administración, es fundamental establecer un procedimiento específico para aquellos algoritmos que se pretendan incorporar en el ámbito de las Administraciones públicas. Para gestionar esta situación, se proponen una serie de acciones fundamentales:

A. Principio de coordinación entre órganos administrativos, promoviéndose la colaboración y coordinación entre los diferentes órganos administrativos al momento de implementar acciones administrativas automatizadas. Esto garantizará una gestión coherente y eficiente de los algoritmos en todas las Administraciones públicas, evitando duplicaciones y asegurando una aplicación uniforme de las políticas.

B. Solicitud de información algorítmica, de modo que se requerirá a los responsables de los algoritmos que se pretenden incorporar a las Administraciones públicas que proporcionen información detallada sobre su funcionamiento, características y riesgos asociados. Por ello, una vez la ORA tenga constancia de la implementación de un nuevo sistema automatizado a través de alguno de los canales de comunicación propuestos, ésta deberá facilitar al órgano responsable de dicho sistema la solicitud de información algorítmica previamente explicada.

C. Evaluación del riesgo y asignación del riesgo, puesto que, una vez recopilada la información algorítmica, se realizará una evaluación minuciosa para determinar los riesgos potenciales para los derechos y libertades de las personas. En función de esta evaluación, se asignará un nivel de riesgo correspondiente, ya sea alto, medio o bajo.

D. Y, por último, la incorporación al registro de algoritmos preexistente, sirviendo como una fuente centralizada de información que contribuirá a la transparencia y la rendición de cuentas en el uso de algoritmos por parte de las Administraciones públicas.

Despliegue del registro de algoritmos públicos	
Algoritmos que ya están utilizando las Administraciones Públicas.	*Algoritmos que en el futuro incorporarán la Administraciones Públicas*
1. Recopilación de los algoritmos que se están utilizando.	1. Coordinación entre los órganos administrativos.
2. Solicitud de información algorítmica.	2. Solicitud de información algorítmica.
3. Evaluación y asignación del riesgo.	3. Evaluación y asignación del riesgo.
4. Incorporación de los algoritmos al registro.	4. Incorporación de los algoritmos al registro.

III. SOBRE LA GOBERNANZA DEL REGISTRO

Con el fin de asegurar una gobernanza interna efectiva de los mecanismos y acciones expuestos anteriormente, es fundamental implementar una serie de medidas adicionales que deben estar presentes a lo largo del establecimiento y seguimiento del Registro de Algoritmos Públicos. Estas medidas son necesarias para garantizar un enfoque sólido y responsable en el manejo de los algoritmos en el ámbito público, todo ello formando parte de lo que se ha venido en llamar una democracia algorítmica[19]. A continuación, se desarrollan con mayor profundidad estas medidas:

---

[19] J. Castellanos Claramunt, La democracia algorítmica: inteligencia artificial, democracia y participación política, *Revista General de Derecho Administrativo*, núm. 50, 2019, pp. 1-32.

- Establecimiento de políticas claras que rijan el uso de algoritmos en el sector público. Estas políticas deben abordar aspectos como la transparencia, la equidad, la protección de datos, la rendición de cuentas y la evaluación de riesgos. Al establecer políticas sólidas, se proporciona un marco normativo que guía la implementación y el seguimiento del Registro de Algoritmos Públicos.

- Asignación de responsabilidades claras a los diferentes actores involucrados en el despliegue y seguimiento del Registro de Algoritmos Públicos. Esto implica designar a un equipo o entidad encargada de coordinar y supervisar el registro, así como establecer roles y responsabilidades específicos para los responsables de los algoritmos en cada organización. La asignación clara de responsabilidades garantiza una gestión efectiva y una rendición de cuentas adecuada.

- Implementación de mecanismos de control y seguimiento para supervisar la correcta aplicación de los algoritmos registrados. Esto implica realizar evaluaciones periódicas del impacto de los algoritmos en los derechos y libertades de las personas, así como realizar auditorías independientes para garantizar el cumplimiento de las políticas establecidas[20]. Los mecanismos de control y seguimiento permiten detectar posibles deficiencias o riesgos y tomar las medidas correctivas necesarias.

- Capacitación y concienciación sobre el uso responsable de los algoritmos a todos los actores involucrados. Esto incluye tanto a los responsables de los algoritmos como al personal encargado de su implementación y uso[21]. La capacitación adecuada garantiza que se comprendan los principios éticos y legales que deben regir el uso de los algoritmos, así como los procedimientos establecidos en el Registro de Algoritmos Públicos.

---

[20] Recordemos que una de las razones por las que el Tribunal de la Haya "tumbó" el sistema SyRI que estaba utilizando el Gobierno Neerlandés para asignar o retirar ciertas ayudas sociales fue la inexistencia de auditorías o controles por parte del personal externo del sistema. L. Cotino Hueso, "SyRI, ¿a quién sanciono?" Garantías frente al uso de inteligencia artificial y decisiones automatizadas en el sector público y la sentencia holandesa de febrero de 2020", núm. 4, abril-junio, 2020, p. 2.

[21] Por ejemplo, el RAI prevé expresamente que en los sistemas de alto riesgo se garantice que las personas de la organización encargadas de supervisar estos sistemas sean conscientes de algunos de los riesgos que se puede genera con su uso. Tal y como ocurre con el sesgo de automatización. Artículo 14.4.b) del RAI.

- Participación y consulta pública en la implementación y seguimiento del Registro de Algoritmos Públicos. Esto implica abrir espacios para que la sociedad civil, expertos en la materia y otras partes interesadas puedan proporcionar aportes, opiniones y sugerencias sobre el uso de los algoritmos en el sector público[22]. La participación y consulta pública fortalecen la legitimidad y la calidad del registro, al tiempo que garantizan la inclusión de diversos puntos de vista.

A estas medidas generales cabe agregar las específicas dependiendo del riesgo al que se ha catalogado el sistema algorítmico oportuno, así como aquellas que se puedan derivar de otras normas En este sentido, hemos de recordar que en un futuro se creará la Agencia Española de Supervisión de Inteligencia Artificial, a la espera de las competencias y funciones que se le asignarán, es posible que ésta pueda también tener un papel relevante en el despliegue e implementación de los futuros registros de algoritmos[23].

1. *Medidas de gobernanza general aplicable a los sistemas automatizados de riesgo alto*

Cada año, el CRAP llevará a cabo una revisión exhaustiva de la información algorítmica que ha sido publicada, con el objetivo de proponer posibles cambios y mejoras en cuanto al tipo de información y nivel de transparencia que se debe proporcionar en relación **con** los sistemas de alto riesgo.

Para llevar a cabo esta revisión, el CRAP cuenta con diversas herramientas a su disposición. En primer lugar, puede considerar la necesidad de implementar reformas legislativas que establezcan nuevas medidas y requisitos de transparencia algorítmica. Estas reformas pueden surgir de la identificación de vacíos o áreas de mejora en la normativa existente, con el objetivo de garantizar una mayor claridad y exhaustividad en la información publicada.

---

[22] J. Castellanos Claramunt, "Derechos y garantías concretas de los usos políticos y participativos de la inteligencia artificial", en L. Cotino Hueso (dir.), M. Bauzá Reilly (coord.) *Derechos y garantías ante la inteligencia artificial y las decisiones automatizadas*, Thomson Reuters Aranzadi, Cizur Menor (Navarra), 2022, pp. 317-341.

[23] La Ley 22/2021, de 28 de diciembre, de Presupuestos Generales del Estado para el año 2022, en su disposición adicional centésimo trigésima, recoge la creación de la Agencia Española de Supervisión de Inteligencia Artificial.

Además, el CRAP también puede tomar en cuenta las resoluciones judiciales relacionadas con la transparencia algorítmica. Los fallos judiciales que aborden casos específicos y establezcan precedentes en este ámbito pueden servir como referencia para definir los estándares y las prácticas adecuadas en la publicación de información algorítmica[24].

Asimismo, el CRAP puede tomar en consideración las resoluciones emitidas por los Consejos de Transparencia a nivel autonómico y nacional. Estas resoluciones pueden proporcionar orientación y directrices sobre las mejores prácticas en cuanto a la transparencia algorítmica, y su análisis puede contribuir a la elaboración de recomendaciones y propuestas de mejora[25].

Por último, el CRAP también puede evaluar y aprovechar los avances tecnológicos en el campo de la transparencia algorítmica. Los desarrollos tecnológicos, como herramientas o plataformas específicas, pueden facilitar la recopilación, análisis y visualización de la información algorítmica, mejorando la accesibilidad y comprensión para el público en general[26].

Por su parte, y también con el fin de garantizar el correcto funcionamiento del mecanismo de publicidad activa de los algoritmos de alto riesgo, la ORA llevará a cabo un seguimiento anual de las obligaciones relacionadas con la transparencia.

---

[24] Hasta la fecha, los tribunales no han sido los mejores aliados de la transparencia algorítmica. En este sentido, el Juzgado Central de lo Contencioso Administrativo ha considerado que facilitar a los particulares el código fuente del sistema informático que utiliza el Ministerio de Transición Ecológica para conceder el bono social eléctrico afecta a la seguridad pública. Sentencia del Juzgado Central de lo Contencioso Administrativo núm. 8. Sentencia nº 143/2021. Resolución judicial del 30 de diciembre de 2021. FJ 4.

[25] Ya existen un cierto número de resoluciones por parte de diversos Consejos de Transparencia sobre la transparencia algorítmica exigida a los poderes públicos. Véase, entre otras, las siguientes resoluciones: Resolución 701/2018. Febrero de 2019 y Resolución 058/2021. Mayo de 2021 del Consejo de Transparencia y Buen Gobierno. Así como la Resolución 200/2017, de 21 de junio de la Comissió de Garantia del Dret d'Accés a la Informació Pública de Cataluña. Un resumen de éstas y otras resoluciones sobre transparencia algorítmica adoptada por los Consejos de Transparencia puede verse en A.J. Huergo Lora. "El derecho de transparencia en el acceso a los códigos fuente", *Anuario de Transparencia Local*, núm. 5, 2022, pp. 59 a 63.

[26] Existe un interés creciente en el ámbito de la ciencia de datos por desarrollar técnicas y herramientas que favorezcan la llamada inteligencia artificial explicable. En: Information Commissioner's Office. *Explaining decisions made with AI | Part 2: Explaining AI in practice*, p. 50.

En este proceso de seguimiento, la ORA contará con diversas herramientas para recopilar información y evaluar el cumplimiento de las obligaciones de publicidad activa. Una de estas herramientas puede ser la realización de encuestas dirigidas a los responsables de los sistemas algorítmicos, con el objetivo de identificar posibles nuevos riesgos que hayan sido detectados y evaluar cómo se están abordando.

Además, la ORA también recopilará las quejas y sugerencias de la ciudadanía en relación a la publicidad activa algorítmica. Estas aportaciones serán valiosas para evaluar el nivel de cumplimiento de las obligaciones de transparencia y para identificar posibles áreas de mejora.

El informe anual elaborado por la ORA sobre el seguimiento de las obligaciones de publicidad activa proporcionará una visión integral del estado y la eficacia de este mecanismo. Este informe permitirá identificar posibles deficiencias o áreas en las que se requiere una mayor atención y actuación.

Además de las herramientas mencionadas, la ORA podrá utilizar otras metodologías y recursos para llevar a cabo el seguimiento, como el análisis de documentación, la realización de visitas o auditorías, y la colaboración con otros organismos o expertos en la materia.

2. *Medidas de gobernanza general aplicable a los sistemas automatizados de riesgo medio*

Sería beneficioso establecer un procedimiento que permita a la CRAP revisar el nivel de riesgo de los sistemas que inicialmente se consideraron de riesgo medio. Esta revisión puede ser iniciada de diversas formas: o bien de oficio por parte de la CRAP, de modo que la propia CRAP pueda iniciar la revisión del riesgo de uno o varios sistemas automatizados, con el objetivo de evaluar si su clasificación inicial como riesgo medio sigue siendo adecuada; o bien a solicitud de la ORA, para que pueda solicitar a la CRAP que se revise el nivel de riesgo de determinados sistemas automatizados considerados de riesgo medio. Esta solicitud puede basarse en información adicional recopilada durante el seguimiento y evaluación de los sistemas; o bien a solicitud de los responsables de los sistemas automatizados para que también puedan solicitar a la CRAP una revisión del riesgo asignado a sus sistemas, en caso de considerar que existe información relevante que justifique un cambio en la clasificación de riesgo.

Al valorar la posibilidad de elevar el nivel de riesgo medio a alto, la CRAP puede tener en cuenta diferentes elementos para tomar una decisión fundamentada:

- Quejas y sugerencias de la ciudadanía, de modo que las opiniones y observaciones de la ciudadanía respecto a los sistemas analizados pueden ser consideradas como un factor importante en la revisión del riesgo. Estas quejas y sugerencias pueden proporcionar información adicional sobre posibles riesgos y deficiencias en los sistemas no detectados hasta la fecha.

- Indicaciones de los responsables de los sistemas, por lo que los responsables de los sistemas automatizados pueden aportar información relevante para evaluar el nivel de riesgo. Su perspectiva y conocimiento técnico pueden ayudar a identificar elementos que justifiquen una reevaluación.

- Informes y documentos pertinentes, de manera que la CRAP puede tener acceso a informes, documentos y otra información relacionada con los sistemas, que puedan revelar aspectos adicionales de riesgo y justificar una reconsideración de la clasificación inicial.

IV. CONCLUSIONES

La gobernanza pública en materia algorítmica es crucial para garantizar que los algoritmos utilizados por las entidades gubernamentales sean transparentes, justos y responsables. La formulación de registros públicos sólidos es una medida fundamental en este sentido, ya que promueve la transparencia, la rendición de cuentas y la confianza en los procesos de toma de decisiones automatizados. Al proporcionar acceso público a información detallada sobre los algoritmos utilizados, los registros públicos permiten la supervisión ciudadana, la detección de sesgos y la mejora continua de los algoritmos. Además, fomentan la participación y el debate informado sobre el uso de la tecnología algorítmica en la administración pública.

A modo de líneas maestras indicamos los siguientes puntos.

1. Los registros de algoritmos públicos suponen un primer nivel de transparencia algorítmica. El modelo que proponemos es perfectamente trasladable a cualquier Administración Pública que pretenda implementar esta herramienta. Todo ello, independientemente de si existe o no un deber legal para desplegar mecanismos de publicidad activa.

2. Para una correcta implementación de estos registros públicos, se hace necesario distinguir dos procedimientos en función de si los algoritmos ya se están utilizando o se pretende utilizar en un futuro por parte de las Administraciones Públicas.

3. Básicamente, el registro de algoritmos públicos exige en primer lugar tener bajo control todos los algoritmos que se están utilizando o que se utilizarán. En segundo lugar se evaluará y asignará el riesgo que puede generar ese sistema para los derechos y libertades de la ciudadanía, y finalmente, en función del riesgo asignado, se preverán unas medidas u otras de transparencia algorítmica.

4. Para un adecuado despliegue del modelo propuesto, se requiere de la creación de diversas unidades/órganos administrativos y de una gobernanza adecuada secundada por la implementación de diferentes herramientas y medidas de seguimiento.

De la digitalización a la Inteligencia artificial: el porvenir de la Justicia en la Unión Europea

Rosa Cernada Badía
Profesora de Derecho Administrativo
Universidad Católica de Valencia[1]

I. INTRODUCCIÓN

¿Qué es más valioso: la inteligencia o la conciencia? Con esta sugerente pregunta terminaba Harari en 2015 su Homo Deus[2]. El eco de esta cuestión, que inevitablemente quedaba resonando en la mente del lector, hoy reverbera con fuerzas renovadas en las entrañas de una sociedad que ha aceptado el desafío de desarrollar sistemas de Inteligencia artificial (en lo sucesivo, IA) llamados a convivir con los seres humanos. Probablemente la aproximación a esta pregunta y la reflexión que lleva aparejada es tan diversa como el crisol de culturas, tradiciones y profesiones existentes en el mundo. Pero quizá no resulte aventurado afirmar que, desde una perspectiva europea, la propia disyuntiva genera perplejidad. En una sociedad fundada en los valores del humanismo cristiano no cabe la opción por una inteligencia inconsciente; por una inteligencia desalmada. Como tampoco es admisible desoír la llamada del progreso y la modernidad en beneficio del ser humano. El propio artículo 2 del Tratado de la Unión Europea (en adelante, TUE)[3] así lo apunta, al descansar la estructura institucional de la Unión en los *valores de respeto de la dignidad humana, libertad, democracia, igualdad, Estado de Derecho y respeto de los derechos humanos ( ) en una sociedad en la que prevalecen el pluralismo, la no discriminación, la tolerancia, la justicia, la*

---

[1] El presente estudio es resultado de investigación del proyecto: "Derechos y garantías públicas frente a las decisiones automatizadas y el sesgo y discriminación algorítmicas" (PID2022-136439OB-I00).

[2] Y.H. Harari, *Homo Deus. Breve historia del mañana*, Debate, Barcelona, 3ª edición, 2016, pág. 431.

[3] Tratado de la Unión Europea, firmado en Maastricht el 7 de febrero de 1992, Diario Oficial de la Unión Europea L 191, 29 de julio de 1992.

solidaridad y la igualdad entre mujeres y hombres. Estos valores, principios arrai-
gados[4] y patria común de las actuales democracias en Europa[5], se convierten así en los odres donde fermenta uno de los objetivos más importantes
del Tratado de Lisboa[6]. Se trata de la creación de un espacio de libertad,
seguridad y justicia que desafía a los ciudadanos europeos a disfrutar en
común de los beneficios de su democracia[7] en tanto que garantiza *"la libre
circulación de personas, conjuntamente con medidas adecuadas respecto al control
de las fronteras exteriores, el asilo, la inmigración y la prevención y la lucha contra
la delincuencia"* conforme a su definición en el artículo 3 del TUE.

La referencia al proceso de fermentación es coherente con la reorgani-
zación institucional incorporada por el Tratado de Lisboa que simplificó la
estructura tradicional de pilares. En efecto, subyacente al objetivo de crear
un espacio de justicia social y solidaria, la progresiva integración política
de la Unión Europea implica la construcción de un espacio europeo de
Justicia en el que los ciudadanos puedan obtener ampliamente un recurso
efectivo ante un Tribunal a través de un juicio justo. El ámbito del espacio
de libertad, seguridad y justicia no está definido en el Tratado de Lisboa,
pero se considera que afecta a diferentes políticas en materia de asilo, inmigración, control de fronteras o cooperación policial en materia penal. Y
específicamente, en lo que se refiere al ámbito objeto de este estudio, a la
cooperación en materia civil y penal.

Por consiguiente, el desarrollo de la cooperación judicial se hace imprescindible para garantizar el Estado de Derecho y la igualdad de acceso
a la Justicia, de forma que la heterogeneidad de los sistemas jurídicos y
procesales no frustre el ejercicio de los derechos procesales y judiciales en
el territorio y las jurisdicciones europeas por parte de las personas físicas
y jurídicas. Estas políticas de cooperación se ven especialmente reforzadas
por la aplicación de las tecnologías a la Administración de Justicia, promoviendo no sólo el ejercicio de los derechos fundamentales y la eficacia
de la Justicia como servicio público, sino también propiciando el diálogo
institucional para asegurar la Justicia como valor fundacional de la Unión
Europea.

---

[4]   N. Moussis, *Guía de las políticas de la UE,* Servicio de Estudios Europeos, Rixensart,
        2000, pág. 124
[5]   P. Häberle, "Derecho Constitucional Común Europeo", *Revista de Estudios Políticos,*
        1993, núm. 79, págs. 7-46, pág. 11.
[6]   Tratado de Lisboa, firmado en Lisboa el 13 de diciembre de 2007, Diario Oficial
        de la Unión Europea C 306/1, 17 de diciembre de 2007.
[7]   N. Moussis, *Guía de las políticas de la UE, op. cit.,* pág. 124.

II. LA ESTRATEGIA DE DIGITALIZACIÓN DE LA JUSTICIA EN LA UNIÓN EUROPEA

1. *De los tres pilares al espacio de libertad, seguridad y Justicia*

La entrada en vigor del Tratado de Lisboa convirtió el espacio europeo de Justicia en una realidad. Desde el Consejo Europeo de Tampere de 1999, el Consejo elaboró una ambiciosa agenda para la creación del espacio de libertad, seguridad y justicia en consonancia con las conclusiones del Consejo[8]. Esta agenda recibió el impulso político necesario dentro de tres programas quinquenales consecutivos. El primero fue el programa de Tampere, adoptado en 1999, que establecía orientaciones políticas, ámbitos prioritarios y objetivos prácticos con un calendario para su aplicación. El Programa de Tampere expiró en junio de 2004 pero había sentado las bases del futuro ámbito del espacio de libertad, seguridad y justicia, de forma que la dimensión de Justicia y Asuntos de Interior quedó firmemente identificada como una de las políticas prioritarias de la Unión y el establecimiento del área de justicia social uno de los elementos fundamentales para la ciudadanía europea.

El Programa de Tampere fue sustituido por el Programa de La Haya[9] para 2004-2009. Adoptado en el Consejo Europeo de 4 y 5 de noviembre de 2004, el Programa de La Haya estableció diez ámbitos clave de actuación prioritaria[10] y formuló propuestas concretas de actuación con un calendario para su aplicación[11]. En particular, durante el periodo de aplicación

---

[8] Conclusiones disponibles en: https://www.europarl.europa.eu/summits/tam_es.htm. En materia de justicia se refieren fundamentalmente a la voluntad de promover un mejor acceso a la justicia en la Unión Europea y de trabajar para un mejor reconocimiento mutuo de resoluciones judiciales y la lucha contra la delincuencia.

[9] Para analizar la evaluación del programa puede consultarse la Comunicación de la Comisión al Consejo, al Parlamento Europeo, al Comité Económico y Social Europeo y al Comité de las Regiones – Justicia, libertad y seguridad en Europa desde 2005: evaluación del programa y del plan de acción de La Haya {SEC(2009) 765 final} {SEC(2009) 766 final} {SEC(2009) 767 final}. **Disponible en:** http://eur-lex.europa.eu/LexUriServ/LexUriServ.do?uri=COM:2009:0263:FIN:EN:PDF

[10] A los efectos de este trabajo, destacan en especial tres: i) el refuerzo de los derechos fundamentales; ii) el objetivo de alcanzar un equilibrio adecuado entre privacidad y seguridad en el intercambio de información; y iii) un auténtico espacio europeo de justicia.

[11] Véase el Plan de Acción, Diario Oficial C 198, de 12 de agosto de 2005. Disponible en: http://eur-lex.europa.eu/LexUriServ/LexUriServ.do?uri=OJ-C:2005:198:0001:0022:EN:PDF.

del programa de La Haya, se dieron los primeros pasos hacia una política europea de justicia en línea. En este proceso destaca la celebración en Bremen de la conferencia internacional "Work on e-Justice" del 29 al 31 de mayo de 2007. En esta conferencia, expertos y otros participantes interesados de Europa, Estados Unidos y Asia debatieron sobre el uso de las Tecnologías de la Información en el sector de la Justicia. En el ámbito europeo se debatieron especialmente algunos aspectos, como: i) el portal de e-Justicia como enlace entre diferentes sistemas jurídicos; ii) la comunicación transfronteriza entre las partes en los procedimientos judiciales; iii) el intercambio de información entre los registros judiciales nacionales; iv) los modelos procesales de normalización a nivel europeo y las cuestiones jurídicas conexas.

En atención a los resultados de la conferencia internacional de Bremen, la oportunidad y la necesidad de desarrollar el trabajo en el ámbito de la justicia en línea también se evaluaron en un informe[12] del Grupo de Trabajo del Artículo 29[13] que realizó un examen de la implantación de las Tecnologías de la Información y la Comunicación en los sistemas judiciales de los Estados miembros de la Unión Europea, poniendo de manifiesto los aspectos comunes y las divergencias y estableciendo unos principios generales y unas prioridades en el proceso de digitalización de la Justicia. En particular, el desarrollo de los portales de Justicia, la interconexión de registros, requerimientos electrónicos de pago y uso de la videoconferencia. Todo ello desde el principio general del carácter no obligatorio de la e-Justicia y su vinculación con los asuntos transfronterizos con independencia del orden jurisdiccional afectado.

El Programa de La Haya expiró en 2010 y fue sustituido por el Programa de Estocolmo[14], adoptado por el Consejo Europeo en diciembre de 2009. En el programa de Estocolmo, el Consejo se refiere expresamente a la justicia electrónica como estrategia destacando su importancia horizontal, toda vez que la integración de los instrumentos de la justicia electrónica en todos los ámbitos del Derecho civil, penal y administrativo tiene por objeto garantizar un mejor acceso a la justicia y reforzar la cooperación entre

---

[12]   Informe 10393/07 sobre e-Justicia: 393/07 JUR INFO 21 JAI 293 JUST CIV 159 COPEN 8. Disponible en: http://register.consilium.europa.eu/pdf/en/07/st10/st10393.en07.pdf

[13]   Grupo de Trabajo del Consejo sobre Tratamiento Jurídico de Datos. Véase: http://ec.europa.eu/justice/data-protection/article-29/

[14]   *Vid.*: http://eur-lex.europa.eu/LexUriServ/LexUriServ.do?uri=OJ:C:2010:115:0001:0038:EN:PDF

las autoridades administrativas y judiciales. Sentadas las bases necesarias, a partir de este momento comienza a desarrollarse la estrategia específica en materia de e-Justicia, que en la actualidad sigue en proceso de expansión.

2. *Justicia en red: concepto y objetivos europeos*

A partir del trabajo emprendido en los tres programas quinquenales citados, la Comisión europea desarrolla la Estrategia Europea en materia de e-Justicia o Justicia en red[15]. En este documento define la Comisión la e-Justicia como el uso de las Tecnologías de la Información y la Comunicación *para mejorar el acceso de los ciudadanos a la justicia y hacer más eficaz la acción judicial, entendida esta última como cualquier tipo de actividad que implique la resolución de un litigio o la sanción de una conducta delictiva.*

El concepto europeo de e-Justicia se incluye en la estrategia basada en actuaciones concretas finalmente elegida por la Comisión. Por lo tanto, en perspectiva europea, la e-Justicia constituye un campo específico bajo el paraguas más general de la *Administración electrónica,* definida en la comunicación como la *aplicación de las Tecnologías de la Información y la Comunicación a todos los procedimientos administrativos.* En consecuencia, la evaluación de la estrategia de e-Justicia implica no sólo medidas relativas específicamente a las autoridades judiciales, sino también aquellas medidas adoptadas dentro de la política general de e-Administración que puedan afectar a la Administración de Justicia, tales como medidas relativas a infraestructuras seguras, autenticación de documentos, técnicas de e-identificación, uso y cesión de datos, etc.

En todo caso, tal y como manifiesta la Comisión en su estrategia de e-Justicia, el objetivo primario de ésta es *contribuir a que la justicia se adminis-tre de forma más eficaz en toda Europa, en beneficio de los ciudadanos.* Este objetivo primario se concreta además en los tres objetivos que pueden orientar las decisiones políticas en este ámbito:

a) Prioridad a los proyectos operativos, que deben ayudar a los profe-sionales de la justicia a trabajar de forma más eficaz y a los ciudada-nos a acceder a la justicia de manera más sencilla, involucrando a

---

[15] Comunicación de la Comisión al Consejo, al Parlamento Europeo y al Comité Económico y Social Europeo. Hacia una estrategia europea en materia de e-Jus-ticia. SEC(2008)1947 SEC(2008)1944. COM/2008/0329 final (no publicado en el Diario Oficial). Disponible en: https://eur-lex.europa.eu/legal-content/EN/ALL/?uri=CELEX%3A52008DC0329

los Estados miembros en la aplicación de la normativa europea en la materia;

b) Alcanzar el adecuada equilibro entre las arquitecturas descentralizadas de los Estados miembros y la coordinación europea;

c) Respetar, en la medida de lo posible, el marco jurídico existente y promover su eficacia mediante la incorporación de Tecnologías de la Información y la Comunicación.

Dentro del diálogo interinstitucional propio del espacio de libertad, seguridad y justicia, tanto el Consejo como el Parlamento señalaron la necesidad de prestar especial atención al ciudadano y al respeto del derecho a la protección de datos y a las garantías procesales efectivas en cada Estado. En este sentido, también resulta de interés la consulta de la Resolución del Parlamento Europeo, de 17 de diciembre de 2008, con recomendaciones destinadas a la Comisión sobre la Justicia en línea (e-Justicia) (2008/2125(INI)[16]. Asimismo, el Comité Económico y Social Europeo aclaró el entusiasmo inicial del proceso[17] recordando la necesidad de respetar el valor fundamental de la Justicia, más allá de la eficacia, insistiendo en la necesaria seguridad que debe acompañar al proceso de implantación del Tecnologías de la Información y la Comunicación en la Justicia.

Estos documentos, junto con el Programa de Estocolmo de 2009, constituyen la base del desarrollo de la e-Justicia europea sustentada en la Red Judicial Europea en materia civil y mercantil y la Red Judicial Europea en materia penal[18]. Esta política de digitalización toma forma en el fenómeno de desmaterialización[19] de los procesos en el ámbito de la cooperación judicial civil y se han concretado, desde su pistoletazo de salida en 2009, en tres planes y estrategias en materia de Justicia en red:

— Comunicación de la Comisión «Hacia una estrategia europea en materia de e-Justicia (Justicia en línea)» COM (2008) 329 final, de junio de 2008

---

[16] *Vid.*: https://eur-lex.europa.eu/LexUriServ/LexUriServ.do?uri=OJ:C:2010:045E:0060:0063:ES:PDF.

[17] *Vid.*: http://eur-lex.europa.eu/LexUriServ/LexUriServ.do?uri=OJ:C:2009:318:0069:0073:ES:PDF

[18] Ambas redes, así como las diversas medidas en materia de e-Justicia desarrolladas en la Unión Europea, pueden consultarse en el portal europeo de la e-Justicia. Disponible en: https://e-justice.europa.eu/home.do?action=home&plang=es

[19] C. Aranguena Fanego, "Perspectivas de la e-Justicia en Europa", C. Senés Montilla, coord., *Presente y Futuro de la e-Justicia en España y en la Unión Europea*, Thomson Reuters Aranzadi, Cizur Menor (Navarra), 2010, págs. 29-81, pág. 76.

ya citada, destinada a fomentar el desarrollo de herramientas de justicia en red a nivel europeo en estrecha coordinación con los Estados miembros y junto con ella, el Plan de acción plurianual 2009-2013 relativo a la Justicia en Red europea (DO C 75 de 31 de marzo de 2009);

— Proyecto de estrategia 2014-2018 relativa a la justicia en red europea (2013/C 376/06) y el Plan de acción plurianual 2014-2018 relativo a la Justicia en red europea (DO C 182 de 14 de junio de 2014);

— Estrategia 2019-2023 relativa a la Justicia en Red Europea (2019/C 96/04) y su Plan de Acción 2019-2023 relativo a la Justicia en Red Europea (2019/C 96/05).

En el desarrollo de las políticas de e-Justicia, en los últimos años, la IA ha adquirido un protagonismo indudable en la medida en que constituye una de las herramientas a la que la Unión Europea dispensa mayor atención con el fin de garantizar su aplicación legal y ética en la Justicia. En este sentido, puede traerse a colación la vigente estrategia de Justicia en red europea 2019-2023 que cita la capacidad de evolución como uno de los principios de la justicia en red. Y en particular destaca el *efecto positivo* de la IA en el sector justicia al aumentar la eficiencia y la fiabilidad, si bien, destaca la necesidad de tener en cuenta *los riesgos y desafíos que plantea (…) en especial en lo relativo a la protección de datos y a la ética*. En particular, en el Plan de Acción 2019-2023 el Consejo detalla proyectos específicos de IA o basados en sistemas IA aplicables al sector justicia. Específicamente, destacan dos:

— el proyecto 11 (IA para la justicia) cuyo objetivo es Desarrollar una herramienta de IA para el análisis de las resoluciones judiciales;

— el proyecto 12 "*Chatbot* para el portal de E-Justicia" para prestar asistencia a los usuarios del portal dirigiéndoles hacia la información que estén buscando.

Sin embargo, la IA no constituye solo un reto para la Administración de Justicia, sino que plantea oportunidades y riesgos de toda índole. Y en este sentido, la doctrina sugirió[20] la necesidad de adoptar un marco regulatorio

---

[20] Y en ocasiones, incluso abiertamente, se lamentó de la falta de regulación en este ámbito. *Vid.* H. Miranda Bonilla, "Inteligencia artificial y justicia", *Revista de la Facultad de Derecho de México*, Tomo LXXII, N° 284, septiembre-diciembre 2022, págs. 373-402, pág. 379. En esta línea: E. Gamero Casado, "El enfoque europeo de inteligencia artificial", *Revista de Derecho administrativo* – CDA, núm. 20, 2021, págs. 268-289, págs. 269-270, si bien recuerda la vigencia en este ámbito de las normas generales que resulten aplicables, por ejemplo, en materia de protección de datos.

adecuado para el desarrollo de estos sistemas que fuera compatible con los valores de la Unión.

III. EL FUTURO ESTÁ AQUÍ: LA IMPLANTACIÓN DE SISTEMAS DE INTELIGENCIA ARTIFICIAL EN JUSTICIA

1. Inteligencia artificial: concepto y usos

Si las relaciones entre Derecho y tecnología pueden ser consideradas en ocasiones espinosas, en el desarrollo de la llamada cuarta revolución industrial[21], la definición de IA ha seguido un tortuoso camino que todavía no ha llegado a destino. Desde sus primeras conceptualizaciones, entre otros su definición como *la ciencia e ingenio de hacer máquinas inteligentes* atribuida a McCarty, Misky y Shannon en 1956[22], la variedad de intentos de definición de la IA puede resultar sorprendente. Incluso se ha venido a afirmar que la amplitud del concepto termina por vaciarlo de contenido[23]. Si bien, puede citarse la noción ya clásica de Pino que considera la IA *un campo de la ciencia y de la ingeniería que se ocupa de la compresión, desde el punto de vista informático, de lo que se denomina comúnmente comportamiento inteligente. También se ocupa de la creación de artefactos que exhiben este comportamiento*[24].

En este punto, el recurso a la definición legal resulta legítimo y, sin lugar a dudas, es obligada la referencia a la noción de IA de la propuesta de Reglamento de Inteligencia artificial[25]. Definía el legislador europeo un sistema de inteligencia artificial como *el software que se desarrolla empleando una o varias técnicas y estrategias que figuran en el anexo I y que puede, para un conjunto determinado de objetivos definidos por seres humanos, generar información de salida como contenidos, predicciones, recomendaciones o decisiones que influyan en los entornos con los que interactúa*. Si bien en el *iter* legislativo de la pro-

---

[21]   K. Schwab, *La cuarta revolución industrial*, Debate, Barcelona, 2016.

[22]   H. Miranda Bonilla, "Inteligencia artificial y Derecho constitucional", *Revista da Faculdade de Direito da FMP*, vol. 16, núm. 1, 2021, págs. 96-104, pág. 99

[23]   C. Amunátegui Perelló, *Arcana Technocae. El Derecho y la Inteligencia artificial*, Tirant lo Blanch, Valencia, 2020, pág. 13.

[24]   Citado en: S. Navas Navarro, "Derecho e inteligencia artificial desde el diseño. Aproximaciones", S. Navas Navarro, coord., *Inteligencia artificial. Tecnología y derecho*. Tirant lo Blanch, Valencia, 2017, págs. 23-72, pág. 24.

[25]   Propuesta de Reglamento del Parlamento Europeo y del Consejo por el que se establecen normas armonizadas en materia de Inteligencia artificial (ley de inteligencia artificial) y se modifican determinados actos legislativos de la Unión COM/2021/206 final, de 21 de abril de 2021.

puesta, la enmienda 165 aprobada por el Parlamento europeo el 14 de junio de 2023[26] dota de una nueva redacción al artículo 3.1 redefiniendo el concepto como **un sistema basado en máquinas diseñado para funcionar con diversos niveles de autonomía y capaz, para objetivos explícitos o implícitos, de generar información de salida** *–como predicciones, recomendaciones o decisiones–* que **influya** en *entornos* **reales o virtuales**[27].

En todo caso, y con independencia de la riqueza de definiciones doctrinales propuestas, todas ellas parecen incorporar como elementos comunes la creación de máquinas que construyen decisiones a imagen y semejanza del ser humano y, por ende, denominadas inteligentes.

Si el concepto de IA ha generado incertidumbre, la doctrina parece estar más de acuerdo en reconocer dos tipos básicos de sistemas de IA[28]:

— La IA fuerte, que sería capaz de desarrollar procesos cognoscitivos de forma autónoma combinados con mecanismos de autoaprendizaje. Es decir, se trataría de sistemas que pueden "pensar por sí mismos". Este tipo de tecnología todavía está por llegar y es el que plantea cuestiones éticas y jurídicas de mayor magnitud.

— La IA débil se refiere a sistemas previamente programados para la resolución de problemas específicos. Estos sistemas pueden dar lugar a dos tipos básicos de resultados: i) la automatización de tareas y ii) la predicción de resultados.

Los sistemas de IA se alimentan de una bolsa de datos incorporada por seres humanos. Sobre estos datos el sistema trabaja aplicando unas instrucciones específicas que permiten dar una solución a un problema. Estas instrucciones, descritas en lenguaje de programación, se conocen como algoritmos y de su diseño depende el *output*, esto es, el resultado que el sistema genera en cada momento.

---

[26] Enmiendas aprobadas por el Parlamento Europeo el 14 de junio de 2023 sobre la propuesta de Reglamento del Parlamento Europeo y del Consejo por el que se establecen normas armonizadas en materia de inteligencia artificial (Ley de Inteligencia Artificial) y se modifican determinados actos legislativos de la Unión (COM(2021)0206 – C9-0146/2021 – 2021/0106(COD)), texto disponible en: https://www.europarl.europa.eu/doceo/document/TA-9-2023-0236_ES.html

[27] Las negritas no son mías.

[28] M. C. Lang Irrazábal, "La inteligencia artificial en la Administración de Justicia", *Ars Iuris Salmanticensis: AIS: revista europea e iberoamericana de pensamiento y análisis de derecho, ciencia política y criminología*, vol. 10, núm. 2, 2022, págs. 31-39, págs. 32 y 33.

La bondad de los sistemas de IA es que constituyen un círculo, en teoría virtuoso, en tanto que a medida que se utiliza, el propio sistema se retroalimenta y se entrena para perfeccionar mejor sus resultados. Este procedimiento de aprendizaje de la máquina puede darse con intervención o sin intervención humana. En ese segundo caso, es decir, cuando la máquina aprende por sí misma sin intervención humana se habla de *machine learning*. La posibilidad de realizar un posterior control humano del proceso deriva en la definición de sistemas de caja blanca y de caja negra, según sea o no posible este rastreo humano posterior.

A partir de esta estructura, se pueden definir una serie de usos propios de la IA[29]:

a) *Machine learning*, es decir, aprendizaje automático desarrollado por aplicación de algoritmos a grandes cantidades de datos. El aprendizaje automático permite realizar en muy poco tiempo análisis descriptivos, predictivos o prescriptivos (recomendaciones) coadyuvando a una toma de decisiones más eficiente. Una evolución de este concepto es el *Deep learning* que permite la adopción de resultados más ajustados a partir del procesamiento de una mayor cantidad de datos con una menor intervención humana[30].

b) Procesamiento del lenguaje natural, que implica la capacidad de los sistemas informáticos de utilizar lenguaje natural, es decir, el lenguaje que empleamos diariamente para comunicarnos[31], mediante herramientas de computación de acuerdo con las instrucciones a partir de la cuales han sido programados. Es decir, es la *habilidad de la máquina para procesar la información comunicada*[32]. Como ejemplo de estos sistemas podría citarse un software de traducción automática. Esta técnica se encuentra en evolución puesto que los algoritmos no son capaces de identificar ciertas inflexiones típicas del lenguaje

---

[29] H. Miranda Bonilla, "Inteligencia artificial y justicia", *op. cit.*, págs. 376-377.

[30] J. Vida Fernández, "Los retos de la regulación de la inteligencia artificial: algunas aportaciones desde la perspectiva europea", T. De la Quadra-Salcedo Fernández del Castillo, J.L. Piñar Mañas, dirs., A. Barrio Andrés, J. Torregrosa Vázquez, coords., *Sociedad digital y derecho*, Ministerio de Industria, Comercio y Turismo, Madrid, 2018, págs. 203-224, págs. 207 y 208.

[31] A., Cortez Vásquez; H. Vega Huerta; J. Pariona Quispe, "Procesamiento de lenguaje natural", *Revista de Ingeniería de Sistemas e Informática*, vol. 6, núm. 2, julio-diciembre 2009, págs. 45-54, págs. 46-47.

[32] A. Gelbukh, "Procesamiento de lenguaje natural y sus aplicaciones", *Komputer sapiens*, año II, vol. I. enero-junio 2010, págs. 6-11, pág. 6.

natural como la ironía o el doble sentido y, en este caso, se produce una brecha entre el sentido de lo expresado en lenguaje natural y el comprendido por el sistema de IA.

c) *Chatbots*, que se han venido a definir como un sistema de conversación que permite la interactuación entre máquinas y seres humanos usuarios del sistema a través del lenguaje natural[33].

d) Análisis biométrico, referido al examen de las características físicas o biológicas de un individuo, es decir, los datos biométricos entendidos en el sentido del artículo 4 del Reglamento General de Protección de Datos[34] como *datos personales obtenidos a partir de un tratamiento técnico específico, relativos a las características físicas, fisiológicas o conductuales de una persona física que permitan o confirmen la identificación única de dicha persona, como imágenes faciales o datos dactiloscópicos.* Los tratamientos en concreto se realizan progresivamente en cuatro estadios: captura y procesado de datos, extracción de particularidades y comparación con datos previos[35].

Entre estos usos, en las profesiones jurídicas destaca la implantación de sistemas de procesamiento de lenguaje natural y de reconocimiento biométrico (particularmente en materia de análisis forense y anonimización de medios audiovisuales)[36].

2. *Cuestiones específicas que plantea la inteligencia artificial en el ámbito del Derecho público*

La dinámica de la IA a grandes rasgos parece sencilla de comprender, sin embargo, la práctica genera problemas de muy diversa índole. En parti-

---

[33] A. Shawar, E. Atwell, "Using corpora in machine-learning chatbot systems", *International Journal of Corpus Linguistics,* vol. 10, issue 4, 2005, págs. 489-516, pág. 489.

[34] Reglamento (UE) 2016/679 del Parlamento Europeo y del Consejo de 27 de abril de 2016, relativo a la protección de las personas físicas en lo que respecta al tratamiento de datos personales y a la libre circulación de estos datos y por el que se deroga la Directiva 95/46/CE (Reglamento general de protección de datos).

[35] C. Martín Brañas, "Reconocimiento del delincuente: nuevas diligencias de identificación", *Boletín del Ministerio de Justicia,* año LXIX, núm. 2182, octubre de 2015, págs. 1-57, págs. 24 y 25.

[36] European Union Agency for the Operational Management of Large-Scale IT Systems in the Area of Freedom, Security and Justice (eu-LISA), The European Union Agency for Criminal Justice Cooperation (Eurojust), *AI supporting cross-border cooperation in criminal justice,* junio 2022, págs. 15-26.

cular, y por lo que se refiere a la aplicación de sistemas de IA en el ámbito del Derecho público, destacan diversas cuestiones a valorar.

1) En primer lugar, la determinación de la naturaleza jurídica de los algoritmos y la necesidad de garantizar su transparencia y trazabilidad como elementos básicos para conocer el proceso de decisión pública. En particular, a los efectos de valorar la motivación de estas decisiones públicas y fundamentar una posible impugnación. Esto es, en último término, para garantizar la defensa del ciudadano y la seguridad jurídica del sistema[37].

2) En segundo lugar, la selección de los datos, su actualización y los posibles sesgos que pueden incorporar al sistema cuando la propia selección de datos se encuentra sesgada. Un claro ejemplo de esta cuestión es el sistema COMPAS (*Correctional Offender Management Profiling for Alternative Sanctions*) utilizado por ciertos tribunales norteamericanos para evaluar la posibilidad de reincidencia y que presentaba innegables sesgos raciales derivados de la selección de datos históricos, tal y como puso de manifiesto la sentencia de la Corte Suprema de apelaciones del Estado de Wisconsin (caso Loomis) de 13 de julio de 2016[38].

3) En relación con lo anterior, a nadie se le escapa la posible afectación de derechos fundamentales en la toma de decisiones públicas basadas en sistemas de IA. En este ámbito puede citarse el caso *Syri*, un software cuyo objeto es la lucha contra el fraude fiscal y que era utilizado por el Gobierno de los Países Bajos para evaluar la posibilidad de que los ciudadanos defraudaran a la Seguridad Social o a la Hacienda holandesa. El Tribunal de Distrito de la Haya, en sentencia de 27 de febrero de 2020, resolvió este asunto

---

[37] Entre otros, *vid.* A. Boix Palop, "Los algoritmos son reglamentos: La necesidad de extender las garantías propias de las normas reglamentarias a los programas empleados por la administración para la adopción de decisiones", *Revista de Derecho público: teoría y método*, N°1, 2020, págs.223-269; L. Cotino Hueso; J. Castellanos Claramunt, *Transparencia y explicabilidad de la Inteligencia artificial*, Tirant lo Blanch, Valencia, 2022.

[38] Sobre el sesgo en los sistemas de IA, resulta de interés la consulta de los trabajos: R. Borges Blázquez, "El sesgo de la máquina en la toma de decisiones en el proceso penal, *Ius et Scientia,* N° 2, volumen 6, 2020, págs. 54-71; A. Peris Manguillot, "Algoritmos: ¿podemos hacerlos transparentes y trazables en su proceso?, L. Cotino Hueso, J. Castellanos Claramunt, eds., *Transparencia y explicabilidad de la Inteligencia artificial*, Tirant lo Blanch, Valencia, 2022, págs. 71-84, págs. 78-80.

declarando el uso de este sistema incompatible con los principios de proporcionalidad y de necesidad que, de acuerdo con el artículo 8.2. del Convenio Europeo de Derechos Humanos[39], justificaría la injerencia pública en el derecho a la intimidad[40] amén de su falta de transparencia.

4) Finalmente, la preocupación por los límites éticos al uso de la IA que se plasmó en la Carta ética europea sobre el uso de la inteligencia artificial en los sistemas judiciales y su entorno, adoptada por el Grupo de Trabajo sobre la Calidad de la Justicia (CEPEJ-GT-QUAL) del Consejo de Europa en diciembre de 2018[41].

3. *Regulación de la inteligencia artificial en la Unión Europea*

Con el fin de dar respuesta a estas cuestiones y adelantarse a los posibles problemas que derivan del uso de sistemas de IA, la Unión Europea trabaja en dotar de una regulación a este fenómeno. Esta voluntad de regular la IA también presenta un marcado carácter estratégico, habida cuenta del impacto económico de la IA en muy diversos sectores, desde la agricultura, gestión de aguas, industria, sanidad, etc. La simplificación de procesos, el ahorro de costes y, en definitiva, la eficiencia que deriva de la implementación de sistemas de IA vincula su regulación con el fomento de la competitividad de las economías y empresas europeas[42]. En esta carrera, en la que Estados Unidos y China parecen haber tomado la delantera, una regulación unitaria y potente de la Unión Europea está llamada a coadyuvar a la implantación homogénea de sistemas de IA de

---

[39] Convenio Europeo para la Protección de los Derechos Humanos y de las Libertades Fundamentales, hecho en Roma el 4 de noviembre de 1950. Ratificado por España el 26 de septiembre de 1979, Boletín Oficial del Estado Nº 243, de 10 de octubre, págs. 23564 a 23570.

[40] G. Lazcoz Moratinos, J.A. Castillo Parrilla, "Valoración algorítmica ante los derechos humanos y el Reglamento General de Protección de Datos: el caso SyRI", *Revista Chilena de Derecho y Tecnología*, vol. 9, núm. 1, primer semestre 2020, págs. 207-225, págs. 213-219.

[41] Disponible en: https://rm.coe.int/ethical-charter-en-for-publication-4-december-2018/16808f699c

[42] Para valorar el alcance estratégico de la regulación de IA habida cuenta de su potencial como industria y su impacto económico, puede consultarse: M. Szczepański, *Economic impacts of artificial intelligence (AI)*, European Parliament Research Service, 2019, in toto, disponible en: https://www.europarl.europa.eu/RegData/etudes/BRIE/2019/637967/EPRS_BRI(2019)637967_EN.pdf

acuerdo con los principios y valores que sustentan la Unión Europea y el mercado único europeo[43].

Precisamente en la búsqueda del equilibrio entre estos valores y la lícita promoción del liderazgo tecnológico, la Unión ha desarrollado una normativa con una doble vertiente ética y regulatoria[44]. Por lo que se refiere la vertiente ética, el documento clave que conviene traer a colación es el informe publicado el 8 de abril de 2019, por el Grupo de expertos de alto nivel sobre IA[45], titulado "Directrices éticas para una IA fiable". Las directrices se concretan en tres requisitos clave para la fiabilidad de los sistemas de IA. Se exige que los sistemas sean: lícitos, éticos y robustos, es decir, que cumplan con la normativa aplicable de la Unión Europea, que respeten los valores que fundamentan la Unión y que su desarrollo sea técnica y socialmente seguro[46]. El documento, que parte del enfoque centrado en los derechos humanos, desarrolla diversos principios éticos y requisitos específicos que ponen de manifiesto la necesidad de colaboración entre todas las partes implicadas en el diseño, desarrollo, despliegue, aplicación o utilización de la IA, con especial cuidado respecto de los sectores más vulnerables. Las instituciones europeas han ahondado en esta dimensión ética de la IA con la aprobación de documentos complementarios[47] para la ejecución, puesta en práctica y valoración del cumplimento de las Directrices de 2019.

Junto a la vertiente ética, la Unión Europea se ha preocupado por dotar de una regulación específica a la IA con la finalidad de promover un mayor protagonismo de la economía y de las empresas europeas en el sector, garantizando el respeto a los valores de la Unión. En este sentido, la Comisión europea mostró interés por esta cuestión desde el año 2018 cuando

---

[43]   E. Gamero Casado, "El enfoque europeo de inteligencia artificial", *op. cit.*, págs. 269-272.

[44]   J. Bonmatí Sánchez, "Pasado, presente y futuro de la normativa aplicable a la inteligencia artificial en la Unión Europea: informes, directrices y propuestas normativas", *Revista Lex mercatoria*, vol. 22, 2022, págs. 113-120, págs. 116-118.

[45]   Creado en junio de 2018 por la Comisión Europea.

[46]   Grupo Independiente de Expertos de Alto Nivel sobre Inteligencia Artificial, *Directrices éticas para una IA fiable*, Comisión europea, Bruselas, abril de 2019, pág. 6, https://ec.europa.eu/newsroom/dae/document.cfm?doc_id=60423

[47]   A. Van Wynsberghe, *Artificial intelligence: From Ethics to policy*, Unión Europea, Bruselas, junio 2020, https://www.europarl.europa.eu/RegData/etudes/STUD/2020/641507/EPRS_STU(2020)641507_EN.pdf; High-Level Expert Group on AI (AI HLEG), Assessment List for Trustworthy AI (ALTAI), Comisión europea, Bruselas, 17 de julio de 2020, https://digital-strategy.ec.europa.eu/es/node/806

aprobó la Comunicación Inteligencia Artificial para Europa (COM 2018) 237, de 27 de abril a la que acompañó ese mismo año del Plan coordinado sobre la inteligencia artificial COM (2018) 795 final, de 7 de diciembre de 2018. No obstante, el documento fundamental a estos efectos fue el Libro blanco de la UE sobre la IA[48]. Este texto, de objetivo primariamente político, trata de incentivar la implantación de sistemas de IA promoviendo la colaboración público-privada y generar un *ecosistema de confianza,* al sentar las bases de una regulación que evite los riesgos fundamentales de la implantación de sistemas de IA, esto es, el riesgo de vulneración de derechos fundamentales y de seguridad[49].

A partir de estos trabajos previos, la voluntad de dotar a Europa de una normativa única y directamente aplicable en los Estados Miembros fructificó en la Propuesta de Reglamento de IA, ya citada y que debe interpretarse y aplicarse teniendo en cuenta su íntima relación con la normativa en materia de protección de datos, tal y como se desprende del artículo 5 del Programa Europa Digital[50]. La propuesta se articula sobre la base jurídica del artículo 114 del Tratado de Funcionamiento de la Unión Europea[51] que faculta a la Unión para la adopción de medidas para garantizar el establecimiento y funcionamiento del mercado interior, conforme a los principios de subsidiariedad y proporcionalidad. La propuesta consta de 85 artículos y anexos, dota de una regulación homogénea a los sistemas de IA. Partiendo de su contenido, la propuesta distingue diversos tipos de sistemas en atención al examen de riesgos (mínimo, limitado, alto e inaceptable) y determina los requisitos y cautelas que habrán de cumplir los sistemas y operadores de alto riesgo. Asimismo, consagra un sistema de supervisión específico en la materia. La propuesta se encuentra todavía en su *iter* legislativo y, por lo tanto, el texto es todavía provisional.

Atendida la evolución normativa en la materia, el marco común para la IA debería acompañarse del fomento de la colaboración entre los distintos grupos de interés. No es una cuestión baladí toda vez que, en ocasiones,

---

[48] Libro blanco de la UE sobre la inteligencia artificial: un enfoque europeo orientado a la excelencia y a la confianza, Bruselas, 19.2.2020 COM (2020) 65 final.

[49] E. Gamero Casado, "El enfoque europeo de inteligencia artificial", *op. cit.,* págs. 273-274.

[50] Reglamento (UE) 2021/694 por el que se establece el Programa Europa Digital y por el que se deroga la Decisión (UE) 2015/2240, Diario Oficial de la Unión Europea L 166/1, 11 de mayo de 2021.

[51] Versión Consolidada del Tratado de Funcionamiento de la Unión Europea, Diario Oficial de la Unión Europea C326/49, 26 de octubre de 2012.

se trata de sujetos que abordan la cuestión desde perspectivas o incluso lenguajes distintos. Convendría pues abundar en la generación de foros de discusión, abrir cauces de participación en los que juristas, tecnólogos, Administraciones públicas y empresas puedan impulsar sistemas de IA fiables, que puedan garantizar una Administración de Justicia más eficaz sin menoscabar los principios y valores de la Unión, así como el estándar de garantía de los derechos fundamentales.

IV. EL USO DE SISTEMAS DE INTELIGENCIA ARTIFICIAL EN JUSTICIA

1. *De la máquina de escribir a los jueces robots*

Del mismo modo que ocurrió con la Administración electrónica, el ámbito de la Justicia no es ajeno a los nuevos desarrollos tecnológicos, si bien en su incorporación camina un paso por detrás de las profesiones jurídicas. En particular, el impulso en el uso de sistemas de IA en la Administración de Justicia se debe en buena parte a la implantación de sistemas de IA en la práctica de la abogacía. Un ámbito donde ya son varios los años en los que se utilizan sistema de IA o basados en IA, por ejemplo, en lo que se refiere a la revisión de contratos (*Due diligence*), investigación legal, elección de estrategas procesales, etc. Junto con estos usos destacan los sistemas de analítica jurisprudencial (jurimetría) con el fin de predecir el posible sentido del fallo en un caso concreto[52]. Finalidad que se ha prohibido en países como Francia cuando se utilizan para *evaluar, analizar, comparar o predecir prácticas profesionales reales o presuntas*[53].

A tal efecto, resulta de interés la consulta de un estudio realizado por el Consejo de la Abogacía Europea y la *European Lawyers Foundation* sobre el uso de herramientas basadas en sistemas IA[54] en el que detalla diferentes categorías de herramientas utilizadas en el ejercicio de la abogacía, entre

---

[52] A. Montesinos García, "Inteligencia artificial y ODR", S. Barona Vilar, ed., *Justicia algorítmica y neuroderecho,* Tirant lo Blanch, Valencia, 2021, págs. 507-531, pág. 524.

[53] *Vid.* J.I. Solar Cayón, "Inteligencia artificial y Justicia digital", F.H. Llano Alonso (dir.); J. Garrido Martín, R.D. Valdivia Giménez, coords., *Inteligencia artificial y filosofía del Derecho,* Laborum, Murcia, 2022, págs. 381-427, págs. 382-383.

[54] P. Homoki, *Guide on the use of AI-based tools by lawyers and law firms in the EU*, CCBE-ELF, Brussels, The Netherlands, 2022, https://www.ccbe.eu/fileadmin/speciality_distribution/public/documents/IT_LAW/ITL_Reports_studies/EN_ITL_20220331_Guide-AI4L.pdf

otras, herramientas de apoyo a la redacción, sistemas IA de análisis de documentos, *chatbots*, etc. El documento presenta una serie de conclusiones de interés, en particular, pone de manifiesto que en la actualidad la IA no supone un verdadero riesgo para la profesión de la abogacía ni la hace innecesaria, pero recuerda que, a largo plazo, el uso de herramientas IA en el sector va a ser inevitable. Por consiguiente, es necesario un ajuste en las competencias profesionales de los abogados. Sin embargo, y esta cuestión es clave, manifiesta que las herramientas IA disponibles no están adaptadas a las jurisdicciones y a las diferentes lenguas de la Unión Europea, circunstancia que se traduce en una fragmentación del mercado para los abogados que ejercen en los Estados miembros de la Unión.

Por lo que se refiere a la aplicación específica de sistemas de IA a la Administración de Justicia, la experiencia comparada suscita sugerentes aplicaciones que deben examinarse con cautela, pero desvestidas de escepticismo. De acuerdo con la clasificación de sistemas de IA como fuerte y débil, podría considerarse un sistema de IA fuerte el reconocimiento de la figura del juez robot. De hecho, las primeras experiencias de incorporación de IA en justicia invitaron a utilizar, o al menos, plantear el uso de esta nomenclatura[55].

En efecto, la digitalización de la Justicia puede ir más allá de un mero auxilio a la praxis tradicional y afectar a los propios esquemas clásicos del funcionamiento de la Administración de Justicia. El uso de tecnologías en general y de sistemas de IA en particular para el rediseño de procesos judiciales ha fructificado en la posibilidad de creación de Tribunales online. Este fenómeno implica fundamentalmente la virtualización de un Tribunal, que deviene así un servicio que permite la interacción online asíncrona de los participantes. De esta forma, facilita los sistemas de auto-resolución de conflictos y, en defecto de solución, provee un sistema que permita la celebración de vistas en línea. Cita SOLAR[56] dos proyectos que se han puesto en marcha en los últimos años: el *British Columbia Civil Resolution Tribunal* en Canadá y el *Online Resolutions Court* en Reino Unido (Inglaterra y Gales).

Junto a estas experiencias en el ámbito anglosajón, destaca en particular el caso de China, que trata de implementar IA en todas las actividades propias de la Administración de Justicia, tanto para monitorear a los jueces como para facilitar la toma de decisiones, identificar tendencias sociales

---

[55]   R. Cárdenas Krenz, "¿Jueces robots? Inteligencia artificial y Derecho", *Revista Justicia y Derecho*, vol. 4, núm. 2, 2021 (Ejemplar dedicado a: Philosophy of Law and New Technologies), págs. 1-10.

[56]   J. I. Solar Cayón, "Inteligencia artificial y Justicia digital", *op. cit.*, págs. 416-422.

o proveer servicios públicos online. La evolución en el uso de sistemas AI en la Justicia china es cuanto menos espectacular[57] si bien particularmente destaca la creación de Tribunales de Internet en grandes ciudades (Beijing o Hangzhou, entre otras) que resuelven controversias civiles de forma más eficiente mediante el uso de sistemas de IA[58]. Junto a China conviene mencionar el caso de Estonia y su proyecto para la resolución de conflictos civiles de escasa cuantía (máximo 7000 euros) que, en todo caso, debe permitir recurso ante un juez humano[59]. Sin embargo, la doctrina ha puesto de manifiesto que en realidad estas experiencias no implican en la actualidad la sustitución de la figura del juez sino el recurso a un sistema inteligente de asistencia para aspectos repetitivos[60].

Por lo tanto, en realidad, en la Administración de Justicia se están adoptando sistemas de IA como apoyo a la toma de decisiones, si bien en este ámbito debe tenerse en cuenta que los sistemas de tipo predictivo han generado no pocas controversias. El caso COMPAS citado *supra* es una buena muestra de ello. A pesar de estas reticencias, los Estados han venido desarrollando sistemas de automatización de tareas con funcionalidades predictivas. El sistema precursor en Latinoamérica ha sido *Prometea*[61], un software creado por la fiscalía bonaerense en 2018 para *la automatización de tareas reiterativas y la aplicación de IA para la elaboración automática de dictámenes jurídicos basándose en casos análogos para cuya solución ya existen precedentes judiciales reiterados*. Se trata de un sistema de caja blanca que permite el control y rastreo humano. A partir de esta experiencia, la corte constitucional colombiana desarrolló PretorIA, un sistema que incorpora IA para desarrollar tres funcionalidades: i) búsqueda (para ubicar información de interés para la selección de las sentencias); ii) categorización según criterios relevantes para la Corte Constitucional y; iii) estadísticas (las dos últimas funcionalidades en origen limitadas al sector salud). En todo caso, se

---

[57]   R.E. Stern; B.L. Liebman, M. Roberts, A.Z. Wang, "Automating Fairness? Artificial Intelligence in the Chinese Court, *Columbia Journal of Transnational Law*, núm. 59, 2021, págs. 515-553, https://scholarship.law.columbia.edu/faculty_scholarship/2940

[58]   D. Marcos Francisco, "Smart ODR y su puesta en práctica: el salto a la Inteligencia artificial", *Revista General de Derecho procesal*, núm. 59, enero 2023, págs. 1-41, pág. 11.

[59]   S. Barona Vilar, "Claves vertebradoras del modelo de Justicia en el siglo XXI", *Revista boliviana de Derecho*, 2021, núm. 32, págs. 14-45, págs. 41 y 42.

[60]   M.C. Lang Irrazábal, "La inteligencia artificial en la Administración de Justicia", *op. cit.*, pág. 36.

[61]   E. Estévez, P. Fillottrani, S. Linares Lejarraga. PROMETEA: Transformando la Administración de Justicia con herramientas de inteligencia artificial, BID, Washington, 2020, pág. 7.

trata de una herramienta orientada a mejorar la eficiencia del trabajo de la Corte que *amplía las capacidades de conocimiento del juez, sin reemplazarlo*[62].

En otros casos, sin necesidad de desarrollar sistemas específicos, Jueces y Tribunales hacen uso de sistemas de IA en el desarrollo de su actividad estrictamente jurisdiccional. En particular, a estos efectos, destaca el caso de Colombia por el uso de ChatGPT como asistente en la redacción de resoluciones judiciales. En efecto, en enero de 2023 el juez del Juzgado 1 Laboral del Circuito de Cartagena resolvió que un menor con autismo no tiene que pagar las visitas y tratamiento médico de un centro hospitalario. A la hora de dictar sentencia, recurrió a ChatGPT con el fin de *optimizar los tiempos empleados en la redacción de sentencias, previa corroboración de la información suministrada por IA*, pero matizando que *el propósito de incluir estos textos producto de la IA no es en manera alguna reemplazar la decisión del Juez*[63]. Un paso más allá, y casi rozando la ciencia ficción tal y como se entendía en el pasado siglo XX, el mes de febrero de 2023 un Tribunal contencioso-administrativo colombiano aceptó realizar una audiencia judicial a través de Metaverso y en la resolución del caso utilizó ChatGPT para redactar la decisión[64].

El recurso a sistemas de IA no se limita a los órganos jurisdiccionales. Su uso como apoyo para la mejora de la eficiencia de la Justicia ha alcanzado a los sistemas de resolución alternativa de conflictos (sistemas ADR), que en su evolución tecnológica han pasado a denominarse sistemas ODR (Online Dispute Resolution). La incorporación de algoritmos y tecnología propia de la IA ha provocado incluso un cambio en la nomenclatura de estos sistemas, que pasan a denominarse sistemas ODR+ o Smart ODR cuando la tecnología que le sirve de base es un sistema de IA[65]. Algunas experiencias

---

[62] Colombia, Corte Constitucional, "PRETORIA, un ejemplo de incorporación de tecnologías de punta en el sector justicia" *Sala de prensa*, Boletín Nº 128, 27 de julio de 2020, disponible en: https://www.corteconstitucional.gov.co/noticia. php?PRETORIA,-un-ejemplo-de-incorporación-de-tecnolog%C3%ADas-de-punta-en-el-sector-justicia-8970

[63] Sentencia número 32, de 30 de enero de 2023, Radicado número 13001410500420220045901, pág. 6, puede consultarse online en: https://img.lpderecho.pe/wp-content/uploads/2023/02/Sentencia-032-Colombia-LPDerecho.pdf

[64] B. X. Becerra, "El Tribunal del Magdalena lleva a cabo la primera audiencia judicial en el metaverso", *Asuntos legales*, Noticia de prensa publicada el 15 de febrero de 2023, disponible en: https://www.asuntoslegales.com.co/actualidad/el-tribunal-del-magdalena-lleva-a-cabo-la-primera-audiencia-judicial-en-el-metaverso-3546249

[65] Si bien en realidad deberían denominarse OADR, con el fin de excluir los tribunales *online*. Vid. A. Montesinos García, "Inteligencia artificial y ODR", *op. cit.*, pág. 507.

en este ámbito son dignas de mención. Por ejemplo, el caso de la Corte privada holandesa que garantiza la resolución de conflictos civiles por un sistema de IA en menos de 8 semanas[66] o del sistema danés e-Court[67] cuya legalidad fue puesta en tela de juicio (y posteriormente confirmada) al cuestionarse la posible vulneración del derecho a la tutela judicial efectiva del acusado en el procedimiento. En clave europea, puede citarse la posibilidad de resolver litigios de consumo en línea a través del sistema de resolución arbitrado por la Comisión europea[68].

2. Aplicación de sistemas de inteligencia artificial en el sector Justicia en la Unión Europea

Siguiendo la lógica de la subsidiariedad que impregna el establecimiento del espacio de libertad, seguridad y justicia, la Unión Europea en el ejercicio de sus competencias compartidas con los Estados miembros, se ha planteado la posible incorporación de sistemas de IA a la Administración de Justicia como mecanismo de mejora de la eficacia. Por ello, y partir de la regulación general europea en materia de inteligencia artificial, ya citada, las instituciones europeas (y, en particular, la Comisión europea) han evaluado el impacto de la IA en el sector justicia en diversos documentos.

Así, el Consejo Europeo en las Conclusiones de 8 octubre de 2020 sobre "Acceso a la Justicia: aprovechar las oportunidades de la digitalización"[69] puso de relieve los riesgos de la aplicación de la IA en la Justicia en la medida en que puede afectar a los derechos fundamentales como el derecho a un juicio justo o la privacidad y fomentar la discriminación, los estereotipos o prejuicios existentes. Asimismo, plantea la necesidad de garantizar la transparencia en el uso de estos sistemas para evitar la opacidad en la toma de decisiones públicas.

---

[66]   D. Marcos Francisco, "Smart ODR y su puesta en práctica: el salto a la Inteligencia artificial", *op. cit.*, pág. 11.

[67]   Su adecuación a Derecho fue confirmada por el Tribunal Supremo danés y respaldada también por la doctrina, que denunció el carácter político y no jurídico del cuestionamiento del sistema. *Vid.* W. Netjes, A. Lodder, "E-Court – Dutch Alternative Online Resolution of Debt Collection Claims: A Violation of the Law or Blessing in Disguise?", *International Journal of Online Dispute Resolution*, vol. 6, núm. 1, 2019, págs. 96-115, pág. 97.

[68]   Comisión Europea, Servicio de resolución de conflictos en línea, accesible en: https://ec.europa.eu/consumers/odr/main/?event=main.home2.show.

[69]   Texto disponible en: https://data.consilium.europa.eu/doc/document/ST-11599-2020-INIT/es/pdf

Sin desconocer estos riesgos, lo cierto es que las instituciones europeas son conscientes de que la IA supone una oportunidad que conviene encauzar. Así, desde una dimensión general, se plasmó esta idea en la Comunicación sobre la digitalización de la justicia en la Unión del año 2020[70]. En este documento, la Comisión puso de manifiesto la heterogeneidad de la digitalización de la Justicia en los Estados miembros de la Unión e identificó como tareas especialmente pendientes: i) la promoción del acceso a la justicia mediante registros y bases de datos digitales; ii) la generalización de la política papel cero y; iii) las dificultades en materia de interoperabilidad por la multiplicidad de herramientas nacionales. Para hacer frente a estos problemas, la Comisión plantea tanto ayudas financieras como el desarrollo de políticas legislativas y de instrumentos nacionales de coordinación y supervisión que favorezcan el acceso a la justicia y la interoperabilidad, así como el desarrollo de herramientas informáticas que puedan generalizarse a todos los Estados miembros de la Unión, *inclusive en el ámbito de la IA,* a través de los programas "Justicia" y "Europa Digital".

En particular, respecto a al IA, la Comisión reconoce los beneficios de su aplicación en el sector de la Justicia, como por ejemplo, la anonimización de las resoluciones judiciales, la conversión de voz a texto, los *chatbots* o el fomento de la coordinación y la interoperabilidad, pero no deja de recordar los riesgos en materia de protección de derechos fundamentales o la posibilidad de obtener resultados sesgados, de forma que recomienda dispensar una atención especial a la calidad de los datos que nutren los sistemas de IA[71].

Sin embargo, los organismos europeos han afirmado rotundamente que el poder de decisión de los jueces y la independencia judicial no deben verse afectados por la IA. En consecuencia, más allá de estas cuestiones de gran relevancia mediática, la Unión Europea está trabajando en usos de la IA quizás menos destacados pero que sin duda tendrán un impacto trascendental para mejorar la eficacia de la Administración de Justicia. En concreto, la Comisión Europea ha publicado un exhaustivo documento[72]

---

[70]   Comunicación de la Comisión al Parlamento europeo, al Consejo, al Comité Económico y Social europeo y al Comité de las Regiones: La digitalización de la justicia en la UE: Un abanico de oportunidades {SWD(2020) 540 final}, de 2 de diciembre de 2020.

[71]   *Ibídem,* págs. 12-13

[72]   Comisión Europea, Dirección General de Justicia y Consumidores, *Study on the use of innovative technologies in the justice field – Final report,* Publications Office, Bruselas, septiembre de 2020, https://data.europa.eu/doi/10.2838/58510

en el que analiza casi un centenar de proyectos desarrollados en Europa[73]. El documento clasifica los 93 proyectos analizados en 8 categorías según los problemas, objetivos o usos a los que se orientan, si bien conviene tener en cuenta que un mismo proyecto puede resolver varios de estos problemas o atender a diversos usos. En todo caso, resulta de interés detallar los usos a los que atienden los citados proyectos, en tanto que responden a las necesidades que experimenta el sector Justicia que podrían ser cubiertas por sistemas basados en IA.

Por lo que se refiere a la identificación de problemas a solucionar mediante la aplicación de tecnologías innovadoras, del estudio se colige que:

- la mayoría de los proyectos (46%) tienen por objeto el *procesamiento de grandes volúmenes de datos estructurados y no estructurados* de forma manual o con herramientas sencillas para facilitar el análisis de su contenido. Su utilidad radica en la posibilidad de detectar información relevante, deducir patrones, etc.

- El 31% de los proyectos se dirige a *preparar (tratar) grandes volúmenes de datos* con la finalidad de obtener un resultado final con el que asistir a los profesionales de la Justicia, por ejemplo, en procedimientos administrativos o judiciales. Se incluyen usos como la traducción o firma de documentos, preparación de contratos, transcripción de protocolos, etc.

- el 26% de los proyectos se destina a *enlazar información de diferentes fuentes* que no están interconectadas entre sí (como registros públicos, bases de datos, etcétera) para poder extractarla y analizarla.

- hasta un 18% de los proyectos se orienta al *procesamiento de grandes volúmenes de archivos audiovisuales*, con el fin de poder utilizar los resultados para la identificación de personas o víctimas, transcripciones de textos, investigación criminal.

- el 17% de los proyectos trata de resolver los problemas derivados de la *falta de autenticidad y trazabilidad* de documentos aportados en los diferentes procedimientos, por ejemplo, poderes o facturas, haciendo uso, entre otras, de tecnología *blockchain*.

- el 15% de estos proyectos se dirige a facilitar el *acceso a la justicia o a los servicios públicos*, ya se trate de suministrar el acceso a jurispruden-

---

[73] Muchos de ellos todavía en proceso de desarrollo o ejecución.

cia, legislación o requisitos de los procedimientos administrativos, respuestas a preguntas de los ciudadanos, etc. Como se puede observar, estos proyectos se alinean con las exigencias de la normativa española de transparencia.

- un 14% de los proyectos atiende al problema del *cumplimiento de la normativa sobre protección de datos*. Su objetivo es garantizar la publicación de documentos públicos (por ejemplo, sentencias) de acuerdo con las exigencias de la normativa sobre protección de datos, por ejemplo, en términos de anonimización.

- Por último, un 13% de los proyectos trata de *mejorar la gestión administrativa* de la Administración de Justicia, por ejemplo, mediante la optimización de los procesos de gestión de los señalamientos, planificación de agendas, reserva de salas en tribunales, etc.

Frente a estos problemas, los proyectos con IA dan las siguientes soluciones: anonimización y pseudoanonimización (13% de los proyectos), uso de *blockchain o Tecnología de Contabilidad Distribuida (DLT)* para garantizar autenticidad y trazabilidad (17%), *chatbots* o asistencia digital (4%), reconocimiento facial o de objetos (5%), análisis predictivo o justicia predictiva (5%), automatización de procesos (34% de los proyectos), optimización de búsquedas (11% de los proyectos) y soluciones basadas en el reconocimiento de voz o traducción automática (10%).

Figura 1. Análisis de problemas y soluciones tecnológicas aportadas

PROBLEMA	SOLUCIÓN
Procesamiento de grandes volúmenes de datos estructurados y no estructurados (PCD)	• Anonimización y pseudoanonimización, • Análisis predictivo (o justicia predictiva) • Optimización de búsquedas
Procesamiento de grandes volúmenes de archivos audiovisuales (VAI)	• Reconocimiento facial o de objetos • Reconocimiento de voz o traducción automática
Enlace a información de diferentes fuentes (LKS)	• Análisis predictivo (o justicia predictiva) • Automatización de procesos • Optimización de búsquedas
Acceso a la justicia o a los servicios públicos (ATJ)	• *Chatbots* o asistencia digital • Optimización de búsquedas
Cumplimiento de la normativa sobre protección de datos (DPC)	• Anonimización y pseudoanonimización • Automatización de procesos

PROBLEMA	SOLUCIÓN
Preparación (tratamiento) de grandes volúmenes de datos con la finalidad de obtener un resultado final (PPD)	• Anonimización y pseudoanonimización • Análisis predictivo (o justicia predictiva) • Automatización de procesos • Reconocimiento de voz o traducción automática
Mejora de la gestión administrativa (AFM)	• Automatización de procesos
Falta de autenticidad y trazabilidad (LAT)	• Uso de *blockchain / DLT*

Fuente: Elaboración propia a partir de los datos del documento *Study on the use of innovative technologies in the justice field – Final report* [74]

De entre los múltiples proyectos analizados en el informe, pueden mencionarse algunos como el uso de *chatbots* en Austria o Portugal, la generación de dibujos mediante sistemas de reconocimiento facial en Dinamarca para que los niños puedan identificar abusadores, sistemas de IA en España para descubrir discursos de odio en Internet o el proyecto ROXANNE en Lituania para descubrir redes de crimen organizado.

En cualquier caso, y puesto que la propuesta de regulación en la materia parte de un enfoque de riesgos, la adecuada elección de los sistemas de IA en Justicia es de extrema relevancia. Buena prueba de ello es la modificación introducida en la propuesta de Reglamento de IA por el borrador de la Comisión de Mercado Interior y la Comisión de Libertades Civiles que enriquece la anterior propuesta incluyendo más usos prohibidos de los sistemas de IA. A título ejemplificativo pueden citarse:

— sistemas de identificación biométrica en tiempo real y a distancia;

— sistemas policiales predictivos, basados en perfiles, localización o comportamientos delictivos anteriores;

— sistemas de reconocimiento de emociones en la aplicación de la ley o la gestión de fronteras.

V. CONCLUSIONES

La implantación de sistemas de IA en la Unión Europea es una realidad tanto en el ámbito del Derecho público como en el del Derecho privado. Y no solo es una realidad. Toda vez que la IA se ha posicionado como un sec-

---

[74]   *Ibídem*, págs. 12-14.

tor estratégico, en cierto modo su implantación deviene una necesidad para garantizar la competitividad de las economías y las empresas europeas.

Sin embargo, la Unión Europea debe permanecer fiel al respeto a los valores y principios que constituyen su basamento, sin caer en los cantos de sirena de un pragmatismo mal entendido. A tal efecto, se hace necesaria una regulación de la IA que permita delimitar los usos compatibles con los valores de la Unión y, en particular, con la garantía de los derechos fundamentales. La propuesta de Reglamento de IA en principio transita por esta senda si bien debe buscar el eje adecuado que le permita lograr un equilibro entre el fomento de la IA y su fiabilidad axiológica en términos constitucionales.

En el ámbito de la Justicia, esta exigencia de establecimiento de límites éticos a la implantación de sistemas de IA se traduce en la identificación de usos de alto riesgo, que deben evitarse, y en una limitación clara: la atribución última de la capacidad de decisión a un ser humano. Por lo tanto, más que de jueces robots, en el ámbito europeo actuarán jueces asistidos por herramientas tecnológicas que les facilitarán su labor diaria.

En efecto, la potencial peligrosidad de ciertos usos (como la identificación biométrica o la creación de perfiles en la investigación penal) no enerva la neutral utilidad de los sistemas de IA destinados a actividades administrativas auxiliares, desde la traducción automática de textos a la anonimización de documentos o la gestión automatizada de señalamientos. Estos usos encarnan las bondades de la IA como tecnología puesta al servicio del ser humano. Y, sin lugar a dudas, constituyen sistemas adecuados para descongestionar los Juzgados y reducir los tiempos de resolución de los asuntos. En definitiva, permiten garantizar una Justicia más eficaz y, en último término, una mejor protección del derecho a la tutela judicial efectiva. Desconocer esta virtualidad sería, cuanto menos, una verdadera irresponsabilidad. Por lo tanto, en lo referido a la Administración de Justicia, los usos que a priori podrían parecer más discretos pueden generar un círculo virtuoso que eleve la calidad de la Administración de Justicia en los Estados miembros de la Unión Europea.

Por consiguiente, el foco en la valoración de la IA no debe situarse en la disyuntiva entre inteligencia y conciencia como conceptos ontológicamente opuestos sino en la incorporación de la dimensión ética en la implantación de estos sistemas. Así lo ha entendido la Unión Europea y, por ello, el enfoque basado en el riesgo debería impregnar los desarrollos presentes y futuros de los sistemas de IA.

En conclusión, la cuidadosa consideración de las cuestiones éticas y jurídicas implicadas en la implantación de sistemas de IA en Justicia constituye una oportunidad, más que una rémora, para el porvenir de la Justicia en la Unión europea. Contar con sistemas de IA fiables, que permitan una nueva forma de gestionar la Administración de Justicia acorde al estándar de protección de los derechos fundamentales en la Unión, puede ayudar a fortalecer la tutela judicial efectiva y a ejercer una exitosa función pretoriana de la Justicia como valor irrenunciable en los Estados democráticos de Derecho del siglo XXI.

"SALUT/IA" – Programa para la promoción y desarrollo de la inteligencia artificial en el Sistema de Salud de Cataluña

JOAN GUANYABENS
Director Fundació TIC Salut i Social

I. INTRODUCCIÓN

El avance de la Inteligencia Artificial (en adelante IA), consistente en la creación de sistemas capaces de razonar como el ser humano, aprendiz de la experiencia, averiguando cómo resolver problemas ante unas condiciones dadas, contrastando información y llevando a cabo tareas lógicas en todos los ámbitos de la sociedad, es una realidad.

Lo que distingue a la IA de las tecnologías tradicionales es la capacidad de obtener información, procesarla y dar una salida bien definida al usuario final mediante algoritmos de aprendizaje automático. Estos algoritmos pueden reconocer patrones de comportamiento y crear su propia lógica.

El 18 de febrero de 2020 el Gobierno de la Generalitat aprueba la Estrategia de Inteligencia Artificial de Cataluña bajo la que se articulan tanto las inversiones estratégicas para potenciar sus capacidades en IA, la ética en su aplicabilidad, el protagonismo que deben alcanzar los servicios públicos, así como la necesidad de potenciar la investigación, la formación, el talento académico y el emprendedor.

En la misma línea, el 19 de febrero de 2020 la Comisión Europea publicó su estrategia de IA para Europa con la que pretende iniciar un plan coordinado con los estados miembros para fomentar el desarrollo y el uso de la IA en Europa. En este marco, la Comisión ha pedido a los Estados miembros que aprueben su estrategia nacional de IA y que esta estrategia esté focalizada en cuatro áreas clave: incrementar la inversión, facilitar la disponibilidad de los datos, fomentar el talento y garantizar la confianza en la IA. Una coordinación más fuerte es esencial para que Europa se convierta en la región líder mundial en el desarrollo y la implementación de una IA avanzada, ética y segura.

Paralelamente, la irrupción de la pandemia de COVID-19 ha puesto de relieve las debilidades y virtudes del Sistema de Salud. Las oportunidades que ofrece la IA pueden dar respuesta a un amplio abanico de cuestiones planteadas a raíz de la aparición de la enfermedad y facilitar su gestión. Entre las iniciativas más destacadas en el campo de la IA destinadas a paliar los efectos de la COVID-19 destacan la gran cantidad de aproximaciones algorítmicas que han surgido a nivel mundial destinadas a la detección y predicción de la evolución de la enfermedad mediante el análisis de grandes volúmenes de datos clínicos, así como pruebas médicas basadas en la imagen (Radiografía, Tomografía computerizada, etc.). Las técnicas de aprendizaje automatizado utilizadas en IA permiten el procesamiento de cantidades ingentes de información, como las que se han generado desde el inicio de la pandemia, imposibles de tratar de forma manual. Este procesamiento masivo permite la inferencia de cálculos para la predicción de resultados. Pero las técnicas de IA también juegan un papel clave en el ámbito de la Salud Pública, especialmente en el campo de la vigilancia epidemiológica y la toma de decisiones en cuanto a la aplicación de medidas basadas en el estudio de los modelos de evolución.

Generalizando, las aplicaciones de la IA en Salud abarcan ámbitos muy diversos en la era de los datos, desde el apoyo a la toma de decisiones en cuanto al tratamiento y la prevención de enfermedades para avanzar hacia la atención personalizada, a la predicción y el logro de diagnósticos más cuidadosos, la interpretación de resultados de pruebas de imagen de forma automatizada, la monitorización de los registros electrónicos de salud y su interpretación, la identificación de interacciones entre fármacos, la promoción y prevención de la salud colectiva con el fin de mejorar la calidad de vida de la ciudadanía, la vigilancia epidemiológica, etc. Así pues, la apuesta por la IA en Salud a nivel global es clara.

Con el incremento de la esperanza de vida de los ciudadanos, el aumento de la cronicidad y los problemas de dependencia de una población envejecida, los complejos sistemas sanitarios tienen el reto de preservar la salud de los ciudadanos y proveerles una atención de calidad, garantizando la eficiencia de los recursos disponibles y su sostenibilidad en un entorno de permanente crecimiento de la presión asistencial, junto con la aparición de nuevos tratamientos y nuevas tecnologías sanitarias, unidas a la escasez de recursos especializados.

El impacto de estas soluciones tecnológicas, desarrolladas a partir de la disponibilidad de ingentes cantidades de información basadas en datos clínicos, comunicaciones e información proveniente de sensores y otros dispositivos (transformación digital de los sistemas de salud) es muy alto y debe permitir abordar los retos de la atención sanitaria, mejorando la forma de organizar y proveer servicios de Salud.

Para desarrollar, entrenar y probar aplicaciones fiables de IA, es necesario acceder a grandes volúmenes de datos de alta calidad, garantizando siempre el cumplimiento de la normativa de protección de datos. El Sistema de Salud de Cataluña es actualmente un referente internacional en cuanto a nivel de digitalización y calidad de los Sistemas de Información en diferentes ámbitos, como son la Historia Clínica Compartida de Cataluña, la interoperabilidad entre proveedores, el acceso a los datos personales a través de Mi Salud, la prescripción electrónica o la digitalización de la imagen médica, entre otros. Concretamente, en cuanto a la imagen médica, el sistema dispone de todas las exploraciones digitalizadas en un único entorno, el SIMDCAT (Sistema de Imagen Médica Digital de Cataluña), basado en la tecnología del Cloud Computing, que sitúa a Cataluña como primer banco de imágenes médicas en la nube en base poblacional.

En este ámbito se enmarca el presente Programa para la promoción y desarrollo de la Inteligencia Artificial en el Sistema de Salud de Cataluña que tiene como finalidad la creación de un entorno facilitador para el desarrollo e implementación de soluciones de IA para la optimización del sistema sanitario catalán tomando como eje central la mejora de la salud de los ciudadanos, que se convierten en el centro del sistema.

La implantación de este programa busca poner en valor el conocimiento generado en el Sistema de Salud de Cataluña en forma de datos digitalizados para revertir en la mejora de la calidad asistencial y la sostenibilidad del sistema, a la vez que se busca posicionar a Cataluña en una situación puntera en la implantación de innovación en Salud hacia la "Medicina de las 4 P" (Preventiva, Predictiva, Participativa y Personalizada).

Pero el despliegue de herramientas de IA en el Sistema de Salud de Cataluña debe ir estrechamente ligado al desarrollo de mecanismos con el fin de asegurar la calidad ética de estas herramientas, fomentando la transparencia y la rendición de cuentas y realizando una evaluación exhaustiva que garantice el correcto tratamiento de datos personales y la fiabilidad de los algoritmos. En cuanto al ámbito de la protección de datos, en diciembre de 2020 se presenta una metodología de autoevaluación, fruto de la colaboración entre la Oficina del Delegado de Protección de Datos

(DPD) de la Fundación TIC Salud Social y un equipo multidisciplinar, que permite la detección de riesgos en el tratamiento de datos personales y su mitigación. Esta herramienta de Evaluación de Impacto para la Protección de Datos (AIPD) aplicada al Sistema de Salud de Cataluña es de gran utilidad en el análisis del ciclo de vida de los datos personales implicados en herramientas de IA. Paralelamente, en el diseño de estas soluciones, es de vital importancia la aplicación de técnicas de privacidad desde el diseño o Privacy by Design (PbD), que permiten la identificación a priori de los posibles riesgos, identificando las debilidades de los sistemas y neutralizando o minimizando los riesgos antes de que se produzcan.

En definitiva, con la implementación de técnicas de IA en el Sistema de Salud se pretende mejorar el servicio al ciudadano, que obtendrá más herramientas de apoyo a la prevención, la predicción, el diagnóstico y el tratamiento, garantizando la equidad en todo el territorio, la transparencia, la seguridad y la ética en el tratamiento de sus datos.

II. INTELIGENCIA ARTIFICIAL EN SALUD. CONTEXTO Y JUSTIFICACIÓN

La IA es una herramienta de una gran potencia, profundamente transformadora, que hay que poner al servicio de los intereses generales de la ciudadanía. Su despliegue tendrá un alto impacto en la forma de organizar y proveer servicios de salud a la ciudadanía. El entorno de la salud es un claro ejemplo en el que los beneficios de estas nuevas tecnologías pueden repercutir en la mejora del bienestar de la población.

Actualmente, muchos centros sanitarios y empresas están desarrollando sus propias soluciones de IA con recursos propios. Es por ello que, a nivel global del Sistema de Salud de Cataluña, es un momento clave: es necesario coordinar los esfuerzos de todos los agentes implicados para garantizar un uso eficiente de los recursos existentes al servicio de los intereses reales del ciudadano, garantizando la mejora de la calidad asistencial y la sostenibilidad y poniendo en valor el conocimiento generado por el Sistema de Salud de Cataluña. Así pues, en esta situación, es imprescindible coordinar el desarrollo de estas soluciones y poder escalar su uso a nivel global aportando eficiencia, alineamiento de políticas globales, homogeneización de la calidad asistencial y equidad de acceso por parte de los ciudadanos.

Es necesaria una estrategia que garantice el uso del activo que supone la información sanitaria de calidad existente, de forma segura y confidencial, respetando los principios de protección de datos, así como la equidad en la asistencia sanitaria y que a la hora potencie el papel del ciudadano en el manejo de su salud, asegure la preparación de los profesionales, la interoperabilidad de los sistemas y que evalúe permanentemente los resultados en salud.

El Departamento de Salud y el Servicio Catalán de Salud tienen la posibilidad de establecer unos criterios generales, unos pilares, en los que se apoyen todos los agentes implicados, de manera que se construya un proyecto global con la progresiva incorporación de piezas necesarias.

1. *Aplicaciones de la inteligencia artificial en salud*

La aplicación de herramientas de IA en el mundo de la salud busca repercutir en la mejora de la atención de los pacientes, facilitar las tareas que deben llevar a cabo desde los médicos hasta el personal administrativo de los centros sanitarios y ganar en eficiencia y precisión de resultados. Los algoritmos ayudan a entender o extraer conclusiones sobre enfermedades en un tiempo muy reducido, a sugerir un diagnóstico y la medicación pertinente, a hacer una mejor gestión de los centros hospitalarios o a leer historias clínicas a gran escala. Los resultados que se desprenden de la utilización de estas herramientas se aplican siempre bajo la supervisión de un profesional de la salud.

Las posibilidades de aplicación son muy amplias tanto desde el punto de vista del objetivo que persiguen, como desde la visión de la naturaleza de datos que deben tratar, pero se resumen principalmente en tres grandes bloques, que se detallan a continuación:

- • Ámbito Asistencial: Las herramientas de IA dirigidas a este campo abarcan todos aquellos servicios sanitarios al ciudadano que incluyen el tratamiento y la gestión de enfermedades para la protección y restauración de su salud. Es uno de los campos con más recorrido por la aplicación de la IA, ya que abarca desde la atención primaria hasta la especializada y la hospitalaria, teniendo un impacto directo en la mejora de la atención al ciudadano y en el apoyo a la toma de decisiones de los profesionales de la salud. Entre las principales aplicaciones en función del tipo de datos a tratar, encontramos:

Tratamiento de Imagen Médica Digital: incluye el análisis de un amplio conjunto de pruebas médicas basadas en imagen, tanto radiológicas como no radiológicas: Radiografía (RX), Tomografía Computerizada (TC), Resonancia Magnética (RM), Ecografía, Mamografía, Retinografía, entre otras. Mientras el diagnóstico y el pronóstico por la imagen tradicional tiene limitaciones de especificidad y sensibilidad, los algoritmos de IA se basan en métricas de alta resolución, de forma que buscan la reducción significativa de errores y la detección precoz, que a menudo el ojo humano no puede detectar. Los algoritmos en el campo de la imagen actualmente muestran un nivel de madurez muy considerable debido a la uniformidad del formato de las imágenes digitales, ya que se trata de datos altamente estructurados y estandarizados. Este es de uno de los campos más prometedores para la aplicación de la IA en salud por su potencial contribución a la mejora de la predicción, diagnóstico y tratamiento de enfermedades. El análisis automático de las pruebas de imagen digital puede permitir el diagnóstico precoz de enfermedades como el cáncer mediante la detección de anomalías en pruebas rutinarias, como puede ser el análisis sistemático de radiografías de tórax, utilizadas en los reconocimientos preoperatorios. Puede ser también de gran utilidad en la detección de COVID-19 o en la predicción su pronóstico mediante el análisis de RXs o TCs.

Tratamiento de datos clínicos: tanto cuantitativos (p.ej. saturación de oxígeno en sangre) como cualitativas (p.ej. tipo de diabetes mellitus). El uso de múltiples variables clínicas permite la creación de modelos predictivos que pueden ser muy útiles para el apoyo a la toma de decisiones de los profesionales de la salud en cuanto al diagnóstico, tratamiento y/o pronóstico de enfermedades muy diversas. La ingente cantidad de variables clínicas que se almacenan diariamente de diferentes fuentes no pueden ser analizadas sin la ayuda de herramientas de IA, que permiten la búsqueda de patrones con el fin de predecir la aparición de patologías antes de que sean detectadas cuando los síntomas son evidentes y la salud del paciente queda más comprometida.

Procesamiento del Lenguaje Natural (PLN): Puede abarcar desde el proceso de estandarización automática de notas clínicas no estructuradas, hasta la transcripción médica, capaz de transformar en texto prescripciones médicas, síntomas o diagnósticos comunicados en voz en consultas médico-paciente. Estas técnicas serán de mucha utilidad con el fin de extraer la gran cantidad de información valiosa contenida en informes médicos, en los que predomina el texto libre, imposible de tratar digitalmente sin estas herramientas. También abre paso a las consultas del futuro, en las que el sistema podrá escuchar la conversación que tienen médico y paciente y podrá cargar la información relevante para las notas del médico. De esta manera, el profesional podrá centrarse en la persona que tiene sentada enfrente, en lugar de tener que introducir datos en el ordenador.

Análisis de datos ómicos: este campo engloba las especialidades de la genómica, la epigenómica, la proteómica, la metabolómica o la transcriptómica. El uso de la IA con estos datos resulta imprescindible para el procesamiento de datos provenientes de fuentes masivas para el estudio de material biológico. Como ejemplos de uso, este análisis permite predecir la respuesta al tratamiento de enfermos de cáncer con el fin de evaluar futuros escenarios de evolución en estos pacientes y valorar tratamientos más adecuados de forma personalizada.

La gran potencia de la IA es que también hace posible la combinación del conocimiento que generan diferentes tipos de datos (imagen, datos, clínicos, datos ómicos, etc.), pudiendo sacar el máximo provecho de la cantidad de información clínica que se almacena a nivel del Sistema Sanitario.

- Salud Pública: incluye el conjunto de actuaciones mediante la movilización de recursos humanos y materiales, para proteger y promover la salud de las personas, prevenir enfermedades y cuidar la vigilancia de la salud de la población.

Promoción y Prevención de la Salud: La aplicación de la IA en estos ámbitos puede ser útil para definir nuevos ámbitos de actuación para impulsar la salud colectiva para mejorar la calidad de vida de la ciudadanía y reducir la morbilidad y mortalidad.

Vigilancia epidemiológica: La IA se puede aplicar a la vigilancia de enfermedades crónicas, consumo de antibióticos o seguimiento de epidemias. La identificación de información epidemiológica cuidadosa mejora las medidas de control y mitigación, permite organizar mejor los recursos y finalmente puede convertirse en una ayuda para la reducción de la mortalidad. Se trata de un sistema de alerta precoz y respuesta rápida a emergencias de salud pública inminentes (inteligencia epidemiológica) y permite documentar el impacto de una intervención o el seguimiento de los progresos hacia los objetivos especificados. Asimismo, apoya las prioridades que se establezcan en las políticas y estrategias de Salud Pública. Desde la aparición de la COVID-19 y con la declaración de la pandemia, este tipo de herramientas aplicadas a la vigilancia epidemiológica toman una especial relevancia para lograr un mejor control de la enfermedad.

- Administración y gestión de recursos

Optimización en la gestión de recursos sanitarios: La IA tiene también potencial en el apoyo a la planificación y gestión de recursos de los centros asistenciales. En este contexto, se pueden utilizar algoritmos de

IA para la gestión de visitas médicas para mejorar la eficiencia y la experiencia tanto desde el punto de vista del paciente, como del profesional sanitario.

Gestiones administrativas: La automatización de tareas administrativas, como la gestión de reclamaciones, facturaciones o generación de informes médicos, también se podrían abordar desde el punto de vista de la IA.

2. *La inteligencia artificial en salud en el mundo*

El mercado de la IA en Salud está avanzando de forma exponencial a nivel internacional. Aunque la aplicación de la IA en este campo todavía se cuestiona por el posible impacto que podría tener en el modelo asistencial actual y en el personal sanitario, así como por otros aspectos éticos, la financiación en IA en Salud sigue creciendo en todo el mundo, especialmente en América del Norte, Europa y Asia.

La IA se ha visto potenciada por una serie de factores, entre los que se encuentra la necesidad de gestionar y analizar datos de salud en constante crecimiento tanto en cantidad como en complejidad, y la necesidad de dar servicio de atención sanitaria a una población cada vez más numerosa y envejecida. Recientemente, la pandemia de la COVID-19 ha acelerado notablemente el desarrollo de herramientas basadas en la IA que puedan apoyar el diagnóstico y prevención del virus, así como dar respuesta a ciertos problemas de logística y atención sanitaria cuando la accesibilidad a los centros de salud se ha visto restringida.

El sector privado abarca gran parte del mercado mundial de la IA en salud, compartido entre *start-ups*, aseguradoras de salud, proveedores de atención sanitaria, farmacéuticas, compañías de tecnología médica y compañías de telecomunicaciones. El conjunto de las cincuenta inversiones más elevadas de capital riesgo realizadas entre 2010 y diciembre de 2019 alcanzó los 8,5 billones de dólares americanos. Sólo 5 empresas abarcan el 40% de toda la financiación. De hecho, en 2019 los EEUU financiaron 1,8 billones de dólares en *start-ups* (5 veces más que en 2015), Europa invirtió 800 millones de dólares (22 veces más que en 2015) y Asia 200 millones de dólares (28 veces más que en 2015).

En el sector público, las acciones de gobierno también han impulsado significativamente el desarrollo de la IA en salud a través de iniciativas y programas estratégicos, que han financiado proyectos y han hecho posible la creación de potentes asociaciones entre el sector privado y los centros tecnológicos y de investigación multidisciplinarios en todo el mundo.

Los Estados Unidos ocupan la primera posición en el rango de países líderes tanto en el mercado de la IA global, como el mercado de la IA en salud. Los EEUU deben su potencia de mercado al sector privado, que incluye un gran número de *start-ups* y múltiples compañías multinacionales de gran recorrido e impacto económico como IBM, Microsoft, Google, NVIDIA, GE Healthcare o Johnson & Johnson.

En cuanto a la investigación, el gobierno de EEUU aprobó en febrero de 2020 el presupuesto de financiación federal en I+D para 2021, que incorpora un importe específico de 50 millones de dólares al *National Institute of Health*, que irá dedicado exclusivamente a la financiación de proyectos que apliquen la IA en salud. Entre las múltiples universidades y centros de investigación, en EEUU destacan la Universidad de Stanford y el MIT.

Europa conlleva un mercado significativo en gran medida para el lanzamiento de iniciativas de financiación de proyectos innovadores en salud. En este contexto, destaca el programa *Horizon Europe*, que incluye la financiación de proyectos I+D y en innovación en salud y población envejecida. Bajo este programa marco, la Comisión Europea está financiando 1,5 billones € en IA y, entre las diferentes asociaciones público-privadas se espera llegar a los 2,5 billones € adicionales. También cabe mencionar el programa *Digital Europe* que está dirigido específicamente a la financiación de proyectos de IA, de habilidades digitales y de transformación digital entre otros.

Las compañías líderes del mercado europeo son Siemens Healthineers (Alemania) y Koninklijke Philips N.V. (Países bajos). En Europa la inversión privada está creciendo notablemente, en parte gracias a la potencia de investigación y a las colaboraciones entre sector público y privado como se ha mencionado anteriormente. Sin embargo, el ritmo de crecimiento de mercado está fragmentado entre los Países Miembros y otros actores, especialmente si se compara con el ecosistema estadounidense o chino. El Reino Unido es el líder europeo en IA en global y en salud, y le siguen Francia, Alemania y España. Gracias a su potencia universitaria dedicada a la investigación en medicina y en ciencias computacionales, las universidades y hospitales universitarios del Reino Unido han provocado una reacción en cadena que ha hecho posible impulsar el desarrollo de compañías líderes en IA (con aplicaciones dedicadas a la salud) a nivel mundial como DeepMind (Google), Babylon Health o Benevolent AI.

Dentro del conjunto Asia-Pacífico, China tiene la ventaja de ser el líder en número de datos en salud, pero también destaca el fuerte apoyo de su gobierno al convertirse en el referente mundial en el uso de la IA en el campo sanitario. De hecho, gracias al talentoso ecosistema que se ha formado en los últimos años y al desarrollo de una serie de políticas sobre el uso de la IA en salud por parte del gobierno, China se ha convertido en el país puntero en el número de estudios de salud realizados en el año 2019 basados en la aplicación de la IA. Las compañías tecnológicas líderes en China han sido los actores principales en salud, con el objetivo común de dar respuesta a ineficiencias actuales en el acceso a la atención sanitaria. En este contexto, destacan Tencent (WeChat), Alibaba y Ping An.

Finalmente, cabe destacar el gobierno de Israel que en los últimos años ha incentivado la creación de asociaciones entre compañías nacionales y extranjeras, *start-ups*, institutos de investigación y hospitales, estableciendo todo un ecosistema de la IA, donde el conjunto de compañías de salud digital acumulan un valor superior a los 400 millones de dólares. En este contexto, en 2018 el gobierno israelí lanzó una iniciativa para financiar 264 millones de dólares en proyectos que maximicen el uso de la IA en datos de salud para lograr una atención sanitaria más económica, efectiva y personalizada.

3. Análisis DAFO del ecosistema de inteligencia artificial en salud en Cataluña

El análisis DAFO (Debilidades, Amenazas, Fortalezas y Oportunidades) del ecosistema de IA en salud en Cataluña permite hacer la evaluación de las ventajas competitivas para poder establecer unos objetivos que potencien su desarrollo, revisando los puntos fuertes de la aplicación del Programa de IA en salud y analizando, por el momento, sus puntos débiles. Esta herramienta consiste en analizar el contexto competitivo desde dos vertientes o entornos: interno (fortalezas y debilidades) y externo (oportunidades y amenazas).

3.1. Fortalezas y oportunidades

En cuanto a las principales Fortalezas del ecosistema de IA en salud destaca el carácter innovador intrínseco del sistema catalán de salud, desde el que se han liderado proyectos de alta complejidad en el ámbito de los Sistemas de Información como son la implantación la Historia Clínica Compartida de Cataluña, Mi Salud, la prescripción electrónica, el sistema de imagen médica digital o la interoperabilidad entre proveedores, entre otros. Otro factor que juega a favor del impulso de la IA en el ámbito de la salud es la gran valía de los profesionales que conforman el ecosistema y que cuentan con un reconocido prestigio internacional en los campos de la ciencia, la medicina y la tecnología, así como un entorno universitario con una gran tradición innovadora a nivel de docencia, investigación y transferencia.

Por último, cabe destacar el grado de especialización alcanzado a nivel empresarial, así como la alta capacidad emprendedora de la sociedad catalana, claves para potenciar el desarrollo de soluciones tecnológicas innovadoras.

La principal Oportunidad derivada del fortalecimiento del ecosistema de la IA es la mejora sustancial de la eficiencia del Sistema de Salud desde el punto de vista de la optimización de los recursos sanitarios, así como el alineamiento estratégico de los agentes implicados y la consecución de la equidad asistencial a nivel territorial. Estas acciones van a revertir claramente en una mejora del bienestar de las personas.

Por otra parte Cataluña busca convertirse en líder en la aplicación de herramientas de IA en la Salud pública, lo que ayudaría a reforzar el ecosistema, con el consecuente incremento de inversiones, la generación de empleo tanto en el sector público como privado, así como la mejora en la calidad de la investigación, impulsando la participación en fondos de financiación competitivos.

3.2. Debilidades y Amenazas

Entre las Debilidades más destacadas encontramos las dificultades que presenta la implantación de herramientas de IA fruto de la carencia de una legislación específica para la aplicación de estas técnicas cuando se requiere el uso de datos personales de Salud.

Otras dificultades son la falta de coordinación en la implementación de iniciativas en este campo por la creciente aparición de soluciones de terceros que se implantan a nivel local, sin tener una visión sistémica, así como las dificultades de financiación estructurales que dificultan la rápida expansión nuevas tecnologías. A nivel privado, el amplio tejido de *start-ups* cuenta con una financiación débil, lo que provoca cierta fragilidad del sector emprendedor.

Por último, entre las principales Amenazas encontramos el riesgo de perder la opción de implementar herramientas de IA a nivel sistémico debido a la creciente proliferación de soluciones diseñadas a medida de cada centro. Este tipo de herramientas, provenientes de múltiples proveedores, a menudo no están sometidas a un sistema riguroso de evaluación a nivel legal, ético, clínico y de protección de datos. Su implantación puede provocar la indefensión de la ciudadanía e incidir negativamente en la desigualdad a nivel asistencial en términos de diagnóstico, pronóstico o tratamiento, en función del centro al que se accede. A medida que se extienden este tipo de soluciones, se complica la opción de conseguir un escenario de igualdad con soluciones de IA implantadas a nivel de todo el Sistema de Salud. Así, el tiempo es un factor de vital importancia para prevenir uno de los principales riesgos, que es la pérdida de soberanía tecnológica por la dependencia de terceros.

Otro riesgo asociado a la implantación de esta tecnología es la posible falta de aceptación por parte de la ciudadanía, que puede percibir la utilización de los datos personales como una amenaza en caso de que no se lleve a cabo una cuidadosa labor comunicativa que incida en la seguridad, fiabilidad y evaluación de las soluciones seleccionadas. Por eso la Comunicación es clave para el éxito de la implantación de soluciones de IA en el Sistema de Salud.

4. *Directrices éticas y legales por la inteligencia artificial*

Para la aplicación de la IA en salud no es suficiente con definir las pautas de los proyectos de investigación a nivel operativo, es imprescindible desarrollar mecanismos perfeccionados para asegurar su calidad ética. Además de los comités de ética correspondientes es necesario integrar también al ciudadano desde el principio. En este sentido, es necesario encontrar equilibrios para fomentar la transparencia y la rendición de cuentas. Es necesario hacer una reflexión profunda sobre la ética de la introducción de herramientas de IA como apoyo en la toma de decisiones, la calidad de los datos, la justicia de los algoritmos y la responsabilidad de todos los actores. Es claramente inaceptable que las reglas del mercado se apliquen a los contextos de investigación en salud, donde los datos son personales y extremadamente sensibles. Así pues, en este ámbito preocupan especialmente los usos ilícitos y la ciberseguridad de los datos. Por eso es necesario seguir medidas de seguridad muy estrictas y unas directrices éticas para preservar la privacidad y seguridad de los datos, obteniendo una trazabilidad completa y fiable de los algoritmos de IA.

La adopción de la IA en el ámbito de la salud cambiará el modelo de relación entre el paciente y el profesional asistencial. Desde el punto de vista ético, pues, deben definirse nuevos roles y responsabilidades que permitan abordar nuevos marcos legales que reflejen este nuevo modelo de relación.

En febrero de 2020, la Comisión Europea publicó tres documentos clave que ilustran y consolidan la estrategia de la UE en materia de IA, que coincidían en el extraordinario potencial de estas tecnologías para el cuidado de la salud y, a su vez, en los indudables riesgos que conlleva. Se trata de:

— Libro Blanco sobre la Inteligencia Artificial: un enfoque europeo destinado a fomentar un ecosistema europeo de excelencia y confianza en la IA y un informe sobre los aspectos de seguridad y responsabilidad de la IA. El Libro Blanco propone principalmente:

  • Medidas de racionalización de la investigación, de fomento de la colaboración entre los Estados miembros y el aumento de la inversión en el desarrollo y utilización de la IA

  • Opciones políticas para un futuro marco regulador de la UE que determinaría los tipos de requisitos legales que se aplicarían a los actores relevantes, con particular enfoque en las aplicaciones de alto riesgo.

— Estrategia Europea de Datos: ideas y medidas para una transformación digital que redunde en beneficio de todos y refleje lo mejor de Europa: apertura, justicia, diversidad, democracia y confianza en sí misma. La estrategia presenta una sociedad europea impulsada por soluciones digitales que sitúan en el lugar preferente a las personas, abre nuevas oportunidades para las empresas y da impulso al desarrollo de una tecnología fiable que fomente una sociedad abierta y democrática y una economía dinámica y sostenible.

— Informe sobre las repercusiones en materia de seguridad y responsabilidad civil de la Inteligencia Artificial, el internet de las cosas y la robótica: La Comisión ha reconocido la importancia y el potencial de estas tecnologías y la necesidad de invertir de forma significativa en estos tres ámbitos y se ha comprometido a convertir a Europa en líder mundial en los ámbitos de la IA, el internet de las cosas y la robótica. Para conseguir este objetivo es necesario un marco jurídico claro y predecible que trate los aspectos difíciles de índole tecnológica.

En abril de 2019 la Comisión Europea publicó el informe "Directivos Éticas por una IA Fiable" que tiene como objetivo promover una IA fiable, aportando un conjunto de recomendaciones para todos los agentes implicados en el diseño, desarrollo, despliegue, aplicación o uso de la IA. La fiabilidad de los sistemas basados en IA se apoya en tres pilares que deben cumplirse durante todo el ciclo de vida del mismo: la IA debe ser lícita, de forma que se garantice el respeto de toda la normativa vigente; ética, de forma que asegure el cumplimiento de los principios y valores éticos; y, por último, robusta, tanto desde el punto de vista técnico como social.

El documento, en cuanto a los fundamentos por una IA fiable, menciona los cuatro principios éticos que deben cumplirse para garantizar una IA lícita, ética y robusta:

- Respeto de la autonomía humana

- Prevención de los daños y perjuicios

- Equidad

- Explicabilidad

En cuanto a los requerimientos para la realización de una IA fiable se definen siete criterios que deberían cumplirse en los sistemas de IA para la consecución de una IA fiable.

- Acción y supervisión humana.

- Solidez técnica y seguridad.

- Gestión de la privacidad y de los datos.

- Transparencia.

- Diversidad, equidad y no discriminación.

- Bienestar social y ambiental.

- Rendimiento de cuentas.

Por último, el informe "Directrices Éticas para una IA Fiable" incluye un extenso número de cuestiones y criterios a seguir para la evaluación de la fiabilidad de la IA. Se trata de un listado de preguntas, dirigidas a desarrolladores y responsables del despliegue de sistemas de IA, que profundiza en cada uno de los siete criterios anteriormente mencionados para objetivar la medida del cumplimiento de unos criterios con alto grado de abstracción.

Asimismo, resulta primordial en el desarrollo de la IA en Salud la aplicación de los principios de privacidad desde el diseño y por defecto, que implican que en el momento de determinar los medios de tratamiento de datos deben tenerse en cuenta las medidas técnicas y organizativas adecuadas concebidas para aplicar de forma efectiva los principios de protección de datos e integrar en el tratamiento las garantías necesarias para cumplir los requerimientos del Reglamento.

La aplicación de estas garantías que permitan el cumplimiento de la normativa de protección de datos en el ámbito de la IA es un elemento que reviste un alto grado de complejidad, dada la tensión entre los principios tradicionales de protección de datos, como la limitación de propósitos, la minimización o el principio de transparencia con el uso de herramientas de IA.

Esta tensión se ha analizado en el estudio elaborado por el Parlamento Europeo en junio de 2020 "The Impact of the General Data Protection Regulation (GDPR) on Artificial Intelligence", que si bien concluye la aplicabilidad del Reglamento General de Protección de datos (RGPD) en el ámbito de la IA, determina la necesidad de llevar a cabo diversas acciones por parte de las autoridades competentes en materia de protección de datos a fin de que desarrollen determinados aspectos de la normativa de protección de datos que faciliten y concreten su interpretación ofreciendo garantías y mayor seguridad en el ámbito de la IA.

Para compatibilizar el uso de herramientas de IA con los principios del RGPD, es necesario explicar y garantizar el conocimiento de cómo funcionan estas herramientas de IA y cómo toman las decisiones. Se trata de desarrollar el concepto de explicabilidad de la IA. En este sentido, mientras no se desarrollen las correspondientes herramientas por las autoridades competentes, es innegable la importancia primordial de la realización de un análisis de riesgos y de una evaluación de impacto que permitan detectar los riesgos existentes en el tratamiento de los datos y determinar cuáles son las medidas necesarias para mitigarlos de forma que pueda compatibilizarse el uso de estas herramientas de IA con los principios de protección de datos.

Será necesario que todo el proceso de desarrollo del Programa para la promoción y desarrollo de la Inteligencia Artificial en el Sistema de Salud de Cataluña esté supervisado por el Delegado de Protección de Datos de Salud, ya que los datos utilizados como base del Programa provienen de tratamientos titularidad del Servicio Catalán de la Salud y del Departamento de Salud. La implicación de esta figura en el diseño del Programa y en todas las fases del tratamiento permitirá garantizar que el tratamiento de datos se realiza cumpliendo los principios del RGPD, y detectar aquellos posibles supuestos donde la dificultad en el cumplimiento comporta la realización de una consulta previa a la autoridad competente en materia de protección de datos, la Autoridad Catalana de Protección de datos.

Por último, y en relación al cumplimiento de los aspectos legales, no se puede perder de vista que el desarrollo de este Programa implicará el desarrollo de proyectos de investigación en el ámbito de la Salud, y que estos proyectos en función de su diseño tienen una normativa propia y específica que los regula, y que incluyen en todo caso su evaluación y aprobación por un Comité de Ética de la Investigación.

III. PROGRAMA PARA LA PROMOCIÓN Y DESARROLLO DE LA INTELIGENCIA ARTIFICIAL EN EL SISTEMA DE SALUD DE CATALUÑA

En el contexto expuesto se enmarca el presente Programa para la promoción y desarrollo de la Inteligencia Artificial en el Sistema de Salud de Cataluña, en adelante Programa Salud/IA, que tiene como finalidad la creación de un entorno facilitador para el desarrollo e implementación de soluciones de IA para la optimización del sistema sanitario catalán tomando como objetivo central la mejora de la salud de los ciudadanos.

1. Misión, visión y valores

Misión. El Programa Salud/IA tiene como misión la creación de un entorno facilitador por la innovación en el ámbito de la salud mediante el desarrollo e implementación de soluciones de IA para la mejora de la salud de los ciudadanos.

Visión. El Programa nace con el objetivo de liderar la implantación de soluciones de IA, así como para contribuir a la mejora de la calidad asistencial y la sostenibilidad del sistema de salud, poniendo en valor el conocimiento generado.

Valores. Los principales valores que deben regir el Programa Salud/IA convergen en el concepto de fiabilidad de la IA. La fiabilidad implica que las soluciones de IA que se implementen deben ser lícitas, éticas y robustas, tanto desde el punto de vista técnico como social. El uso ético y legal de la IA en salud debe promover el bienestar y aportar beneficios al ciudadano, que se convierte en el centro del sistema. En su aplicación es imprescindible que queden garantizados los derechos y libertades de las personas, incluidas la dignidad y la privacidad. Los valores del Programa para el Desarrollo de la IA en el Sistema de Salud de Cataluña, son: transparencia, eficiencia, innovación, compromiso, participación, respeto y sostenibilidad.

2. Objetivos

Los principales objetivos que pretende alcanzar el Programa Salud/IA son:

- Impulsar el ecosistema de la IA en salud promoviendo la investigación, el desarrollo y la innovación (I+D+i) y facilitando la transferencia de conocimiento al Sistema de Salud de Cataluña.

- Promover la mejora de la eficiencia del Sistema de Salud de Cataluña desarrollando soluciones de IA a nivel sistémico con el fin de mejorar el bienestar de las personas.

- Facilitar el alineamiento estratégico de todos los agentes implicados respondiendo a las políticas y prioridades globales de salud sin priorizar intereses de terceros.

- Favorecer la participación e implicación de todo el Sistema de Salud de Cataluña para garantizar una mejora sustancial en la calidad de la información y en la consecución de resultados de mayor impacto en el conjunto del sistema con los recursos dedicados.

- Promover la equidad, garantizando el acceso a todo el Sistema de Salud de Cataluña de las soluciones desarrolladas, evitando desigualdades entre centros y homogeneizando la calidad asistencial.

Todos estos objetivos se llevarán a cabo garantizando la compatibilidad de la aplicación de las técnicas de IA con los principios y garantías establecidos por la normativa de protección de datos.

3. Ejes de actuación

El Programa Salud/IA, creará un entorno facilitador para el desarrollo e implementación de soluciones de IA para avanzar hacia un Sistema de Salud de Cataluña centrado en la persona. Las actuaciones que se proponen se estructuran en tres ejes: investigación e innovación, evaluación, e implementación sistémica.

3.1. Investigación e Innovación

La implementación de herramientas de IA en el Sistema de Salud requiere de un gran esfuerzo de investigación en el marco de una investigación multidisciplinar que abarque los campos de la medicina, la biología, la ingeniería y las matemáticas y que tenga como motor central la innovación tecnológica al servicio del bienestar de las personas. Cataluña cuenta con un tejido de centros y grupos de investigación, así como el potencial de recursos humanos y tecnológicos necesarios para convertirse en un polo dinamizador líder en el sector a nivel internacional.

En este papel de dinamización de la investigación y la innovación tiene una mención muy especial el Plan Estratégico de Investigación e Innovación en Salud (PERIS) para el período 2021-2027, que debe convertirse en el marco estratégico a partir del cual deberán de desarrollar las políticas de impulso y fomento de la investigación y la innovación en el ámbito de la biomedicina y las ciencias de la vida. El PERIS tiene como objetivo desarrollar un sistema integral de investigación e innovación de excelencia para aportar soluciones a los problemas reales de salud de la sociedad y preparar el sistema para los futuros retos y necesidades, proponiendo más de 25 programas de actuación e impulsando activamente áreas como la innovación en *big data,* la IA y las plataformas tecnológicas entre otras, lo que revertirá muy positivamente en el fomento del desarrollo de la IA en salud en Cataluña.

En cuanto al Programa Salud/IA este eje se articulará mediante tres líneas estratégicas muy bien definidas encaminadas a impulsar la transferencia del conocimiento generado en los ámbitos de la investigación y la innovación por su aplicación en el Sistema de Salud

Lanzamiento de retos

La implantación de herramientas de IA en el Sistema de Salud se materializará mediante el lanzamiento de Retos que la Administración planteará para dar respuesta a problemas y requerimientos concretos del ámbito sanitario que tengan solución mediante la aplicación de técnicas de IA. Los retos se lanzarán mediante convocatoria pública con libre concurrencia a la que se podrán presentar los candidatos que hayan desarrollado una solución que dé respuesta a la temática propuesta, siempre que puedan acreditar unos resultados satisfactorios como mínimo en un entorno de prueba y estén en condiciones de entregar sus algoritmos para que sean validados y evaluados por su posible implantación en el Sistema de Salud de Cataluña.

El procedimiento a seguir en la tramitación de estos retos dependerá del nivel de madurez de las soluciones que puedan presentarse, tal y como señala el informe elaborado por la Cátedra de Derecho y Genoma Humano de la Universidad del País Vasco sobre el aplicación de la IA en Salud en Cataluña. Para hacer la clasificación del estado de cada solución se toman como referencia los niveles de madurez de tecnología TRL o Technology Readiness Levels, generalizados a través del Programa Marco de Investigación H2020:

- TRL 1: principios básicos observados
- TRL 2: concepto de tecnología formulado

- TRL 3: prueba experimental del concepto
- TRL 4: tecnología validada en el laboratorio
- TRL 5: tecnología validada en un entorno relevante
- TRL 6: tecnología demostrada en un entorno relevante
- TRL 7: demostración de prototipos del sistema en entorno operativo
- TRL 8: sistema completo y calificado
- TRL 9: sistema real demostrado en entorno operativo

Así pues, se definen dos escenarios bien diferenciados según la legislación vigente

- Cuando el conjunto de soluciones que se requieran por la resolución de un determinado reto se encuentren en un nivel de madurez inferior a TRL9, es decir, aquellas soluciones que no hayan sido demostradas en un entorno real operativo y certificadas a tal efecto, el lanzamiento de este reto se llevará a cabo mediante la convocatoria de un proyecto de investigación, puesto que, según la normativa de Protección de Datos, en estos casos el uso de los datos de salud se justifica únicamente en el marco de un proyecto de investigación.

- En cambio, cuando se identifiquen soluciones con un nivel de madurez TR9, demostradas en un entorno real y con la correspondiente certificación, el uso de los datos de salud puede justificarse por la necesidad de evaluar un producto de mercado previamente a su implantación con el objetivo de mejorar la calidad asistencial

En la definición del reto deben quedar claramente definidos los requisitos de las soluciones candidatas y deben identificarse los posibles riesgos que se deriven de la implantación de la solución resultante en el Sistema de Salud de Cataluña:

• Delimitación del alcance y definición de las funcionalidades que se van a exigir a las soluciones presentadas.

- Evaluación del encaje de la solución propuesta a nivel asistencial, administrativo o en el ámbito de la Salud Pública según aplique.

- Evaluación del impacto de la implantación de la solución en el Sistema de Salud.

- Análisis de riesgos derivados de la implantación de la solución en el Sistema de Salud.

- Análisis de requerimientos legales y éticos.

- Estudio sobre la necesidad de certificación específica en función de la utilidad que se va a hacer de la solución.

- Naturaleza de los datos necesarios para la evaluación de las soluciones candidatas, así como dimensionamiento y viabilidad del conjunto de datos requeridos a lo largo del proceso. Análisis del circuito de datos necesario para alimentar la solución en período de implantación.

Los candidatos seleccionados para desarrollar el reto dispondrán de la infraestructura necesaria para realizar las tareas de entrenamiento de algoritmos con datos del sistema de salud seleccionados a tal efecto, quedando garantizado en todo momento el cumplimiento de la normativa de protección de datos. Este entorno de desarrollo accesible y escalable permitirá la realización de las tareas necesarias a lo largo del proceso de desarrollo del reto, desde el entrenamiento de los algoritmos candidatos a su validación y evaluación.

Los algoritmos resultantes pasarán por un riguroso proceso de evaluación para realizar la selección de las mejores soluciones. El objetivo final es que las soluciones que hayan mostrado un alto grado de fiabilidad y eficiencia puedan ser implantadas en el Sistema de Salud de Cataluña.

Observatorio de IA en Salud

Para facilitar el despliegue del Programa Salud/IA es necesaria la vigilancia y detección de las últimas novedades en el campo de la IA, tanto desde el punto de vista tecnológico como asistencial, poniendo énfasis en las iniciativas más relevantes y discerniendo su idoneidad por la aplicación a nivel de Sistema. El Observatorio de IA en Salud permitirá promover cambios altamente innovadores pero seguros, teniendo siempre la mirada en la evolución y el avance de la tecnología. Sus funciones más destacadas son:

• Proporcionar transparencia y facilitar el acceso a datos e información que resulten útiles para conocer e interpretar la realidad del mundo de la IA en el ámbito de salud en Cataluña.

• Destacar el valor y la contribución de las tecnologías de IA a los pacientes, el sistema sanitario y la sociedad.

• Realizar la vigilancia de los sistemas de IA implementados en el Sistema de Salud de la Generalidad de Cataluña.

• Ser el espacio de referencia dirigido a los ciudadanos, profesionales de la Salud, grupos de investigación y entidades privadas que necesiten información y dar a conocer iniciativas del mundo de la IA en Cataluña, facilitando información sobre la evolución y monitorización de las soluciones implantadas.

Apoyo a las iniciativas de IA

Esta línea busca apoyar a las entidades interesadas en llevar a cabo proyectos innovadores en IA aplicada a la salud, creando un centro que se convierta en referencia en el sector de la IA en salud, asesorando sobre temas relacionados con la gestión de datos, los requerimientos de infraestructura o cuestiones de certificación, normativa o evaluación, entre otras.

Ciertamente, dado que el mundo de la IA, especialmente en el ámbito de la salud, está en continua evolución, debido a los cambios normativos y la aparición de nuevas tecnologías y requerimientos computaciones, es prioritario poner en funcionamiento un centro claramente reconocido por parte de todo el ecosistema para que las entidades interesadas puedan dirigirse a él y encontrar respuesta a sus dudas o necesidades. El objetivo de esta línea de actuación es apoyar estas iniciativas para que puedan llegar a materializarse. Este soporte consistirá en un conjunto de servicios que se pondrán a disposición de las entidades públicas para promocionar el desarrollo de la IA en salud.

3.2. Evaluación

La evaluación es un punto clave para la implantación de la IA en salud. Es imprescindible la definición de una metodología de evaluación a nivel clínico, ético, legal y tecnológico para dar un sello de garantía de seguridad a las soluciones previamente a su implantación en el Sistema de Salud. La verificación del funcionamiento y fiabilidad de los algoritmos debe llevarse a cabo por parte de un equipo de profesionales expertos en diferentes campos de conocimiento seleccionados en función de la solución a implantar. En este sentido, la Agencia de Calidad y Evaluación Sanitarias de Cataluña (AQuAS), desarrollará un papel relevante, aportando su experiencia en los campos de la evaluación de la calidad de tecnologías y servicios sanitarios, así como en el análisis de datos.

Esta evaluación pivotará en dos conceptos:

- Fiabilidad de los resultados: la fiabilidad de un algoritmo se apoya en tres pilares que deben cumplirse durante todo su ciclo de vida:
  — Licitud: debe garantizarse el cumplimiento de la normativa vigente.

— Ética: es necesario asegurar el seguimiento de los principios y valores éticos.

— Robustez tanto desde el punto de vista médico como técnico y social.

• Mejora de la eficiencia: es imprescindible medir el impacto potencial de la aplicación de la herramienta en el Sistema de Salud y priorizar la eficiencia en su ejecución, tanto a nivel de procedimientos como de usabilidad. Es necesario garantizar que la solución suponga una mejora significativa respecto a la actividad desarrollada hasta el momento.

La evaluación debe llevarse a cabo en dos escenarios claramente diferenciados: por un lado se debe aplicar a las soluciones susceptibles de ser implantadas en el Sistema de Salud para garantizar su calidad, pero también debe realizarse de forma continua en aquellas soluciones que ya han sido implantadas. Por eso es imprescindible la creación de una metodología adecuada para cada uno de los escenarios.

Sistema de evaluación de soluciones a implantar

En el ámbito del lanzamiento de retos, es de gran importancia incidir sobre la consolidación de una metodología robusta aplicable de forma sistemática a la totalidad de algoritmos que se presenten como candidatos a dar respuesta a un reto de IA en salud. Esta metodología debe hacer énfasis en diferentes aspectos entre los que destacan:

Métricas sobre la calidad de los resultados

• En cada caso se definirán las métricas más adecuadas para evaluar los resultados obtenidos: precisión, sensibilidad, especificidad, etc.

• Impacto asistencial (en caso de que aplique)

• Mejora en la eficiencia y la eficacia de la práctica profesional

• Mejora en la atención al paciente

• Mejora en la experiencia del paciente

Viabilidad de implantación

• Interoperabilidad

• Infraestructura necesaria para su funcionamiento

• Complejidad de implantación y mantenimiento

• Eficiencia de la solución (tiempo de respuesta)

- Usabilidad de la solución por parte de los profesionales de la Salud

Calidad técnica del algoritmo

- Explicabilidad e interpretación de la IA
- Modularidad del código y escalabilidad

Evaluación ética

- Diversidad, equidad y no discriminación en los datos. Control de eliminación de sesgos
- Acción y supervisión humana
- Bienestar social y ambiental

Evaluación de Impacto por la Protección de Datos

- Cumplimiento de la normativa de protección de datos
- Mitigación de riesgos en el tratamiento de datos personales

Evaluación continua de soluciones implantadas

Paralelamente a la definición de la metodología de evaluación de los retos es necesario incidir en la necesidad de realizar una monitorización y evaluación continua de las soluciones implantadas en el Sistema de Salud, ya que se trata de productos de *software* que evolucionan con el paso del tiempo, dado que van aprendiendo con la ingesta de nuevos datos, y es necesario garantizar que su comportamiento se mantenga fiable (lícito, ético y robusto) a lo largo de todo el ciclo de vida.

En este sentido se prevé la incorporación de herramientas y metodología que permita monitorizar los sistemas de IA que están en funcionamiento en el Sistema de Salud de Cataluña.

3.3. Implementación sistémica

El principal punto fuerte del Programa Salud/IA es su objetivo final: la implantación sistémica de soluciones de IA, siempre que previamente se hayan cumplido todos los requisitos anteriormente mencionados. Este modelo, profundamente innovador, persigue alcanzar

- La excelencia del Sistema de Salud de Cataluña, reforzando el modelo de la Medicina de las 4 P (Preventiva, Predictiva, Participativa y Personalizada), en la que el centro es la Persona.

- La seguridad y privacidad de los datos de los ciudadanos en el entorno de las infraestructuras custodiadas por la Generalidad de Cataluña, sin el peligro de ceder datos a terceros que busquen un negocio lucrativo.

- La equidad a nivel de todo el territorio. La implantación de este tipo de herramientas a nivel de sistema garantiza que todos los ciudadanos de Cataluña tengan acceso a las nuevas aplicaciones que revertirán en la mejora de su bienestar.

Las líneas estratégicas enmarcadas en el eje de Implementación Sistémica son:

Implantación de soluciones de IA

Se implantarán en el Sistema de Salud sólo aquellas soluciones de IA que hayan superado con éxito el proceso de evaluación. Para poner en modo operativo estos algoritmos será necesario elaborar un Proyecto de Implantación que defina el encaje y alcance de la solución dentro del Sistema de Salud, los requerimientos técnicos y los posibles riesgos que se puedan convertir en su implantación.

Dependiendo de las funcionalidades requeridas, se identificará si es necesario algún tipo de certificación por la utilización en el Sistema de Salud.

Formación a los profesionales de la Salud

El uso de la IA tendrá un efecto transformador en el Sistema de Salud, y esta transformación debe ir acompañada de una capacitación de sus profesionales. Para impulsar la aplicación del *big data* y la IA es necesario:

- Aumentar el conocimiento sobre *big data* e IA entre los profesionales de la salud, los investigadores clínicos y los Comités de Ética de Investigación.

- Concienciar sobre la necesidad de acordar estándares éticos, jurídicos y metodológicos en el uso de los datos.

- Dar a conocer el estado de la cuestión, en el ámbito clínico-asistencial, desde el punto de vista jurídico, social y ético, así como desde el punto de vista de la investigación clínica y de la regulación de medicamentos y productos sanitarios.

- Formar en el uso de las aplicaciones de la IA en la evaluación de la eficacia, seguridad, conveniencia y coste-efectividad de procedimientos clínicos terapéuticos y diagnósticos, así como para la toma de decisiones clínicas y de evaluación en salud.

Los profesionales de la salud deben conocer en profundidad las posibilidades que les ofrece la IA en cada uno de sus campos de interés para garantizar su óptima aplicación.

Comunicación

La tercera línea estratégica de la implementación sistémica es la comunicación, que, a grandes rasgos, debe ir dirigida a tres grandes colectivos diferenciados, a los que es necesario llegar mediante mensajes adaptados en función de sus intereses y necesidades.

Ciudadanía

El despliegue de herramientas de IA tendrá un alto impacto en la forma de organizar y proveer servicios de salud a la ciudadanía, aportando una mejora en la asistencia y el bienestar general. Con el fin de asegurar el éxito del despliegue del Programa Salud/IA es de vital importancia transmitir la capacidad de trazabilidad completa y fiable de los algoritmos de IA mediante la definición de un protocolo de actuación y comunicación para integrar a la ciudadanía desde el inicio. Hay que tener presente que el centro del sistema es la persona y que las herramientas que se incorporan buscan la mejora de su bienestar, respetando en todo momento sus derechos personales. La difusión de la información y la creación de conocimiento es la herramienta más eficaz para garantizar una buena aceptación del programa por parte de la ciudadanía.

Profesionales de la Salud

Es importante que los profesionales de la salud estén extensamente informados sobre las opciones que ofrecen las técnicas de IA en sus campos de trabajo y las ventajas que comporta su aplicación en la práctica diaria. Por eso es necesario incidir en la comunicación desde el inicio y tener en cuenta la voz de los profesionales implicados en la definición de las herramientas de IA que implicarán cambios en los hábitos de trabajo, facilitando una gestión del cambio eficaz y enriquecedora.

Desarrolladores de herramientas de IA

Desde el Programa Salud/IA hace falta un esfuerzo para hacer llegar el mensaje de apoyo e impulso al conjunto del ecosistema de IA: universidades, centros de investigación, empresas, infraestructuras científicas y agentes implicados en la promoción y desarrollo de la IA en salud. Su implicación es clave para llegar a desarrollar herramientas de IA de gran